S0-AFV-613

ETUDES FRANÇAISES

Französische Sprachlehre

von

H. W. KLEIN

und

F. STROHMEYER

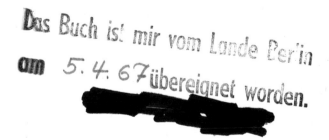

Das Buch ist mir vom Lande Berlin am 5. 4. 67 übereignet worden.

ERNST KLETT VERLAG

5211

Vorwort

La grammatica nasce dalla lingua, e non la lingua dalla grammatica
(Claudio Tolomei, 1554).

La langue vit sans permission des grammairiens
(André Thérive, 1956).

Diese *Französische Sprachlehre* ist nicht einfach eine Überarbeitung der bisherigen *Neuen Französischen Sprachlehre* des Ernst Klett Verlages, sondern ein völlig neues Buch. Es wurde zwar auf dem bewährten Werk von *Fritz Strohmeyer* aufgebaut und in enger Zusammenarbeit mit dem Autor nach modernen Erkenntnissen geordnet und erweitert, ist aber vor allem in der Stoffauswahl und in der Methodik der Darstellung völlig neu.

Maßgebend für die Beispielauswahl war nicht nur der gute Sprachgebrauch klassischer und moderner Autoren, sondern auch die gute Umgangssprache von heute. Wir haben uns dabei ebensosehr davor gehütet, Veraltetes als Norm hinzustellen, wie auch davor, unbedingt jeder Neuerung nachzulaufen, die noch nicht zum „*bon usage*" geworden ist, wie ihn *Ph. Martinon* und *M. Grevisse* beispielgebend darstellen.

Getreu diesen Leitsätzen haben wir versucht, die Regeln nicht als Vorschriften oder Gesetze, sondern als Erläuterung des inneren Systems der Sprache darzubieten. Die Darstellung ist weder historisierend noch psychologisierend, sondern folgt der heute in der Wissenschaft gültigen deskriptiven Methode. Wir haben allerdings die traditionelle Terminologie meist beibehalten, weil die Schule nicht da experimentieren sollte, wo die Forschung noch keine allgemein akzeptierten Bezeichnungen gewonnen hat. Lediglich der französischen Sprache nicht gemäße Begriffe wie *Kasus* u. dgl. wurden neu definiert und benannt.

Die Beispiele sind französischen Quellen verschiedenster Art entnommen. In den Fällen, die Besonderheiten oder Entwicklungstendenzen des heutigen Sprachgebrauchs illustrieren, haben wir Belege modernster Schriftsteller gegeben.

Der eigentliche Lernstoff ist durch größeren Druck, durch Umrahmung und Farbunterlegung kenntlich gemacht. Die in Kleindruck angefertigten reichhaltigen Anmerkungen sollen es dem Benutzer ermöglichen, sich über Besonderheiten und Feinheiten des Sprachgebrauchs zu orientieren und mit neuen Entwicklungstendenzen vertraut zu machen. Sie sollen weiterhin zeigen, daß die im 17. Jahrhundert so streng in Regeln gebrachte französische Sprache dennoch nicht starr, sondern in ständigem Fluß ist.

Es ist mir eine ebenso ehrenvolle wie traurige Pflicht, Herrn Prof. Dr. *Fritz Strohmeyer*, der kurz vor Erscheinen des Buches im Alter von 88 Jahren starb, dafür zu danken, daß er mir die Betreuung dieses Buches anvertraute. Bis zuletzt hat er in beispielhafter Aufgeschlossenheit für alles Neue daran mitgearbeitet und sein reiches und in langer Erfahrung gereiftes Wissen zur Verfügung gestellt. Mein Dank wird darin bestehen, daß ich mich bemühen werde, sein Werk in seinem Geiste fortzuführen.

Besonderer D̶a̶n̶k̶ Herrn ███████ uller (*professeur agrégé de l'Université*, Mainz), der da███████ ███ine sprachliche Richtigkeit überprüfte, und Herrn Oberstudiendirektor Dr. *Ernst Zellmer* (Minden), der aus seiner großen Erfahrung heraus wertvolle Ratschläge gab. Nicht zuletzt danke ich der Romanistischen Redaktion des Ernst Klett Verlages, Herrn Dr. *Otto Weise* und Fräulein Dr. *Rita Hähner*, die in unermüdlicher Arbeit dazu beigetragen haben, dem Buch inhaltlich und in der äußeren Darstellungsform seine endgültige Gestalt zu geben.

Münster i. W.   *Hans-Wilhelm Klein*

1. Auflage, Nachdruck. Alle Drucke einer Auflage können im Unterricht nebeneinander benutzt werden. Umschlag: H. und L. Lämmle. Satz und Druck: Ernst Klett, 7000 Stuttgart, Rotebühlstraße 77. — 1^{10}; 1967.

Inhalt

§§   Seite

      Überblick über die Geschichte der französischen Sprache 9

1–4 Der Satz 13

1   Die Elemente und Beziehungsmittel im Satz 13
2   Die Arten der Sätze 13
3   Die Satzteile 13
4   Das Satzgefüge 14

5–30 Das Verb 14

6   Die Arten des Verbs 15
7–8   Die Formen des Verbs 15
9   Die Konjugation des Verbs 16
10   I. Die Hilfsverben *avoir* und *être* 16
11–16   II. Die Verben auf *-er* 18
11–12   A. *porter, tomber* 18
13   B. *forcer, manger* 19
14   C. *lever, jeter, appeler* 19
15   D. *espérer* 20
16   E. *employer, ennuyer, payer* 20
17–19   III. Die Verben auf *-ir* 20
17   A. *finir* 20
18   B. *dormir, sentir, partir* 21
19   C. *ouvrir* 22
20   IV. Die Verben auf *-re (rompre)* 22
21   V. Die Verben auf *-oir (recevoir)* 23
22   VI. Die Frageform des Verbs 23
23   VII. Die verneinte Form des Verbs 24
24   VIII. Die Bildung des Passivs 24
25   IX. Übersicht über die Ableitung der Verbformen 25
26–29   X. Übersicht über die wichtigsten unregelmäßigen Verben 26
30   XI. Die wichtigsten unvollständigen Verben 42

31–106   Gebrauch der Formen des Verbs............................ 44
31–35   I. Die Hilfsverben 44
32–34   A. Die temporalen Hilfsverben *avoir* und *être* 44
35   B. Andere Hilfsverben 46
36–41   II. Das reflexive Verb.................................... 46
42–55   III. Die Zeiten 49
43   A. Das Präsens 50
44–49   B. Imperfekt und Historisches Perfekt 50
50–51   C. Das Perfekt 53
52   D. Das 1. und 2. Plusquamperfekt 54
53–54   E. Das Futur 54
55   F. Das Konditional 55
56–74   IV. Die Modi 56
57   A. Der Indikativ 56
58–70   B. Der Konjunktiv 56
59–63   1. Der Konjunktiv der Willensäußerung 57
64–65   2. Der Konjunktiv der Annahme, der Einräumung, des Zugeständnisses 59
66–67   3. Der Konjunktiv der persönlichen Stellungnahme und der zweifelnden Aussage 60

3

4. Der Konjunktiv der Unwahrscheinlichkeit 61
5. Der Konjunktiv des persönlichen Empfindens 62
6. Die Zeitenfolge in konjunktivischen Sätzen 63
C. Der Imperativ 63
D. Das Konditional ...., ... 64
   1. Das Konditional als Tempus und Modus 64
   2. Der Gebrauch des Konditionals als Modus 64
   3. Tempus und Modus im Konditionalsatz mit *si* 65
V. Der Infinitiv 65
A. Der Infinitiv ohne Präposition 66
B. Der Infinitiv mit *à* 68
C. Der Infinitiv mit *de* 70
D. Der Infinitiv mit *à* oder *de* 72
E. Der Infinitiv mit anderen Präpositionen 73
F. Die Verwendung der Infinitivkonstruktion 74
VI. Die Partizipien und das Gerundium 74
A. Das Partizip Präsens 75
B. Das Gerundium 77
C. Der Unterschied im Gebrauch von Partizip Präsens und Gerundium 78
D. Das Partizip Perfekt 78
   1. Veränderlichkeit beim Hilfsverb *être* 78
   2. Veränderlichkeit beim Hilfsverb *avoir* 78
   3. Veränderlichkeit beim reflexiven Verb 79
   4. Besonderheiten 80
E. Die absolute Partizipialkonstruktion 81

Die Beziehungen des Verbs 81
I. Das Verb und sein Subjekt 81
A. Persönliche und unpersönliche Verben 81
   1. Eigentliche unpersönliche Verben 82
   2. Verben mit unpersönlichem *il* und folgendem Subjekt 82
   3. Unpersönliche Wendung im Deutschen, persönliche Wendung
      im Französischen 83
B. Übereinstimmung des Verbs mit dem Subjekt 83
C. Das neutrale Pronomen *ce* als Subjekt 84
II. Das Verb und seine Ergänzungen 84
A. Verb und Objekt 85
   1. Verben mit direktem Objekt im Französischen 85
   2. Intransitive Verben, die transitiv werden können 86
   3. Verben mit *à* 86
   4. Verben mit *de* 86
   5. Verben mit verschiedenen Konstruktionen 87
   6. Verben mit doppeltem Objekt 89
   7. *faire* beim Infinitiv mit zwei Objekten 90
B. Verb und prädikative Ergänzung 90
C. Das Passiv 91

125–144 Die Wortstellung 92
Die Wortstellung im Aussagesatz 92
I. Die Stellung nach den Satzteilen 92
II. Die Stellung nach dem Wohlklang 93
III. Die Stellung nach dem Sinnwert der Satzteile 93
A. Schwerpunkt der Aussage am Satzende 93
   1. Verb mit einer Ergänzung 93
   2. Verb mit zwei Ergänzungen 94

131	3. Das Subjekt als Schwerpunkt am Satzende	94
132	4. Ein Nachsatz als Schwerpunkt	94
133	B. Hervorhebung durch Umschreibung mit *c'est ... qui (que)*	94
134	C. Absolute Voranstellung in Sätzen mit zwei Schwerpunkten	95
135	D. Wiederholung des Ausgangspunktes in Sätzen mit zwei Schwerpunkten	95
136–144	**Die Wortstellung im Fragesatz**	96
136	I. Die Arten der Fragekonstruktion	96
137–144	II. Die Verwendung der Fragekonstruktion	96
137	A. Das Subjekt ist ein Personalpronomen oder *ce, on*	96
138–143	B. Das Subjekt ist ein Substantiv	96
138	1. Fragen ohne Fragewort	96
139–143	2. Fragen mit einem Fragewort	97
144	C. Die Inversion außerhalb des Fragesatzes	98
145–166	**Das Substantiv**	98
146–157	**Das Genus der Substantive**	99
147–151	I. Das natürliche Geschlecht bei Lebewesen	99
147	A. Maskulinum und Femininum gleicher Herkunft	99
148	B. Maskulinum und Femininum verschiedener Herkunft	100
149	C. Kennzeichnung des Femininums durch besondere Endungen	100
150	D. Substantive mit männlicher Form für beide Geschlechter	101
151	E. Substantive mit weiblicher Form für beide Geschlechter	102
152–157	II. Das grammatische Geschlecht	102
152	A. Geschlechtsbestimmung nach dem Sinn	102
153–155	B. Geschlechtsbestimmung nach der Form	103
156	C. Substantive mit doppeltem Geschlecht und verschiedener Bedeutung	104
157	D. Besonderheiten	105
158–166	**Der Plural der Substantive**	105
159	I. Die Bildung des Plurals mit -*s*	105
160	II. Die Bildung des Plurals mit -*x*	105
161	III. Der Plural der Substantive auf -*ail* und -*ou*	106
162–163	IV. Der Plural zusammengesetzter Substantive	106
164–165	V. Der Numerus bei Eigennamen	108
166	VI. Substantive, die nur im Plural vorkommen	109
167–187	**Der Artikel**	109
168–177	**Der bestimmte Artikel**	110
168	I. Die Formen des bestimmten Artikels	110
169	II. Die hinweisende Funktion des bestimmten Artikels	110
170–177	III. Der Gebrauch des bestimmten Artikels	111
170	A. Personennamen	111
171	B. Ortsnamen	111
172	C. Ländernamen	112
173	D. Flußnamen, Meeresnamen, Gebirgsnamen	112
174	E. Himmelsrichtungen	112
175	F. Jahreszeiten, Monate, Wochentage, Tageszeiten, Feste	113
176	G. Gattungsnamen, Abstrakte, Stoffnamen	113
177	H. Gallizismen mit bestimmtem Artikel	114
178	**Der unbestimmte Artikel**	114
179–184	**Der Teilungsartikel**	115
180	I. Die Formen des Teilungsartikels	116

181–184 II. Der Gebrauch des Teilungsartikels 116
181 A. Bei unbestimmten Mengen und Abstrakten 116
182 B. Nach Mengenangaben 117
183 C. In negativen Sätzen 117
184 D. Bei Substantiv mit vorangehendem Adjektiv 118
185 Die Wiederholung des Artikels 118
186–187 Die Auslassung des Artikels 119

188–204 Das Adjektiv 121
189–196 **Genus und Numerus** 121
189 I. Das Adjektiv und sein Beziehungswort 121
190–194 II. Die Bildung des Feminins 122
195 III. Adjektive mit zwei Formen für das Maskulinum 124
196 IV. Die Pluralbildung 124
197–198 **Die Steigerung des Adjektivs** 125
199–203 **Die Stellung des attributiven Adjektivs** 126
200 I. Nachstellung 127
201 II. Voranstellung 128
202 III. Adjektive mit wechselnder Bedeutung 128
203 IV. Substantiv mit zwei Adjektiven 129
204 **Das Adjektiv und seine Ergänzung** 129

205–214 Das Zahlwort 130
206–207 I. Die Grundzahlen 130
208–209 II. Die Ordnungszahlen 131
210–211 III. Die Bruchzahlen 132
212 IV. Sammelzahlen 133
213 V. Vervielfältigungszahlen 133
214 VI. Zahladverbien 133

215–245 Das Adverb 134
214–217 **Die Formen des Adverbs** 134
216 I. Die Bildung der abgeleiteten Adverbien 134
217 II. Die Adverbien *bien, mal, vite* 135
218–220 **Die Steigerung des Adverbs** 135
221–223 **Die Stellung des Adverbs** 137
221 I. In den einfachen Zeiten 137
222 II. In den zusammengesetzten Zeiten 137
223 III. Beim Infinitiv 137
224–227 **Wendungen mit adverbialem Charakter** 138
224–225 I. Adjektiv statt Adverb 138
226 II. Substantivische Umschreibungen 138
227 III. Verbale Umschreibungen 139
228–236 **Der Gebrauch einzelner Adverbien** 139
228–231 I. *beaucoup, très, bien, fort* 139
232–233 II. *aussi, si* und *autant, tant* 140
234 III. *comment, combien, que, comme* 141
235 IV. *plus tôt* und *plutôt* 141
236 V. *oui* und *si* 142
237–245 **Die Adverbien der Verneinung** 142
238–240 I. *ne ... pas, ne ... point, ne ... guère, ne ... plus* .. 143
241 II. Die betonte Negationsform *non, non pas* 144

242 III. *ne ... que, seul, seulement* 144
243 IV. *ni* 145
244 V. *ne* alleinstehend, ohne Ergänzungswort 145
245 VI. Zusätzliches *ne* 146

246–298 Die Pronomen 147

247–260 **Das Personalpronomen** 147
248–255 I. Das verbundene Personalpronomen 148
248 A. Formen 148
249–251 B. Stellung 148
249 1. Subjektform und eine Objektform beim Verb 148
250 2. Zwei Objektformen beim Verb 148
251 3. Pronominalobjekte beim Infinitiv 149
252–255 C. Gebrauch 150
252 1. Das neutrale Pronomen *le* 150
253–255 2. Die Pronominaladverbien *en* und *y* 150
256–260 II. Das unverbundene betonte Personalpronomen 152
256 A. Formen 152
257 B. Gebrauch 152
258–259 C. Die Objektformen beim Imperativ 153
260 D. Das Reflexivpronomen *soi* 153

Das Possessivpronomen 154
261–265 I. Das adjektivische Possessivpronomen 154
261–263 II. Das substantivische Possessivpronomen 156
264–265

Das Demonstrativpronomen 157
266–275 I. Formen 157
266–267 A. Die adjektivische Form *ce* 157
266 B. Die substantivische Form *celui* 157
267 II. Gebrauch 157
268–275 A. *celui* 157
268 B. *celui-ci, celui-là* 158
269 C. Die neutralen Formen *ceci, cela* 158
270 D. Das neutrale *ce* 159
271 E. Der Unterschied zwischen neutralem *il* und *ce* 159
272–275

Das Relativpronomen 160
276–283 I. *qui, que* 160
276 II. *dont* 161
277 III. *où, que* 161
278 IV. *lequel* 162
279 V. Der Gebrauch von *qui, que* und *lequel* 162
280 VI. Das neutrale Relativ *quoi* 163
281 VII. Das neutrale Relativ *ce qui, ce que* 163
282 VIII. Das beziehungslose Relativ *qui* 164
283

Das Interrogativpronomen 164
284–289 I. Die Arten der Fragepronomen 164
284 II. Gebrauch 165
285–288 A. Frage nach Personen (direkte und indirekte Frage) 165
285–286 B. Frage nach Sachen (direkte und indirekte Frage) 166
287–288 III. Das adjektivische *quel* und das substantivische *lequel* .. 167
289

Unbestimmte Pronomen (Indefinita) 167
290–298 I. Positive Indefinita 167
290–295 A. *on* 167
290 B. *tout, chaque, chacun* 168
291–294

295   C. Andere Indefinita *(autre, certain, même, tel, quelque, quelconque,*
          quiconque, qui, quoi, quel que) 169

296–298   II. Positive und negative Indefinita............................... 171

296   A. *quelqu'un — personne* 171

297   B. *quelque chose — rien* 171

298   C. *quelque — aucun* 172

299–317   Die Präposition 173

300   I. Die wichtigsten Präpositionen und ihre Grundbedeutung 173

301–309   II. Die örtlichen Beziehungen 174

301   A. Die Lage in einem Ort und das Eintreten in einen Ort *(à, en, dans)* 174

302   B. Die Richtung auf einen Ort zu — Erreichen, Berührung
          (à, pour, vers, jusque, contre) 174

303   C. Die Nähe *(près de, auprès de, chez)* 175

304–305   D. Das Herkommen von oder aus einem Ort 176

306–307   E. Die verschiedenen Richtungslagen zu einem Ort 176

306   1. Die waagerechte Lage *(devant — derrière, avant — après, à côté de)* 176

307   2. Die senkrechte Lage *(sur — sous, au-dessus de — au dessous de)* 177

308   F. Das Durchqueren eines Ortes *(par, à travers)* 177

309   G. Die Lage zwischen mehreren Orten *(entre, parmi)* 178

310–312   III. Die zeitlichen Beziehungen 178

310   A. Zeitpunkt und Zeitdauer *(à, en, dans, pendant, durant)* 178

311   B. Anfang und Ende *(de, à, depuis, jusque, dès, à partir de)* 179

312   C. Der zeitliche Abstand *(avant — après, il y a — au bout de)* 179

313–317   IV. Die modalen Beziehungen 180

313   A. Art und Weise *(à, en, de, avec)* 180

314   B. Mittel und Werkzeug *(avec, par, à, de)* 180

315   C. Grund *(à cause de, pour, de)* 181

316   D. Zweck und Bestimmung *(pour, à)* 181

317   E. Einschränkung und Hinzufügung *(excepté, sauf — outre, en dehors de,*
          à côté de) 181

318–333   Die Konjunktion 182

319–320   I. Beiordnende Konjunktionen 182

321–333   II. Unterordnende Konjunktionen 183

321–325   A. Temporale Konjunktionen 183

326   B. Kausale Konjunktionen 185

327   C. Finale Konjunktionen 185

328   D. Konsekutive Konjunktionen 186

329   E. Die modale Konjunktion *sans que* 186

330   F. Konditionale Konjunktionen 186

331   G. Konzessive Konjunktionen 187

332   H. Vergleichende Konjunktionen 187

333   J. Die Konjunktion *que*..................................... 188

334–336   **Die Zeichensetzung** 189

337   **Die Verwendung der großen Anfangsbuchstaben** 191

338   **Die Silbentrennung** 193

Sachregister 194

Grammatische Ausdrücke (deutsch–französisch) 199

Überblick über die Geschichte der französischen Sprache

Zwischen dem 10. und 5. Jahrhundert v. Chr. wurde das heutige französische Gebiet von Kelten (Galliern) besiedelt. Ihre Sprache verdrängte die uns nahezu unbekannten Ursprachen des Landes völlig. Als Cäsar zwischen 58 und 50 v. Chr. Gallien eroberte, sprach man dort überall die Sprache der keltischen Gallier[1].

Die Romanisierung Galliens. Die römische Eroberung brachte die lateinische Sprache nach Gallien. Diese war zunächst die Sprache der Besatzungsmacht und der Verwaltung, wurde aber schnell von der gallischen Priesterschaft (den Druiden) und der gallischen Aristokratie übernommen. Als Sprache der hohen römischen Kultur und bald auch der christlichen Kirche verbreitete sich das Latein schnell in den Städten, langsamer auf dem Lande. Das Gallische starb in den fünf Jahrhunderten nach der römischen Eroberung fast völlig aus. Außer zahlreichen geographischen Namen haben sich nur etwa 50 meist bäuerliche Wörter bis heute erhalten, so *l'alouette, la borne, la charrue, le chemin, la dune, la lande, le mouton.*

Das Französische ist also ein Nachkomme des Lateinischen, eine romanische Sprache. Freilich brachten die römischen Soldaten, Kaufleute und Siedler nicht das klassische Latein der hohen Schriftsprache in das Land, sondern eine einfachere Umgangssprache, das sogenannte Vulgärlatein (z. B. *tabula* statt *mensa; testa* zu frz. *tête,* eigentlich „Topfscherben", für *caput; plorare* „heulen", frz. *pleurer,* statt *flere* usw.). Nach dem Zerfall des römischen Imperiums entwickelte sich dieses Volkslatein, wie in den anderen romanischen Ländern, auch in Frankreich selbständig weiter. Es entfernte sich lautlich und syntaktisch immer mehr von seiner lateinischen Basis und galt vom 9. Jahrhundert n. Chr. ab als eine eigenständige Sprache, die man zunächst *romanz* nannte *(lingua romana rustica)*[2].

Germanische Einflüsse. Seit dem 3. Jahrhundert n. Chr. fielen die germanischen Franken wiederholt in Gallien ein. Der Frankenkönig Chlodwig machte sich um 500 zum Herrn von ganz Nordfrankreich bis etwa zur Loire. Die zahlenmäßig geringe, aber mächtige fränkische Herrenschicht gab dem Lande nicht nur den Namen *France* (Frankreich), sondern brachte der französischen Sprache viele germanische Wörter. Diese bezeichnen vor allem:

1. Kriegswesen und Waffen *(blesser, la guerre, la hache, le heaume)*;
2. das Lehenswesen *(bannir, le fief, le sénéchal, le maréchal)*;
3. ethische Begriffe der fränkischen Krieger *(hardi, haïr, honnir, la honte, l'orgueil)*;
4. germanische Landkultur *(la gerbe, la haie, le hêtre, le jardin).*

Dieser germanische Einfluß erstreckte sich aber nur auf den Wortschatz. Die Betonungsverhältnisse und die innere Struktur des Französischen blieben rein romanisch[3].

Das Altfranzösische. Schon vor der Eroberung Galliens durch Cäsar war der südliche Teil des Landes, die heutige Provence (lat. *Provincia nostra*), romanisiert worden. Es entstand dort eine romanische Sprache, das Provenzalische, das als selbständige romanische Sprache gilt, auch wenn es heutzutage nur eine untergeordnete Rolle spielt. Diese Sprache stand im Mittelalter gleichwertig neben dem eigentlichen Französischen, das in den Gebieten nördlich der Provence gesprochen wurde. Durch

---

1. Vgl. Etudes Françaises, Prosalesebuch, Klettbuch 5256, S. 20: Maurois, La société gauloise.
2. Vgl. Prosalesebuch, S. 23: Calmette, L'imprégnation romaine.
3. Vgl. Prosalesebuch, S. 25: Fustel de Coulanges und Guizot, Conséquences de l'invasion germanique.

das politische Übergewicht des Nordens wurde das Französische immer mächtiger und bedeutender und drängte das Provenzalische immer weiter zurück.

In dieser Nordsprache, dem Altfranzösischen, rangen zunächst mehrere bedeutende Dialekte (z. B. Normannisch, Champagnisch, Pikardisch, Franzisch) um die Vorherrschaft, bis schließlich durch das Erstarken des Königtums das Franzische (die Sprache von Paris und der Ile-de-France) siegreich blieb und etwa vom 14. Jahrhundert ab zur alleinigen Schriftsprache wurde.

Der erste in altfranzösischer Mischsprache geschriebene Text, den wir besitzen, stammt aus dem Jahre 842. Es ist die Übersetzung der *Straßburger Eide*, eines Bündnisvertrages zwischen Ludwig dem Deutschen und Karl dem Kahlen gegen ihren Bruder Lothar[4]. Die eigentliche Literatur in altfranzösischer Sprache setzte um die Wende zum 10. Jahrhundert ein — viel eher als die italienische oder spanische — und erreichte zwischen dem 11. und 13. Jahrhundert eine hohe Blüte.

Um einen Begriff von der Form der altfranzösischen Sprache zu geben, bringen wir einen kurzen Ausschnitt aus dem *Rolandslied* (verfaßt zwischen 1090 und 1100), dessen älteste erhaltene Handschrift etwa um 1150 entstand. Ein Vergleich mit der beigefügten neufranzösischen Übersetzung zeigt, wie sehr sich die Sprache seitdem sowohl im Wortschatz als auch in der Syntax gewandelt hat.

Li quens Rollanz par peine et par ahans,	*Le comte Roland, à grand-peine, à grande angoisse*
Par grant dulor sunet sun olifan.	*et avec grande douleur sonne son olifant.*
Parmi la buche en salt fors li clers sancs,	*De sa bouche le sang jaillit clair,*
De sun cervel le temple en est rumpant.	*De son front la tempe se rompt.*
Del corn qu'il tient l'oïe en est mult grant:	*Le son du cor qu'il tient se fait entendre bien loin:*
Karles l'entent, ki est as porz passant (1761 ff.).	*Charles l'entend, qui passe par les défilés.*[5]

Das Mittelfranzösische und die Renaissancezeit. Das 14. und 15. Jahrhundert brachten den hundertjährigen Krieg mit England (1337—1453), aus dem Frankreich nach mühevollem, verzweifeltem Ringen (Jeanne d'Arc) und völlig erschöpft schließlich doch als Sieger hervorging. Die vorher blühende Literatur war in diesen kriegerischen Zeiten fast verstummt. Auch die Sprache machte tiefe Wandlungen durch. Es ist eine Zeit des Überganges, in der die Ordnung der altfranzösischen Sprache weithin aufgegeben wurde (so verschwand z. B. das Kasussystem), ohne daß bereits eine festgefügte neue Sprachform entstand. Es gab keine großen Dichter, die als sprachliche Vorbilder hätten dienen können, keine zentrale Einrichtung, die der Sprache Normen und Gesetze gegeben hätte.

Im 16. Jahrhundert brachten die engen Kontakte mit Italien (Italienfeldzüge seit 1494) die Ideen des italienischen Humanismus nach Frankreich[6]. Es wurden viele italienische Lehnwörter aufgenommen, besonders auf dem Gebiete des Kriegswesens und der Kunst, z. B. *l'alarme, le canon, le caporal, le cavalier, le soldat — le balcon, le corridor, la façade, le madrigal, le sonnet.* Gleichzeitig lebten die lateinischen Studien mächtig auf. Die Syntax formte sich an der lateinischen Übersetzungsliteratur, zahlreiche gelehrte Wörter wurden nach lateinischem Vorbild neu geschaffen. So entstanden die sogenannten Doubletten *(doublets)*, Wörter, die in volkstümlicher und gelehrter Form demselben lateinischen Grundwort entstammen, z. B.

---

4. Text vgl. Prosalesebuch, S. 31.
5. Vgl. Prosalesebuch, S. 29: G. Paris, La Chanson de Roland.   [Chateaux.
6. Vgl. Prosalesebuch, S. 44 und 48: Cohen, Moyen âge et Renaissance; Ravizé-Schön, Cathédrales et

lat. Wort:	*causa*	*legalis*	*mobilis*	*nativus*	*paradisum*
mot populaire:	*chose*	*loyal*	*meuble*	*naïf*	*parvis*
mot savant:	*cause*	*légal*	*mobile*	*natif*	*paradis*

Auch die Rechtschreibung wurde stark vom Lateinischen beeinflußt. So erklärt sich z. B. die Schreibung von schon damals stummen Konsonanten in: *doigt* (afrz. *doit*, lat. *digitus*), *vingt* (afrz. *vint*, lat. *viginti*), *sept* (afrz. *set*, lat. *septem*).

Im 16. Jahrhundert besteht also noch eine krause, überreiche, mit mittelalterlichen, italienischen, lateinischen und griechischen Elementen durchsetzte Sprache von großer Ausdruckskraft, aber geringer Ordnung und Klarheit. Ein Beispiel aus dem Roman *Pantagruel* von *François Rabelais (1494—1553)* mag dies zeigen:

Quelque jour, je ne sçay quand, Pantagruel se pourmenoit (se promenait) *aprés soupper avecques ses compaignons par la porte dont l'on* (d'où l'on) *va à Paris. Là rencontra un escholier tout jolliet qui venoit par icelluy* (le même) *chemin, et, aprés qu'ils se feurent saluez, luy demanda: «Mon amy, dont* (d'où) *viens tu à ceste heure?» L'escholier luy respondit: «De l'alme* (la bienfaisante), *inclyte* (illustre) *et celebre Academie que l'on vocite* (appelle) *Lutece* (Lutetia = Paris).» — «Qu'est ce à dire?» *dist Pantagruel à un de ses gens. « C'est, respondit il, de Paris.»*[7]

Das klassische Französisch. So wie im 17. Jahrhundert Ludwig XIV. Ordnung in die verworrenen politischen Verhältnisse des Landes brachte, so strebte eine verfeinerte Gesellschaft der Salons und des Hofes eine neue Ordnung in der Sprache an[8]. Schon *Joachim Du Bellay (1522—1560)* hatte im 16. Jahrhundert eine Neuregelung der Dichtersprache versucht, aber erst *François de Malherbe (1555—1628)* und *Nicolas Boileau (1636—1711)* wurden die eigentlichen Gesetzgeber für die klassische Literatursprache[9]. In ihrem Bestreben, die Sprache von einer allzu willkürlichen persönlichen Wortbildung und von allzu vulgären Elementen zu befreien, ließen sie nur noch den Wortschatz und den Sprachgebrauch des Hofes und des *honnête homme* (des feingebildeten Edelmannes) gelten. Die im Jahre 1635 gegründete *Académie française* wurde zur festen Einrichtung für die Regelung der Sprache[10]. Alle „niedrigen" und „realistischen" Wörter wurden aus der Literatursprache verbannt. So galt das Wort *poitrine*, auf den Menschen angewandt, als nicht mehr fein genug, weil man ja auch *poitrine de veau* sagte. Es wurde durch *gorge* oder *estomac* ersetzt, so daß *Pierre Corneille (1606—1684)* im *Cid* schreiben konnte: *Je vais lui présenter mon estomac ouvert* (v. 1499).

Auf diese Weise verarmte die Sprache in starkem Maße, und schon im 17. Jahrhundert selbst sagte der Grammatiker *Dominique Bouhours (1628—1702)* von ihr: *Elle ressemble à une eau pure qui n'a point de goût.* Anderseits gewann sie an Durchsichtigkeit und Klarheit der Konstruktion und wurde zu einem edlen Instrument, dessen die Klassiker sich meisterhaft bedienten, um ihr fast ausschließliches Objekt, den Menschen in seinen Leidenschaften, in feinster psychologischer Durchdringung zu schildern[11].

Die starren und zuweilen recht willkürlichen Regeln, die die klassischen Grammatiker der Sprache gaben, sind im Prinzip bis heute maßgebend geblieben. Das 17. Jahrhundert hat die französische Sprache in eine bis heute gültige Form gebracht.

---

7. Vgl. Prosalesebuch, S. 45—48: Textproben aus Rabelais und Montaigne.
8. Vgl. Prosalesebuch, S. 54 und 57: Hanotaux, L'avènement d'un siècle glorieux; Taine, Le courtisan.
9. Vgl. Prosalesebuch, S. 65: Boileau, La doctrine classique.
10. Vgl. Prosalesebuch, S. 75: Lepointe, L'Académie française.
11. Vgl. Prosalesebuch, S. 73 und 78: La Bruyère, Corneille et Racine; Gide, Du Classicisme.

Die Sprache des 18. Jahrhunderts ist im wesentlichen eine Fortsetzung der klassischen Sprache eines *Corneille* und *Racine*. Nur in der Prosa dieses philosophischen Jahrhunderts tauchen neue Begriffe und mit ihnen neue Wörter auf. Die Naturwissenschaftler sehen sich gezwungen, ein Kamel *chameau* zu nennen statt *camelus*, die wissenschaftliche Sprache also der wirklich lebendigen, gesprochenen Sprache anzupassen[12]. Durch die geistige und politische Vorherrschaft Frankreichs wurde das Französische zur Sprache der Gebildeten in ganz Europa.

Von der Romantik zum Naturalismus. Die Romantiker, die sich für die Überwinder der klassischen Kunst hielten, wichen in ihrer Sprache nicht von der herkömmlichen Syntax ab. Nur auf dem Gebiete des Wortschatzes wirkten sie revolutionierend. Die sogenannten „niedrigen" Wörter sind wieder zugelassen: *Je nommai le cochon par son nom, pourquoi pas?* Die gesuchten, preziösen Periphrasen werden lächerlich gemacht: *J'ai dit au long fruit d'or: Mais tu n'es qu'une poire! (Victor Hugo, 1802—1885)*[13] Die realistische und naturalistische Schule (von *Honoré de Balzac* bis zu *Emile Zola* und den Brüdern *Edmond* und *Jules de Goncourt*) erweiterte im 19. Jahrhundert den Wortschatz der Literatur in bisher ungekanntem Maße und befreite gleichzeitig die Syntax von ihrer klassischen Starrheit.[14]

Der Wortschatz wurde auch durch eine Reihe englischer Wörter bereichert:

1. Politik und Verwaltung *(le budget, la coalition, le comité, la majorité, le meeting)*;
2. Speisen und Getränke *(le bifteck, le pouding, le rhum, le rosbif, le sandwich)*;
3. Technik und Verkehr *(le car, l'express, le macadam, le scooter, le sidecar, le tramway, le tunnel, le wagon)*;
4. Sport, Gesellschaft und Unterhaltung *(la boxe, le football, le record; le bridge, le club, flirter, une interview, le living-room, le reporter, le snob, le speaker, le toast)*.

Das heutige Französisch. In keiner anderen europäischen Sprache ist der künstlich geschaffene Abstand, der seit dem 17. Jahrhundert zwischen Volks- und Literatursprache besteht, so fühlbar wie im Französischen. Nirgendwo haben die Beschlüsse der Grammatiker einen solchen Einfluß auf die Sprache gehabt. Fast drei Jahrhunderte lang haben die klassischen Regeln die Sprache beherrscht. Erst die gewaltigen sozialen Umschichtungen im Gefolge zweier Weltkriege ließen das unnatürliche Spannungsverhältnis zwischen offizieller Literatursprache und normaler Umgangssprache voll fühlbar werden. Die natürliche Volkssprache, die im 17. Jahrhundert verbannt wurde, drängt mit Macht nach oben; und wenn die Schriftsprache auch im Prinzip bisher „klassisch" geblieben ist, so beobachtet man in der Wortwahl, der Aussprache, den Konstruktionen der gesprochenen Sprache tiefgehende Wandlungen, denen sich auch die heutigen Schriftsteller nicht mehr verschließen können.

Die vorliegende Grammatik trägt dieser Entwicklung überall Rechnung. Sie will zeigen, daß nicht die starre, überkommene Regel die Sprache formt, sondern daß der gute Sprachgebrauch der Gebildeten und der führenden Schriftsteller — *le bon usage d'aujourd'hui* — die inneren Gesetze der heutigen Sprache spiegelt.

---

12. Vgl. Prosalesebuch, S. 77 und 94: Rivarol, La clarté de la langue française; Voltaire, Un livre dangereux.
13. Vgl. Prosalesebuch, S. 116 und 118: Lamartine, Révolte contre le Rationalisme; Hugo, La liberté dans l'art.
14. Vgl. Prosalesebuch: Textproben zu Balzac S. 127—130, zu Flaubert S. 131, zu Zola S. 136—139, zu den Goncourt S. 101.

Der Satz (la phrase)

Die Elemente und Beziehungsmittel im Satz

Die Sprache gibt jedem Ding, jeder Erscheinung und jedem Vorgang einen Namen, z. B. *nuit — tomber — rentrer — maison.*

Obwohl jedes dieser Wörter eine mehr oder minder fest umrissene Bedeutung hat, ergeben sie dennoch, nacheinander gesprochen, keinen Sinnzusammenhang. Wenn man einen sinnvollen Denkinhalt sprachlich zum Ausdruck bringen will, muß man die Wörter also in eine Sinnbeziehung bringen, z. B.

La nuit tombe. Rentrons à la maison.
Comme la nuit tombait, je rentrai à la maison.
Quand la nuit tombera, il rentrera à la maison.
Nous rentrons à la maison, parce que la nuit tombe, etc.

Einen solchen Sinnzusammenhang nennt man **Satz**.

Der Satz besteht also aus zwei Elementen:
1. aus den **Bedeutungsträgern**, d. h. Wörtern, die etwas benennen, also Namen für bestimmte Dinge sind: *nuit, tomb(er), rentr(er), maison*;
2. aus **Beziehungselementen**, d. h. Wörtern und Partikeln, die keine Eigenbedeutung haben: *comme, quand, parce que, la, à* etc., den Endungen *-e, -ons, -ait, -ai* etc.

Neben den Endungen und Wörtern ohne Eigenbedeutung (Präpositionen, Konjunktionen, Adverbien, Artikel usw.) hat das Französische noch weitere Mittel zur Sinnbestimmung des Satzes:
1. **die Wortstellung:** *Jean regarde Paul. Paul regarde Jean. — Je présente Paul à Jean. Je présente Jean à Paul;*
2. **die Intonation:** *Tu sors. Tu sors? — La porte est fermée. La porte est fermée?*

Die Arten der Sätze

Der **Form** nach unterscheidet man

1. Hauptsätze	Mon ami est en danger.
2. Nebensätze	Comme mon ami est en danger, je vais le secourir. Je vais secourir mon ami, qui est en danger.

Dem **Wesen** nach unterscheidet man

1. Behauptungssätze	Il est content. — Il me dit qu'il est content.
2. Wunschsätze	Qu'on m'attende! — Je veux que ce travail soit terminé ce soir.
3. Annahmesätze	Supposons que je sois médecin.
4. Fragesätze	Qui est arrivé? — Dites-moi où vous habitez.
5. Betrachtungssätze	Que le monde est grand! — Que vous êtes jolie!

Die Satzteile

Die Teile eines Satzes nennt man Satzteile. Den wichtigsten Satzteil bildet das **Verb**. Zum Verb gehört ein Träger des Verbalbegriffs, das **Subjekt**. Das Subjekt ist stets ein Substantiv oder ein substantivisch gebrauchtes Wort einer anderen Wortklasse (Pronomen, Adjektiv usw.): *Les oiseaux chantent. — Ils chantent.*

Zur Ergänzung ihres Begriffes nehmen viele Verben oder Adjektive ein **Objekt**, gewisse Verben auch eine **prädikative Ergänzung** zu sich:

Les oiseaux dévorent des insectes. — Je suis fier de ce succès. — Que vous êtes jolie!

Außerdem treten als Erweiterungen in den Satz **adverbiale Bestimmungen**, z. B. des Ortes, der Zeit, des Grundes, der Absicht, der Folge:

Les oiseaux chantent dans les bois. — Malheureusement, j'ai manqué le train.

Endlich kann jedes Substantiv als Ergänzung ein **Attribut** zu sich nehmen:

Les beaux oiseaux. — Le père de ces enfants.

4   Das Satzgefüge

Hauptsatz *(la proposition principale)* und **Nebensätze** *(les propositions subordonnées)* zusammen bilden ein **Satzgefüge**. Bei diesem Satzgefüge spielt der Nebensatz die Rolle eines Satzteils im Hauptsatz. Man unterscheidet daher bei den Nebensätzen Subjektsätze, Objektsätze, Prädikativsätze, Attributsätze, Adverbialsätze.

Subjekt L'homme vertueux est heureux. Une erreur est bien possible.	**Subjektsatz** Qui est vertueux est heureux. Que je me sois trompé, c'est possible.
Objekt Je sais la raison de son retard.	**Objektsatz** Je sais pourquoi il est venu si tard.
Prädikative Ergänzung Il restera toujours votre frère.	**Prädikativsatz** Il restera toujours ce qu'il a été.
Adverbiale Bestimmung A la mort de mon père, j'avais cinq ans. Il fut puni pour sa négligence. A cette condition, je lui pardonnerais.	**Adverbialsatz** Quand mon père mourut, j'avais cinq ans. Il fut puni pour avoir été si négligent. S'il venait me demander pardon, je lui pardonnerais.
Attribut Quel est ce livre de lecture?	**Attributsatz** Quel est ce livre dans lequel tu lis?

Die Adverbialsätze unterteilt man, ähnlich wie die adverbialen Bestimmungen, in Temporalsätze, Finalsätze, Kausalsätze, Konsekutivsätze, Konditionalsätze, Konzessivsätze, Modalsätze usw.

A[1] Man gibt gewöhnlich dem Verb als Satzteil die Bezeichnung *Prädikat*, die man dann beim Verb *sein* auf Verb + Prädikatsnomen ausdehnt. In Wahrheit ist das Prädikat, d. h. die *Aussage*, alles, was von dem Subjekt ausgesagt wird. Um Unklarheiten zu vermeiden, empfiehlt es sich, bei der Satzteilbezeichnung auf den Begriff Prädikat ganz zu verzichten und ihn durch *Verb* zu ersetzen, wenn auch dadurch eine Wortartbezeichnung unter die Satzteilbezeichnungen tritt.

5   Das Verb (le verbe)

Wörter wie *élève* und *fenêtre* stehen losgelöst ohne Zusammenhang. Sage ich *un élève ouvrit la fenêtre*, so stellt das Verb

1. die beiden Wörter in einen Sinnzusammenhang;
2. sagt es aus, daß etwas geschieht;
3. sagt es aus, wann etwas geschieht.

---

[1] **A** bedeutet Anmerkung

Man sieht also, daß erst das Verb eine wirkliche Aussage in Satzform ermöglicht. Es ist das wichtigste Wort im Satz, und man hat es daher mit Recht *Verbum = das Wort* genannt. Weil es ein Geschehen in seiner Zeit bestimmt, nennt man es im Deutschen auch Zeitwort.

Das Verb kann nicht nur die Tätigkeit, sondern auch die Existenz und den Zustand des Subjekts ausdrücken: *Que la lumière soit* (Bible). Es werde Licht. — *La fenêtre est ouverte* ist geöffnet, offen. — *Cet homme est heureux.*

Die Arten des Verbs — 6

1. Transitive Verben *(verbes transitifs)* sind Verben, die eine Handlung ausdrücken, die sich auf ein Objekt bezieht: *J'achète un livre. Je prends du café. Je réponds à une lettre. J'obéis à mon père. Il profite de l'occasion. Aurais-tu changé d'avis?*
Im Französischen gehören auch Verben mit Präpositionalobjekt zu den transitiven Verben.

2. Intransitive Verben *(verbes intransitifs)* sind Verben, die kein Objekt haben, sondern mit dem Subjekt allein die vollständige Handlung ausdrücken: *Le train arrive. Je dors. Ce chien aboie rarement. Nous partons.*

3. Reflexive Verben *(verbes pronominaux)* sind solche, die von den Pronomen *me, te, se, nous, vous* begleitet werden; dabei bezeichnen diese Pronomen dieselbe Person oder Sache wie das Subjekt: *Je me lave. Il s'assied. Nous nous promenons. Ils se battent.*

4. Unpersönliche Verben *(verbes impersonnels)* sind Verben, die nur in der 3. Person Singular gebraucht werden: *il pleut, il gèle, il neige; il faut; il fait froid.*

Die Formen des Verbs — 7

Bei jeder Verbform unterscheidet man

1. den Stamm *(le radical)*, der im allgemeinen unveränderlich ist und die Bedeutung des Verbs ausdrückt: *fin-ir, nous arriv-ons, répond-s*;

2. die Endung *(la désinence)*, die veränderlich ist und die Person, die Zahl, den Modus und die Zeit angibt: *je chant-e, ils arriv-ent, ven-ez, ils fin-i-ront.*

Der Stamm ist also der **Bedeutungsträger,** die Endung das **Beziehungselement,** welches das Verb in den Sinn- und Satzzusammenhang einordnet.

Da sich viele Verbformen nur noch in der Schrift unterscheiden, gesprochen aber gleichklingen (z. B. *je chante, tu chantes, il chante, ils chantent, elles chantent* = [ʃãːt]), wurden die **Personalpronomen** als weitere Beziehungselemente unentbehrlich.

Die Verbformen lassen sich einteilen in — 8

1. Allgemeinformen oder **infinite Formen**, d. h. Formen ohne Zeitangabe.
Die infiniten Formen des Verbs sind

a)	der Infinitiv:	*lire* lesen	*poser*	hinlegen
b)	das Gerundium:	*en lisant* beim Lesen	*en posant*	beim Hinlegen
c)	die Partizipien:	*lisant* lesend	*posant*	hinlegend
		lu gelesen	*posé*	hingelegt

2. Bestimmte oder **finite Formen**, d. h. solche, bei denen Person, Numerus, Tempus, Aktionsart, Modus und Zustandsform gekennzeichnet sind.

a) **Die Person** gibt an, ob das Subjekt
   1. die handelnde Person: *j'arrive, nous arrivons,*
   2. eine angesprochene Person: *tu arrives, vous arrivez,*
   3. eine besprochene Person: *il, elle arrive; ils, elles arrivent* bezeichnet.

b) Der **Numerus** gibt an, ob das Subjekt im Singular oder Plural steht:
Il arrive — ils arrivent.

c) Das **Tempus** drückt aus, wann eine Handlung stattfindet:
1. in der Gegenwart: *J'écris une lettre.*
2. in der Vergangenheit: *J'écrivis une lettre. J'ai écrit une lettre. J'espérais que tu m'écrirais. Je croyais que tu m'avais déjà écrit.*
3. in der Zukunft: *Demain, je lui écrirai une lettre. Quand j'aurai écrit cette lettre, j'irai me promener.*

d) Die **Aktionsart** kennzeichnet die Art der Dauer eines Geschehens, also einen Zeitpunkt oder eine Dauer, Anfang oder Ende, einmalige Handlung oder Wiederholung:
J'écrivais une lettre, quand tu es venu. Alors, je cessai d'écrire. Je terminai ma lettre et la portai à la boîte aux lettres. — Il se levait toujours à 7 heures. Ce jour-là, il se leva plus tôt.

e) Der **Modus** ist die Art und Weise, in der eine Handlung vom Handelnden gesehen wird:
1. als wirklich (Indikativ): *Hier, j'ai travaillé. Je travaille beaucoup.*
2. als bedingt (Konditional): *Je travaillerais volontiers, si je n'étais pas malade.*
3. als Aufforderung, Befehl (Imperativ): *Travaille. Travaillez.*
4. als nur gedacht, gewünscht, gewollt, unwahrscheinlich (Konjunktiv):
Je voudrais que tu fasses quelque chose. Il est impossible que j'y aille. Il est possible qu'il vienne.

f) Die **Zustandsform** gibt an, ob das Subjekt selbst handelt (Aktiv) oder ob sich die Handlung am Subjekt vollzieht (Passiv):
Gustave Eiffel construisit la Tour Eiffel. La Tour Eiffel fut construite par Gustave Eiffel.

9   **Die Konjugation des Verbs**

Man teilt die Verben nach ihren Endungen in vier **Konjugationsgruppen** ein:
1. Verben auf *-er:*   *porter*
2. Verben auf *-ir:*   *finir, partir, ouvrir*
3. Verben auf *-re:*   *attendre*
4. Verben auf *-oir:*   *recevoir*

Die Gruppe der Verben auf *-er* ist die größte; ihr gehören $^9/_{10}$ aller Verben an. Wenn das Französische neue, z. B. technische Verben schaffen muß, so bildet es sie meist nach der *-er*-Konjugation: *le téléphone — téléphoner; la radiographie* Röntgenaufnahme — *radiographier* röntgen; *Pasteur — pasteuriser* pasteurisieren; *une interview — interviewer.* Daneben gibt es auch einige Neubildungen auf *-ir,* z. B. *la mer — amerrir (amérir)* auf dem Wasser landen, wassern; *la terre — atterrir* landen.

Aus diesem Grunde werden die Konjugationsgruppen auf *-er* und *-ir* auch die **lebende Konjugation** genannt. Die übrigen Gruppen bilden keine neuen Verben mehr. Man nennt sie daher die **tote Konjugation.** Ihr gehören rund 200 Verben an, darunter die am häufigsten gebrauchten, wie *faire, voir, dire* etc.

10 **I. Die Hilfsverben avoir und être**

Die Hilfsverben *avoir* und *être* helfen die zusammengesetzten Zeiten der Verben bilden. *avoir* wird bei allen transitiven und den meisten intransitiven Verben verwandt. *être* dient zur Bildung des Passivs und der zusammengesetzten Zeiten der reflexiven und einiger intransitiver Verben.

1. Einfache Zeiten			2. Zusammengesetzte Zeiten		
	avoir	**être**		**avoir**	**être**
Part. Präs.	ayant	étant	**Part. Perf.**	eu, e [y]	été
Präs. Ind.	j'ai tu as il a ns avons vs avez ils ont	je suis tu es il est ns sommes vs êtes ils sont	**Perf.**	j'ai eu tu as eu il a eu ns avons eu vs avez eu ils ont eu	j'ai été tu as été il a été ns avons été vs avez été ils ont été
Imperfekt	j'avais tu avais il avait ns avions vs aviez ils avaient	j'étais tu étais il était ns étions vs étiez ils étaient	**Plusquamperf.**	j'avais eu tu avais eu il avait eu ns avions eu vs aviez eu ils avaient eu	j'avais été tu avais été il avait été ns avions été vs aviez été ils avaient été
Konj. Präs.	q. j'aie q. tu aies qu'il ait q. ns ayons q. vs ayez qu'ils aient	q. je sois q. tu sois qu'il soit q. ns soyons q. vs soyez qu'ils soient	**Konj. Perf.**	(que j'aie eu)	(que j'aie été)
Imperativ	aie ayons ayez	sois soyons soyez			
Fut. I	j'aurai [ʒɔre] tu auras il aura ns aurons vs aurez ils auront	je serai [ʒəsre] tu seras il sera ns serons vs serez ils seront	**Fut. II**	j'aurai eu tu auras eu il aura eu ns aurons eu vs aurez eu ils auront eu	j'aurai été tu auras été il aura été ns aurons été vs aurez été ils auront été
Kond. I	j'aurais tu aurais il aurait ns aurions vs auriez ils auraient	je serais tu serais il serait ns serions vs seriez ils seraient	**Kond. II**	j'aurais eu tu aurais eu il aurait eu ns aurions eu vs auriez eu ils auraient eu	j'aurais été tu aurais été il aurait été ns aurions été vs auriez été ils auraient été
Passé simple	j'eus [y] tu eus il eut ns eûmes vs eûtes ils eurent	je fus tu fus il fut ns fûmes vs fûtes ils furent	**Passé antérieur**	j'eus eu tu eus eu il eut eu ns eûmes eu vs eûtes eu ils eurent eu	j'eus été tu eus été il eut été ns eûmes été vs eûtes été ils eurent été
Konj. Imperf.	q. j'eusse q. tu eusses qu'il eût q. ns eussions q. vs eussiez qu'ils eussent	q. je fusse q. tu fusses qu'il fût q. ns fussions q. vs fussiez qu'ils fussent	**Konj. Plusquamperf.**	(q. j'eusse eu)	(q. j'eusse été)

II. Die Verben auf -er

11 A. porter

1. Einfache Zeiten			2. Zusammengesetzte Zeiten		
Part. Präs.	port ant		**Part. Perf.**	port é, e	
Präs. Ind.	je port e ns port ons tu port es vs port ez il port e ils port ent		**Perfekt**	j' ai porté ns avons porté tu as porté vs avez porté il a porté ils ont porté	
Imperfekt	je port ais ns port ions tu port ais vs port iez il port ait ils port aient		**Plusquamperfekt**	j' avais porté ns avions porté tu avais porté vs aviez porté il avait porté ils avaient porté	
Konj. Präs.	q. je port e q. ns port ions q. tu port es q. vs port iez qu'il port e qu' ils port ent		**Konj. Perf.**	(que j'aie porté)	
Futur I	je porter ai ns porter ons tu porter as vs porter ez il porter a ils porter ont		**Futur II**	j' aurai porté ns aurons porté tu auras porté vs aurez porté il aura porté ils auront porté	
Kond. I	je porter ais ns porter ions tu porter ais vs porter iez il porter ait ils porter aient		**Kond. II**	j' aurais porté ns aurions porté tu aurais porté vs auriez porté il aurait porté ils auraient porté	
Passé simple	je port ai ns port âmes tu port as vs port âtes il port a ils port èrent		**Passé ant.**	j' eus porté ns eûmes porté tu eus porté vs eûtes porté il eut porté ils eurent porté	
Konj. Imperf.	q. je port asse q. ns port assions q. tu port asses q. vs port assiez qu'il port ât qu'ils port assent		**Konj. Plusqu. Perf.**	(que j'eusse porté)	

Imperativ: *porte, portons, portez.* Zur Bildung des Passivs vgl. § 24.

12 Einige intransitive Verben bilden die zusammengesetzten Zeiten mit *être*, z. B. *tomber*. Dabei richtet sich das Partizip Perfekt in Geschlecht und Zahl nach dem Subjekt.

Perf.	je suis tombé(e) ns sommes tombé(e)s tu es tombé(e) vs êtes tombé(e)s il est tombé ils sont tombés elle est tombée elles sont tombées	**Plusquamperf.** **Futur II** **Kond. II** **Passé ant.**	j'étais tombé(e) je serai tombé(e) je serais tombé(e) je fus tombé(e)

Beachte das Imperfekt und den Konjunktiv Präsens der Verben auf *-ier* und *-yer*. Bei Verben dieser Art tritt in der 1. und 2. Person Plural Imperfekt und Konjunktiv Präsens ein *-ii* bezw. ein *-yi* auf:

nous criions — que nous criions nous employions — que nous employions
vous criiez — que vous criiez vous employiez — que vous employiez

In der Aussprache unterscheiden sich diese Formen vom Indikativ Präsens nur in der grösseren Länge des *i*-Lautes: *nous crions* [krijõ], *nous criions* [kri:jõ].
(Zu den Verben, die mit *être* konjugiert werden, vgl. § 33-34.)

18

B. Verben auf -cer und -ger   **13**

Verben der Konjugation auf *-er*, deren Stamm auf *-c* bzw. *-g* endet, behalten die im Infinitiv gegebene Aussprache von *c* und *g* bei. Daher verändern sie ihre Schreibweise vor Endungen, die mit *a* oder *o* beginnen. Anstelle des *c* tritt dann ç, anstelle des *g* tritt *ge*.

c vor e, i		c vor a, o	g vor e, i		g vor a, o
forcer	je force	ns forçons	manger	je mange	ns mangeons
zwingen	ns forcions	je forçais	essen	ns mangions	je mangeais
	ils forcèrent	je forçai		ils mangèrent	je mangeai
	forcé	(en) forçant		mangé	(en) mangeant

Ebenso:
annoncer	ankündigen		
avancer	vorwärtskommen		
commencer	anfangen		
menacer	(be)drohen		
placer	setzen, stellen, legen		
prononcer	aussprechen u. a.		

Ebenso:
diriger	richten, lenken, leiten
s'engager	sich verpflichten, binden
nager	schwimmen
partager	teilen
plonger	tauchen
songer	träumen u. a.

C. Verben mit stummem -e in der letzten Stammsilbe   **14**

Diese Verben wandeln das stumme *e* [ə] in stammbetonten Formen, d. h. Formen mit stummer Endung, in offenes *e* [ɛ] um. Das offene *e* [ɛ] bewirkt entweder die Schreibung *-è (je me lève)* oder Verdopplung des letzten Stammkonsonanten *(je jette, j'appelle)*.

endungsbetont		stammbetont	davon abgeleitet	Schreibung
lever	nous levons	je lève	je lèverai	e — è
erheben	vous levez	tu lèves	nous lèverons	
	je levais	il lève	je lèverais	
	levant	ils lèvent	nous lèverions	

Ebenso:
acheter	kaufen	*dégeler*	tauen	*modeler*	modellieren
achever	vollenden	*emmener*	wegführen	*peler*	schälen
amener	herbeiführen	*enlever*	wegnehmen	*peser*	wiegen
celer	verheimlichen	*geler*	gefrieren	*semer*	säen

endungsbetont		stammbetont	davon abgeleitet	Schreibung
jeter	nous jetons	je jette	je jetterai	et — ett
werfen	vous jetez	tu jettes	nous jetterons	
	je jetais	il jette	je jetterais	
	jetant	ils jettent	nous jetterions	
appeler	nous appelons	j' appelle	j'appellerai	el — ell
nennen	vous appelez	tu appelles	nous appellerons	
	j' appelais	il appelle	j'appellerais	
	appelant	ils appellent	nous appellerions	

Ebenso:
atteler	anspannen	*épousseter*	abstauben, Staub	*projeter*	schleudern
dételer	ausspannen		wischen	*rejeter*	zurückwerfen
épeler	buchstabieren	*feuilleter*	durchblättern	*se rappeler*	sich erinnern

15 D. Verben mit geschlossenem é + Konsonant in der letzten Stammsilbe

Diese Verben verwandeln das geschlossene *é* [e] in stammbetonten Formen in offenes *é* [ɛ]. Im Futur und Konditional behalten sie die Schreibung *é* bei, aber dieses *é* wird [ɛ] gesprochen: *j'espérerai* [ʒɛspɛrəre].

endungsbetont	stammbetont	davon abgeleitet	Schreibung
espérer nous espérons	j' **espère**	j' espérerai [ɛ]	é — è
hoffen vous espérez	tu **espères**	nous espérerons	
j' espérais	il **espère**	j' espérerais	
espérant	ils **espèrent**	nous espérerions	

Ebenso: *céder*   nachgeben   *procéder*   zu Werke gehen u. a.   *répéter*   wiederholen
           posséder   besitzen   *régner*   herrschen   *révéler*   enthüllen

A   Die Verben auf *-é* ohne folgenden Konsonant, wie *créer*, behalten den Laut und die Schreibung *é* in allen Formen bei: *je crée, je créerai, je créerais*. Das *e* [ə] wird nicht gesprochen: *je créerai* [krere].

16 E. Verben auf -yer

Diese Verben verwandeln das *y* vor stummem *-e* [ə] in *i*.
Die Verben auf *-ayer* können *y* behalten.

	vor gesprochenem Vokal	vor stummem -e
employer gebrauchen, anwenden	nous employons vous employez employant employé	j' emploie tu emploies j' emploierai j' emploierais
ennuyer langweilen	nous ennuyons vous ennuyez ennuyant ennuyé	j' ennuie tu ennuies j' ennuierai j' ennuierais
payer zahlen	nous payons vous payez payant payé	je **paie** [pɛ] oder je paye [pɛj] tu **paies** oder tu payes je **paierai** oder je payerai

Die unregelmäßigen Verben auf *-er* vgl. § 26.

III. Die Verben auf -ir

17 A. finir

Der Großteil der Verben auf *-ir* erweitert in allen Formen, mit Ausnahme von Futur und Konditional, den Stamm durch Anfügen der Silbe *-iss* (bzw. *-i*).

	1. Einfache Zeiten			2. Zusammengesetzte Zeiten	
Part. Präs.	fin **iss** ant		Part. Perf.	fin **i**, e	
Präs. Ind.	je fin **i** s tu fin **i** s il fin **i** t	ns fin **iss** ons vs fin **iss** ez ils fin **iss** ent	Perfekt	j' ai fini tu as fini il a fini	ns avons fini vs avez fini ils ont fini

1. Einfache Zeiten			2. Zusammengesetzte Zeiten		
Imper-fekt	je fin iss ais tu fin iss ais il fin iss ait	ns fin iss ions vs fin iss iez ils fin iss aient	**Plus-quam-perfekt**	j' avais fini tu avais fini il avait fini	ns avions fini vs aviez fini ils avaient fini
Konj. Präs.	q. je fin iss e q. tu fin iss es qu'il fin iss e	q. ns fin iss ions q. vs fin iss iez qu'ils fin iss ent	**Konj. Perfekt**	(que j'aie fini)	
Futur I	je finir ai tu finir as il finir a	ns finir ons vs finir ez ils finir ont	**Futur II**	j' aurai fini tu auras fini il aura fini	ns aurons fini vs aurez fini ils auront fini
Kond. I	je finir ais tu finir ais il finir ait	ns finir ions vs finir iez ils finir aient	**Kond. II**	j' aurais fini tu aurais fini il aurait fini	ns aurions fini vs auriez fini ils auraient fini
Passé simple	je fin is tu fin is il fin it	ns fin îmes vs fin îtes ils fin irent	**Passé ant.**	j' eus fini tu eus fini il eut fini	ns eûmes fini vs eûtes fini ils eurent fini
Konj. Imper-fekt	q. je fin isse q. tu fin isses qu'il fin ît	q. ns fin issions q. vs fin issiez qu'ils fin issent	**Konj. Plus-quam-perfekt**	(que j'eusse fini)	

Imperativ: *finis, finissons, finissez.* Zur Bildung des Passivs vgl. § 24.

B. dormir, sentir, partir

18

Einige Verben haben diese Stammerweiterung nicht, sondern hängen die Personalendung unmittelbar an den Stamm an. Sie verlieren den letzten Stammkonsonanten, wenn die Endung selbst mit Konsonant beginnt.

	dormir	sentir	partir
Präsens	je dor s tu dor s il dor t nous dorm ons vous dorm ez ils dorm ent	je sen s tu sen s il sen t nous sent ons vous sent ez ils sent ent	je par s tu par s il par t nous part ons vous part ez ils part ent
Imperativ	dor s dorm ons dorm ez	sen s sent ons sent ez	par s part ons part ez
Konj. Präsens	que je dorme	que je sente	que je parte
Imperfekt	je dormais	je sentais	je partais
Part. Präsens	dormant	sentant	partant
Passé simple	je dormis	je sentis	je partis
Konj. Imperfekt	que je dormisse	que je sentisse	que je partisse
Perfekt	j'ai dormi	j'ai senti	je suis parti(e)

Ebenso:	*consentir*	einwilligen	*pressentir*	ahnen
	démentir	Lügen strafen, dementieren	*repartir*	wieder abreisen
	desservir	(Tisch) abdecken,	*se repentir de*	bereuen
		eine Strecke befahren	*ressentir*	lebhaft empfinden
	endormir	einschläfern	*ressortir*	wieder ausgehen
	s'endormir	einschlafen	*servir*	dienen
	mentir	lügen	*sortir*	ausgehen

Beachte: *répartir* verteilen, *asservir* unterjochen, *assortir* zusammenstellen, ordnen, *ressortir à* gehören zu (einem Ressort) werden wie *finir* konjugiert.

19 C. ouvrir

Einige Verben dieser Gruppe, nämlich die auf *-rir*, bilden Präsens und Imperativ mit den Personalendungen der *-er*-Konjugation und das Part. Perf. auf *-ert*.

Präsens		**Imperativ**	
	j' ouvr **e**		ouvre
	tu ouvr **es**		ouvrons
	il ouvr **e**		ouvrez
	nous ouvr **ons**		
	vous ouvr **ez**	**Passé simple**	j'ouvris
	ils ouvr **ent**	**Part. Perfekt**	ouvert, e

Ebenso:	*couvrir*	bedecken	*offrir*	anbieten, schenken
	découvrir	entdecken	*recouvrir*	wieder bedecken, völlig zudecken
	entr'ouvrir	halb öffnen	*souffrir*	leiden

Beachte: Nicht verwechseln *recouvrir* und *recouvrer* wieder erlangen z. B. *recouvrer la santé*.

Die unregelmäßigen Verben auf *-ir* vgl. § 27.

20 IV. Die Verben auf -re (rompre)

Diese Gruppe umfaßt Verben verschiedenster Formenbildung. Wir zeigen die Endungen der Konjugation an einem Verb, bei dem der letzte Stammkonsonant erhalten bleibt.

1. Einfache Zeiten			**2. Zusammengesetzte Zeiten**		
Part. Präs.	romp **ant**		**Part. Perf.**	romp **u, e**	
Präs. Ind.	je romp **s**	ns romp **ons**	**Perfekt**	j' ai rompu	ns avons rompu
	tu romp **s**	vs romp **ez**		tu as rompu	vs avez rompu
	il romp **t**	ils romp **ent**		il a rompu	ils ont rompu
Imperfekt	je romp **ais**	ns romp **ions**	**Plusquamperfekt**	j'avais rompu	ns avions rompu
	tu romp **ais**	vs romp **iez**		tu avais rompu	vs aviez rompu
	il romp **ait**	ils romp **aient**		il avait rompu	ils avaient rompu
Konj. Präs.	q. je romp **e**	q. ns romp **ions**	**Konj. Perfekt**	(que j'aie rompu)	
	q. tu romp **es**	q. vs romp **iez**			
	qu'il romp **e**	qu'ils romp **ent**			
Futur I	je rompr **ai**	ns rompr **ons**	**Futur II**	j' aurai rompu	ns aurons rompu
	tu rompr **as**	vs rompr **ez**		tu auras rompu	vs aurez rompu
	il rompr **a**	ils rompr **ont**		il aura rompu	ils auront rompu

1. Einfache Zeiten			2. Zusammengesetzte Zeiten		
Kond. I	je rompr ais ns rompr ions		**Kond. II**	j' aurais rompu ns aurions rompu	
	tu rompr ais vs rompr iez			tu aurais rompu vs auriez rompu	
	il rompr ait ils rompr aient			il aurait rompu ils auraient rompu	
Passé simple	je romp is ns romp îmes		**Passé ant.**	j' eus rompu - ns eûmes rompu	
	tu romp is vs romp îtes			tu eus rompu vs eûtes rompu	
	il romp it ils romp irent			il eut rompu ils eurent rompu	
Konj. Imperf.	q. je romp isse q. ns romp issions		(que j'eusse rompu)		
	q. tu romp isses q. vs romp issiez				
	qu'il romp ît qu'ils romp issent				

Bei den Verben auf *-dre* fällt die Endung *-t* der 3. Pers. Sing. fort: *il répond, il rend.*
Imperativ: *romps, rompons, rompez.*
Zur Bildung des Passivs vgl. § 24. Die unregelmäßigen Verben auf *-re* vgl. § 28.

V. Die Verben auf -oir (recevoir)   **21**

Die Verben auf *-oir* wechseln den Stammvokal in stamm- und endungsbetonten Formen.

Präsens	je reçoi s		**Konj. Präs.**	q. je reçoiv e	
	tu reçoi s			q. tu reçoiv es	
	il reçoi t			qu'il reçoiv e	
	nous recev ons			q. nous recev ions	
	vous recev ez			q. vous recev iez	
	ils reçoiv ent			qu'ils reçoiv ent	
Futur I	je recevr ai ns recevr ons		**Passé simple**	je reç us ns reç ûmes	
	tu recevr as vs recevr ez			tu reç us vs reç ûtes	
	il recevr a ils recevr ont			il reç ut ils reç urent	
Imperf.	je recevais		**Konj. Imperf.**	que je reçusse	
Part. Präsens	recevant		**Part. Perfekt**	reçu, e	

Imperativ: *reçois, recevons, recevez.*

Ebenso: *apercevoir* erblicken *décevoir* enttäuschen
s'apercevoir de merken, innewerden *percevoir* wahrnehmen
concevoir ersinnen, begreifen *devoir* müssen, schulden
aber: *dû, due, dus, dues*

Zur Bildung des Passivs vgl. § 24. Die unregelmäßigen Verben auf *-oir* vgl. § 29. Zum Wechsel c-ç vgl. § 13.

VI. Die Frageform des Verbs   **22**

Formen auf Konsonant	3. Pers. Sing. auf Vokal	1. Person Singular
fermes-tu?	ouvre-t-il?	est-ce que je pars?
part-il?	aime-t-elle?	est-ce que j'ouvre?
prend-elle?	ferma-t-il?	est-ce que j'y vais?
avons-nous fini?	a-t-il fini?	
ont-ils été punis?	va-t-elle?	
savait-il?	a-t-on mangé?	

Zur Bildung der Frageform tritt das Subjektpronomen hinter die konjugierte Form des Verbs und wird mit dieser durch Bindestrich verbunden.

Verbformen, die in der 3. Pers. Sing. auf Vokal enden, schieben, in Analogie zu den übrigen Konjugationen, vor *il, elle, on* ein -t- ein.

Die Frageform der 1. Pers. Sing. wird durch Umschreibung mit *est-ce que* gebildet. Mit Inversion sind nur folgende Formen gebräuchlich:

ai-je [ɛʒ]?	*puis-je?*	*sais-je* [sɛʒ]?	*(que) fais-je?*
suis-je?	*dois-je?*	*vais-je?*	*(que) vois-je?*

A In früherer Sprache gab es für die Verben auf -er in der 1. Pers. Sing. Formen wie *aimé-je* [ɛmɛʒ]? Diese Formen werden heute nicht mehr gebraucht.

23 VII. Die verneinte Form des Verbs

Aussage	Frage	Verb mit Pronomen
Il **ne** vient **pas**.	**Ne** vient-il **pas**?	Je **ne** l'ai **pas** vu.
Elle **n'**est **pas** venue.	**N'**est-elle **pas** venue?	Tu **ne** me l'as **pas** dit.
Ne venez **pas**.	**Ne** viendra-t-il **pas**?	**N'**y vas-tu **pas**?

Zur Bildung der verneinten Formen tritt die Negation *ne* vor die konjugierte Form des Verbs; das Füllwort *pas* tritt dahinter.

Bei der verneinten Frage tritt *ne* ebenfalls vor die konjugierte Form des Verbs, das Füllwort jedoch hinter das pronominale Subjekt.

Ne kann von der konjugierten Verbform nur durch ein verbundenes Personalpronomen und die Pronominaladverbien *en* und *y* getrennt werden.

(Vgl. en, y § 249 ff.; Adverbien der Negation § 237 f.)

24 VIII. Die Bildung des Passivs (la voix passive)

Das Passiv eines Verbs wird gebildet, indem man der entsprechenden Zeit des Hilfsverbs *être* das Partizip Perfekt des betreffenden Verbs folgen läßt, z. B. **Präsens**: *je suis — je suis aimé*; **Perfekt**: *j'ai été — j'ai été aimé*; **Futur**: *je serai — je serai aimé*. Dabei richtet sich das Partizip in Geschlecht und Zahl nach seinem Subjekt: *elle est aimée, nous étions aimés, ils ne seront pas aimés, elles ont été aimées.*

Nur transitive Verben können ein persönliches Passiv bilden (vgl. § 123).

Präsens	je suis aimé(e) ich werde geliebt tu es aimé(e) il est aimé elle est aimée nous sommes aimé(e)s vous êtes aimé(e)s ils sont aimés elles sont aimées	Perfekt	j'ai été aimé(e) ich bin geliebt worden tu as été aimé(e) il a été aimé elle a été aimée nous avons été aimé(e)s vous avez été aimé(e)s ils ont été aimés elles ont été aimées
Imperfekt	j'étais aimé(e) ich wurde geliebt	Plusquam-perfekt	j'avais été aimé(e) ich war geliebt worden
Konj. Präs.	que je sois aimé(e)	Konj. Perf.	(que j'aie été aimé(e))
Futur I	je serai aimé(e) ich werde geliebt werden	Futur II	j'aurai été aimé(e) ich werde geliebt worden sein

Kond. I	je serais aimé(e) ich würde geliebt (werden)	Kond. II	j'aurais été aimé(e) ich würde geliebt worden sein
Passé simple **Konj. Imperf.**	je fus aimé(e) que je fusse aimé(e)	**P. antérieur** **Konj. Plusqu.** **Perf.**	j'eus été aimé(e) (que j'eusse été aimé(e))

IX. Übersicht über die Ableitung der Verbformen   **25**

Bei der Bildung der Zeiten und Modi herrscht bei den meisten Verben eine gewisse Ordnung, die die Ableitung der Verbformen erleichtert. Bei der Erlernung der Verben präge man sich daher folgende Formen besonders ein:

1. den **Stamm des Infinitivs**: *prendr(e), boir(e), conduir(e), craindr(e)*
2. den **Stamm der 1. Pers. Plur. Präs.**: *pren(ons), buv(ons), conduis(ons), craign(ons)*
3. den **Stamm der 3. Pers. Plur. Präs.**: *prenn(ent), boiv(ent), conduis(ent), craign(ent)*
4. die **2. Pers. Sing. Passé simple**: *pris, bus, conduisis, craignis.*

Aus diesen Formen lassen sich, mit wenigen Ausnahmen, alle weiteren ableiten.

1. Die Ableitung von Futur und Konditional I

Infinitiv	prendr(e)	boir(e)	conduir(e)	craindr(e)
Futur I	je prendrai	je boirai	je conduirai	je craindrai
Kond. I	je prendrais	je boirais	je conduirais	je craindrais

Daneben gibt es Verben, die Futur und Konditional I vom Präsensstamm + *-rai*, *-ras*, *-ra* etc. ableiten, z. B. *je lève — je lèverai, je jette — je jetterai, je viens — je viendrai, je m'assieds — je m'assiérai.* Das *-d-* in *viendrai* etc. ist Gleitlaut.

2. Die Ableitung von Imperfekt und Partizip Präsens

1. Pers. Plur. Präsens	(ns) **pren**(ons)	(ns) **buv**(ons)	(ns) **conduis**(ons)	(ns) **craign**(ons)
Imperfekt	je prenais	je buvais	je conduisais	je craignais
Part. Präs.	prenant	buvant	conduisant	craignant

3. Die Ableitung des Konjunktiv Präsens

3. Pers. Plur. Präsens	(ils) **prenn**(ent)	(ils) **boiv**(ent)	(ils) **conduis**(ent)	(ils) **craign**(ent)
Konj. Präs.	que je prenne que ns prenions	que je boive que ns buvions	que je conduise	que je craigne

4. Die Ableitung des Konjunktiv Imperfekt

2. Pers. Sing. Passé simple	(tu) **pris**	(tu) **bus**	(tu) **conduisis**	(tu) **craignis**
Konj. Imperf.	que je prisse	que je busse	que je conduisisse	que je craignisse

26 A. Verben auf -er

Infinitiv	Futur	Indikativ Präsens	Konjunktiv Präsens	passé simple	Perfekt
1. **aller** gehen, sich be- geben	j'irai ns irons	je **vais** tu **vas** il **va** ns allons ils **vont** **Imp.: va; vas-y**	q. j'**aille** q. ns allions qu'ils **aillent**	j'allai ns allâmes	je suis allé
2. **envoyer** schicken	j'**enverrai** ns enverrons	j'envoie ns envoyons	q. j'envoie q. ns envoyions	j'envoyai ns envoyâmes	j'ai envoy

27 B. Verben auf -ir

3. acquérir erwerben	j'**acquerrai**	j'**acquiers** [-jɛːr] ns acquérons ils **acquièrent**	q. j'**acquière** q. ns acquérions qu'ils **acquièrent**	j'**acquis** ns **acquîmes**	j'ai **acquis**
4. bouillir sieden, kochen	je bouillirai ns bouillirons	je **bous** ns bouillons	q. je bouille q. ns bouillions	je bouillis ns bouillîmes	j'ai bouilli
5. **courir** laufen	je **courrai** ns courrons	je cours ns courons	q. je coure q. ns courions	je **courus** ns courûmes	j'ai **couru**

Die Ziffern beziehen sich auf die Ordnungsnummern der zugehörigen Verben. Der Infinitiv seltener gebrauch

A 1. Beachte die drei verschiedenen Verbstämme: *aller* < lat. *ambulare, je vais* < lat. *vado — vadere, j'irai* < lat. *ire. — aller* drückt die Fortbewegung ganz allgemein aus: *aller à l'église* gehen, *aller en auto* fahren, *aller en avion* fliegen. Dem dt. *gehen* = zu Fuß gehen entspricht frz. *marcher.* Bei *s'en aller* steht in den zusammengesetzten Zeiten das Hilfsverb *être* zwischen *en* und *allé, e: elle s'en est allée* (vgl. § 39).

benso		Merke	
'en aller	weggehen	aller chercher	holen (gehen)
e m'en suis allé, e)		aller trouver	aufsuchen
np.: va-t'en;		aller voir	besuchen
allons-y;		aller prendre	abholen
allez-vous-en		aller et retour m	Hin- und Rückfahrt
		l'allure f	Gang, Gangart
nvoyer	zurückschicken, entlassen	envoyer chercher	holen lassen
		l'envoi m	Sendung (Post)
		le renvoi	Entlassung

onquérir	erobern	l'acquisition f	Erwerbung
'enquérir de	sich erkundigen nach	la conquête	Eroberung
		le conquérant	Eroberer
		l'enquête f	Untersuchung, Nachforschung
		faire bouillir	zum Kochen bringen
		bouillonner	aufkochen, sprudeln
		la bouillotte	Wärmflasche
		la bouillie	Brei
		le bouillon	Fleischbrühe
		le bouilli	gekochtes Rindfleisch
		la bouilloire	Wasserkessel
ccourir	herbeieilen	courir le risque de	Gefahr laufen
arcourir	durcheilen, -lesen	courir après qn	hinter jdm herlaufen, nach-
ecourir qn	jdm. helfen	le courant	Strömung, Strom [laufen
oncourir à	mitwirken	le cours	Lauf, Verlauf; Kursus
ecourir à	Zuflucht nehmen	la course	Laufen, Rennen, Wettlauf
iscourir	umständlich reden	le coureur	Läufer
		le courrier	Post(sachen), Eilbote
		le secours	Hilfe
		porter les premiers secours à	erste Hilfe leisten
		le poste de secours	Unfallhilfsstelle
		le concours	Mitwirkung, Wettbewerb
		la concurrence	Konkurrenz
		faire, prononcer un discours	eine Rede halten

ben erscheint in kleinerem Druck.

3. Beachte: ein Land erobern = *conquérir un pays*; eine Stadt, Festung etc. erobern = *prendre une ville, une forteresse* (*la Bastille*, etc.)

4. *bouillir* ist intransitiv: *l'eau bout.* Kochen im transitiven Sinn, z. B. Wasser kochen = *faire bouillir de l'eau.* Kochen im Sinne von Essen zubereiten = *faire la cuisine.*
Merke: *bouillir de rage* vor Wut kochen.

Infinitiv	Futur	Indikativ Präsens	Konjunktiv Präsens	passé simple	Perfekt
6. couvrir bedecken	s. § 19				
7. cueillir pflücken	je **cueillerai** ns cueillerons	je **cueille** ns cueillons	q. je cueille q. ns cueillions	je cueillis ns cueillîmes	j'ai cueilli
8. dormir schlafen	s. § 18				
9. fuir fliehen	je fuirai ns fuirons	je fuis ns fuyons	q. je fuie q. ns fuyions	je fuis ns fuîmes	j'ai fui
10. haïr hassen	je haïrai ns haïrons	je **hais** ns haïssons ils **haïssent**	q. je haïsse q. ns haïssions	je **haïs** ns haïmes	j'ai **haï**
11. mentir lügen	s. § 18				
12. mourir sterben	je **mourrai** ns mourrons	je **meurs** ns mourons	q. je **meure** q. ns mourions	je mourus ns mourûmes	il est mor▮
13. offrir anbieten	} s. § 19				
14. ouvrir öffnen					
15. partir abreisen	} s. § 18				
16. sentir fühlen					
17. servir dienen					
18. sortir ausgehen					
19. tenir halten	je **tiendrai** ns tiendrons	je **tiens** ns tenons ils **tiennent**	q. je **tienne** q. ns tenions qu'ils **tiennent**	je **tins** ns **tînmes** [tɛ̆m]	j'ai **tenu**
20. tressaillir erbeben	je tressaillirai ns tressaillirons	je **tressaille** ns tressaillons	q. je tressaille q. ns tressaillions	je tressaillis ns tressaillîmes	j'ai tressa▮

9. Zur Umwandlung von *i* in *y* zur Überleitung vgl. *ennuyer*, § 16.

fuir und *s'enfuir* werden in der Umgangssprache oft durch *se sauver* ersetzt.

enso		Merke	
	—	la cueillette	Obsternte
		l'accueil *m*	Aufnahme, Empfang
		accueillant	gastlich, entgegenkommend
cueillir	empfangen [nehmen	le recueil	Sammlung
cueillir	ernten, sammeln, auf-	la récolte	Ernte
enfuir	entfliehen	la fuite	Flucht
		prendre la fuite	Flucht ergreifen
		le fugitif, fuyard	Flüchtling
		fugitif, ve	flüchtig
		la haine	Haß
		haineux, se	haßerfüllt
		haï	verhaßt
mourir	dem Tode nahe sein,	mourir de soif, faim *f*	(fast) verdursten, verhungern
	im Sterben liegen	la mort	Tod
		le danger de mort	Lebensgefahr
		le mort	Toter
		mortel, le	sterblich, tödlich
		la mortalité	Sterblichkeit
ouvrir	bedecken	l'ouverture *f*	Öffnung; Ouvertüre
écouvrir	entdecken	la couverture	Decke
partir	wieder abreisen;	le départ	Abreise
	schlagfertig erwidern	la partie	Teil; Ausflug
ssentir	lebhaft empfinden	le sentiment	Gefühl
ressentir	ahnen	la sensation	Empfindung; Sensation
esservir	(Tisch) abdecken;	le serviteur	Diener
	eine Strecke befahren	le service	Dienst, Gefälligkeit
ssortir	wieder ausgehen;	la sortie	Ausgang
	hervorgehen aus etwas	le sort	Geschick, Los
opartenir	gehören	tenir une promesse	ein Versprechen halten
ontenir	enthalten	tenir à qc	großen Wert auf etwas legen
étenir	besitzen; gefangen halten	la tenue	Haltung, Kleidung
ntretenir	unterhalten	le contenu	Inhalt
aintenir	aufrechterhalten, beibehal-	la contenance	Haltung, Fassung
otenir	erlangen [ten	le détenu	Häftling
tenir	zurückhalten, sich merken;	l'entretien *m*	Unterhaltung
	behalten	le maintien	Aufrechterhaltung, Instand-
outenir	unterstützen		haltung
abstenir	sich enthalten	le soutien	Stütze, Unterstützung
		l'abstinence *f*	Enthaltsamkeit
		abstinent	enthaltsam
ssaillir	anfallen	l'assaut *m*	(Sturm-) Angriff
		prendre d'assaut	im Sturm nehmen

10. *haïr* hat im Singular Präsens kein Trema, im Hist. Perfekt wegen des Tremas keinen *accent circonflexe*. Es wird oft durch *détester* ersetzt.

Infinitiv	Futur	Indikativ Präsens	Konjunktiv Präsens	passé simple	Perfekt
21. **venir** kommen	je **viendrai** ns viendrons	je **viens** ns venons ils **viennent**	q. je **vienne** q. ns **venions**	je **vins** ns **vînmes** [vɛ̃m]	je suis ven
22. **vêtir** kleiden	je **vêtirai** ns vêtirons	je **vêts** ns vêtons	q. je **vête** q. ns vêtions	je **vêtis** ns vêtîmes	j'ai **vêtu**

28 C. Verben auf -re

Infinitiv	Futur	Indikativ Präsens	Konjunktiv Präsens	passé simple	Perfekt
23. **absoudre** los- sprechen	j'**absoudrai** ns absoudrons	j'**absous** ns **absolvons**	q. j'**absolve** q. ns absolvions		j'ai **absou** (absoute)
24. **atteindre** erreichen	s. craindre (32)				
25. **battre** schlagen	je **battrai** ns battrons	je **bats** il **bat** ns battons	q. je **batte** q. ns battions	je **battis** ns battîmes	j'ai battu
26. **boire** trinken	je **boirai** ns boirons	je **bois** ns **buvons**	q. je **boive** q. ns buvions	je **bus** ns bûmes	j'ai **bu**
27. **conclure** schließen	je **conclurai** ns conclurons	je conclus ns concluons	q. je conclue q. ns concluions	je conclus ns conclûmes	j'ai conclu
28. **conduire** führen, (Wagen) lenken, fahren	je **conduirai** ns conduirons	je conduis ns **conduisons**	q. je conduise q. ns conduisions	je **conduisis** ns conduisîmes	j'ai **condu**

22. *vêtir* ist veraltet. Nur noch der Infinitiv und das Partizip Perfekt *vêtu, e* sind in Gebrauch. Heute sagt man *mettre un vêtement, s'habiller avec goût.*

benso		Merke	
ɔnvenir à	passen	la venue	Ankunft
ɔnvenir de	übereinkommen	qu'est-ce qu'il est devenu?	was ist aus ihm geworden?
ɔvenir	werden	convenable	passend, schicklich
tervenir	eingreifen	la convention	Übereinkunft
arvenir	gelangen	l'intervention	Eingreifen
ʳévenir qn	zuvorkommen; benachrich-	le parvenu	Emporkömmling
ʳovenir	herrühren [tigen	prévenant	zuvorkommend
venir	zurückkommen	préventif, ve	vorbeugend
ə souvenir de	sich erinnern	le revenant	Gespenst
ıbvenir à	sorgen für	le revenu	Einkommen, Einkünfte
ırvenir	unerwartet kommen, auf-	le souvenir	Erinnerung
	tauchen	la subvention	Unterstützung
ɪvêtir	bekleiden	être vêtu de noir	schwarz gekleidet sein
ə dévêtir	sich entkleiden	le vêtement	Kleidungsstück
		le vestiaire	Kleiderablage, Garderobe
		la veste	Jacke
		le veston	Jackett

28

ssoudre	auflösen	la solution	Lösung
eachte:		l'absolution *f*	Lossprechung
ıssous, te	aufgelöst	l'absolutisme *m*	Absolutismus
ssolu, e	ausschweifend	absolu	unabhängig, absolut
		mener une vie dissolue	ausschweifendes Leben
			führen
ɔattre	niederschlagen, fällen	le battant	Tür-, Fensterflügel
abattre	niederstürzen	la bataille	Schlacht
⸱mbattre	kämpfen, bekämpfen	le bataillon	Bataillon
śbattre	erörtern, diskutieren	le combat	Kampf
⸱ débattre	zappeln	le combattant	Kämpfer
battre	vom Preis abziehen	le débat	Debatte
		boire dans un verre	aus einem Glase trinken
		le buveur	Trinker
		la boisson	Getränk
		la buvette	Bahnhofswirtschaft
⸱clure	ausschließen	la conclusion	Schlußfolgerung
⸱clure	einschließen	exclusif, ve	ausschließend, ausschließlich
aber: inclus, e		ci-inclus	beiliegend
⸱ conduire	sich benehmen	la conduite	Betragen
⸱troduire	einführen	la conduite d'eau	Wasserleitung
ʳoduire	erzeugen	le conducteur	Bahnschaffner
⸱duire	vermindern, zwingen	l'introduction *f*	Einführung, Einleitung
śduire	verführen	la production	Erzeugung
ɔnstruire	bauen	le produit	Erzeugnis, Produkt
étruire	zerstören	la réduction	Ermäßigung
ıstruire	belehren, unterrichten	la construction	Bauwerk, Bau
⸱construire	wieder aufbauen	le constructeur	Erbauer
ıire	kochen	la destruction	Zerstörung
⸱cuire	noch einmal kochen	l'instruction	Belehrung
		instructif, ve	lehrreich
		la reconstruction	Wiederaufbau
		faire cuire	kochen lassen
		bien cuit	gar (gekocht)

Infinitiv	Futur	Indikativ Präsens	Konjunktiv Präsens	passé simple	Perfekt
29. confire ein- machen	je confirai ns confirons	je confis ns **confisons**	q. je confise q. ns confisions	je confis ns confîmes	j'ai **confit**
30. con- **naître** kennen	je connaîtrai ns connaîtrons	je **connais** il **connaît** ns **connais- sons**	q. je connaisse q. ns connaissions	je **connus** ns connûmes	j'ai **connu**
31. coudre nähen	je coudrai ns coudrons	je **couds** ns **cousons**	q. je couse q. ns cousions	je **cousis** ns cousîmes	j'ai **cousu**
32. craindre fürchten	je craindrai ns craindrons	je crains ns **craignons** ils **craignent**	q. je craigne q. ns craignions	je **craignis** ns craignîmes	j'ai **craint**
33. croire glauben	je croirai ns croirons	je crois ns croyons	q. je croie q. ns croyions	je **crus** ns crûmes	j'ai **cru**
34. croître wachsen	je croîtrai ns croîtrons	je croîs ns **croissons**	q. je croisse q. ns croissions	je **crûs** ns crûmes **Konj. Imperf.:** que je **crusse**	j'ai **crû** (crue, cru crues)
35. cuire kochen	s. **conduire** (28)				

30. Die Verben auf *-attre* und *plaire* haben einen *accent circonflexe*, wenn dem *-i* ein *-t* folgt, z. B. *je connais* — aber: *il connaît, paraît, plaît* etc.
32. Bei *joindre* beachte die verschiedene Aussprache von -oin- [wɛ̃] und -oign- [waɲ].

32

senso		Merke	
		la confiture	Eingemachtes; Marmelade
		les fruits confits	kandierte Früchte
		la confiserie	Zuckerwaren; Konditorei
éconnaître	verkennen	la connaissance	Kenntnis; Bekanntschaft
connaître	wieder-, anerkennen	le connaisseur	Kenner
raître	erscheinen, scheinen	la reconnaissance	Dankbarkeit
paraître	auftauchen	reconnaissant	dankbar
mparaître	vor einer Behörde erscheinen	apparent	augenscheinlich
sparaître	verschwinden; sterben	l'apparition *f*	Erscheinung, Erscheinen
		la disparition	Verschwinden; Tod
coudre	auftrennen	la couture	Naht; Schneiderhandwerk
coudre	wieder zusammennähen	le salon de couture	Modesalon
		le couturier	Modeschöpfer
		la couturière	Schneiderin
		la machine à coudre	Nähmaschine
		des phrases décousues	abgerissene, zusammenhangs-lose Sätze
ontraindre	zwingen	la crainte	Furcht
e) plaindre	(sich) beklagen	craintif, ve	furchtsam
teindre	erreichen	la contrainte	Zwang
eindre	umgürten	la plainte	Klage
eindre	auslöschen (Licht, Gas)	plaintif, ve	klagend, jammervoll
éteindre	erlöschen	la ceinture	Gürtel
indre	vorgeben, heucheln	le peintre	Maler
eindre	malen	la peinture	Farbe; Gemälde; Malerei
streindre	beschränken	la restriction	Beschränkung
indre	färben	le teint	Gesichtsfarbe
indre	zusammenfügen, verbinden	la teinturerie	Färberei
joindre qn	jdn einholen; sich zu jdm gesellen	faire teindre	färben lassen
		cela déteint	das färbt ab
		croire qn	jdm glauben
		croire qc	etw. glauben
		croire à qn, qc	an jdn, etw. glauben
		croire en Dieu	an Gott glauben
		le croyant	der Gläubige
		croyable	glaubhaft
		incroyable	unglaublich
		mécréant	ungläubig, gottlos
croître	zunehmen	la croissance	Wachstum
écroître	abnehmen (z. B. vom Tag)	le croissant	zunehmender Mond; Hörnchen
		la crue	Steigen (des Wassers)
		le cru	eigenes Wachstum (Wein)
		le vin du cru	einheimischer Wein
		ce n'est pas de son cru	das stammt nicht aus seinem eigenen Kopf
		la recrue	Nachwuchs; Rekrut
		recruter	ausheben, anwerben
		l'excroissance *f*	Geschwulst

33—34. Wenn die Formen von *croire* und *croître* gleichlauten, nehmen diejenigen von *croître* einen *accent circonflexe* an: je crois — je croîs etc.

34. Heute sagt man für *croître* meist *pousser* (Pflanzen) und *grandir* (Menschen und Tiere).

Infinitiv	Futur	Indikativ Präsens	Konjunktiv Präsens	passé simple	Perfekt
36. dire sagen	je dirai ns dirons	je dis ns **disons** vs **dites** ils **disent**	q. je dise q. ns disions	je dis ns dîmes	j'ai **dit**
37. écrire schreiben	j'écrirai ns écrirons	j'écris ns **écrivons**	q. j'écrive q. ns écrivions	j'**écrivis** ns écrivîmes	j'ai **écrit**
38. faire machen	je **ferai** ns ferons	je fais ns **faisons** vs **faites** ils **font**	q. je **fasse** q. ns **fassions**	je **fis** ns fîmes	j'ai **fait**
39. joindre verbinden	s. craindre (32)				
40. lire lesen	je lirai ns lirons	je lis ns **lisons**	q. je **lise** q. ns lisions	je **lus** ns lûmes	j'ai **lu**
41. luire leuchten	je luirai ns luirons	je luis ns **luisons**	q. je luise q. ns luisions	je **luisis** ns luisîmes	j'ai **lui**
42. mettre setzen, stellen, legen	je mettrai ns mettrons	je **mets** ns mettons	q. je mette q. ns mettions	je **mis** ns mîmes	j'ai **mis**

36. *maudire* verfluchen geht wie *finir* bis auf das Partizip Perfekt *maudit, e* und die zusammen-gesetzten Zeiten. — *médire* bildet das Part. Perf. *médit* ohne Femininum.
38. Beachte 1. die Aussprache von *nous faisons* [fəzõ], *je ferai* [ʒəfre], *je ferais* [ʒəfre];

benso		Merke	
dire	noch einmal sagen	la dictée	Diktat
Pers. Pl. auf -disez haben:		la diction	Vortrag, Stil
ontredire qn	jdm widersprechen	la contradiction	Widerspruch
terdire	untersagen	contradictoire	widersprechend
édire de qn	von jdm Böses reden	l'interdiction *f*	Verbot
édire	voraussagen	la médisance	üble Nachrede
		la prédiction	Weissagung
		trouver à redire	etw. auszusetzen haben
écrire	beschreiben	par écrit	schriftlich
') inscrire	(sich) einschreiben	les Saintes Ecritures	Heilige Schrift
rescrire	vor-, verschreiben	l'écriteau *m*	Schild
roscrire	ächten	l'écrivain *m*	Schriftsteller
ouscrire	unterschreiben (bildlich)	la description	Beschreibung
		l'inscription *f*	Inschrift
		la prescription	Vorschrift
ontrefaire	nachahmen	le fait	Tatsache
éfaire	aufmachen, auspacken; be- siegen	le bienfait	Wohltat
arfaire	vollenden	l'affaire *f*	Angelegenheit
efaire	noch einmal machen	les affaires	Geschäft; Sachen
atisfaire	befriedigen	la défaite	Niederlage (Krieg)
		la satisfaction	Zufriedenheit
njoindre	befehlen, vorschreiben	(il)lisible	(un)leserlich
isjoindre	trennen	la lecture	Lesen, Lesestoff
ejoindre	wiedervereinigen; einholen	le lecteur	Leser, Lektor
		la légende	Sage, Legende
elire	noch einmal lesen	l'élection *f*	Wahl
lire	wählen, auslesen	l'électeur *m*	Wähler
eluire	glänzen	luisant	glänzend
uire	schaden	la lueur	Schein, Schimmer
		la lumière	Licht
		nuisible	schädlich
e mettre à	anfangen	mettre le couvert	Tisch decken
dmettre	zulassen, zugeben, gestehen	mettre un vêtement	Kleidungsstück anziehen
ommettre	begehen	la mission	Sendung, Auftrag
mettre	senden (Rundfunk)	le mets	Speise, Gericht
mettre	auslassen	la messe	Messe (Gottesdienst)
ermettre	erlauben	l'admission *f*	Zulassung [sion
romettre	versprechen	la commission	Auftrag, Besorgung, Kommis-
ompromettre	bloßstellen	l'émission *f*	(Rundfunk-) Sendung
emettre	übergeben; zurückstellen	la permission	Erlaubnis, Urlaub
se remettre	sich erholen	la promesse	Versprechen
oumettre	unterwerfen	le compromis	Ausgleich, Kompromiß
ransmettre	übermitteln	la soumission	Unterwerfung

2. die drei Formen auf *-tes*: *vous êtes, vous dites, vous faites* und die vier Formen auf *-ont*: *ils ont, ils sont, ils vont, ils font.*

41. *luire* wird heute meist durch *briller* ersetzt.

Infinitiv	Futur	Indikativ Präsens	Konjunktiv Präsens	passé simple	Perfekt
43. moudre mahlen	je moudrai ns moudrons	je **mouds** ns **moulons**	q. je moule q. ns moulions	je **moulus** ns moulûmes	j'ai moul**u**
44. naître geboren werden	il naîtra ils naîtront	il naît ils **naissent**	qu'il naisse qu'ils naissent	je **naquis** ns naquîmes	je suis n**é**
45. nuire schaden	s. luire (41)				
46. plaire gefallen	je plairai ns plairons	je plais il **plaît** ns **plaisons**	q. je plaise q. ns plaisions	je **plus** ns plûmes	j'ai **plu**
47. prendre nehmen	je prendrai ns prendrons	je prends ns **prenons** ils **prennent**	q. je **prenne** q. ns prenions qu'ils **prennent**	je **pris** ns prîmes	j'ai **pris**
48. résoudre lösen, be- schließen	je résoudrai ns résoudrons	je **résous** ns **résolvons**	q. je **résolve** q. ns résolvions	je **résolus** ns résolûmes	j'ai résol**u** (**résous**)
49. rire lachen	je rirai ns rirons	je ris ns rions	q. je rie q. ns riions	je **ris** ns rîmes	j'ai **ri**
50. suffire genügen	je suffirai ns suffirons	je suffis ns **suffisons**	q. je suffise q. ns suffisions	je suffis ns suffîmes	j'ai **suffi**
51. suivre folgen	je suivrai ns suivrons	je **suis** ns suivons	q. je suive q. ns suivions	je **suivis** ns suivîmes	j'ai **suivi**
52. se taire schwei- gen, ver- stummen	je me tairai ns ns tairons	je me tais il se tait ns ns **taisons**	q. je me taise q. ns ns taisions	je me **tus** ns ns tûmes	je me suis tu**.**

44. Vgl. Anmerkung 30.
46. Vgl. Anmerkung 30.

enso		Merke	
		le moulin (à café)	(Kaffee-) Mühle
		le meunier	Müller
naître	wiedergeboren werden,	le nouveau-né	Neugeborener
	wieder aufleben	la naissance	Geburt
		la renaissance	Wiedergeburt, Renaissance
		être natif, ve de	gebürtig sein aus
		la nation	Nation
		l'aîné, e	der, die Ältere
mplaire	sich gefällig erweisen	s'il vous plaît	bitte!
plaire	mißfallen	plaisant	angenehm; spaßhaft
complaire à faire	Gefallen daran finden,	plaisanter	scherzen
	etw. zu tun	la plaisanterie	Scherz
plaire dans un lieu	gerne an einem Ort sein	le plaisir	Vergnügen
		complaisant	gefällig
		la complaisance	Entgegenkommen
		déplaisant	unangenehm
prendre	lernen; lehren; erfahren	la prise	Einnahme (einer Stadt)
sapprendre	verlernen	la prison	Gefängnis
mprendre	verstehen	le prisonnier	Gefangener
treprendre	unternehmen	l'apprenti *m*	Lehrling
prendre	zurücknehmen; tadeln;	l'apprentissage	Berufslehre, Lehrzeit
	erwidern	la compréhension	Verständnis
rprendre	überraschen	l'entreprise *f*	Unternehmen
méprendre	sich täuschen	l'entrepreneur *m*	Unternehmer
		la surprise	Überraschung
		résoudre une question	eine Frage entscheiden
		résolu	entschlossen
		la résolution	Entschluß
rire de	sich lustig machen über	le rire	Lachen, Gelächter
urire	lächeln	éclater de rire	laut auflachen
		ridicule	lächerlich
		suffisant	genügend; dünkelhaft
		la suffisance	Dünkel, Selbstgefälligkeit
ensuivre	daraus folgen	suivre qn	jdm folgen
ursuivre	verfolgen; fortfahren	suivre un conseil	einen Rat befolgen
		à suivre	Fortsetzung folgt
		il s'ensuit	es folgt daraus
		la suite	Folge, Fortsetzung
		ensuite	darauf
		poursuivre son chemin	seinen Weg fortsetzen
		la poursuite	Verfolgung
re	verschweigen	faire taire	zum Schweigen bringen
		taciturne	schweigsam
		tacite	stillschweigend

48. *résoudre* hat zwei Part. Perf.: 1. *résous, résoute* aufgelöst; 2. *résolu, e* beschlossen, entschlossen.
52. Beachte das *Passé simple*: *je me tus* ich verstummte.

Infinitiv	Futur	Indikativ Präsens	Konjunktiv Präsens	passé simple	Perfekt
53. vaincre siegen	je vaincrai ns vaincrons	je **vaincs** il **vainc** ns **vainquons**	q. je **vainque** q. ns **vainquions**	je **vainquis** ns vainquîmes	j'ai **vaincu**
54. vivre leben	je vivrai ns vivrons	je **vis** ns vivons	q. je **vive** q. ns vivions	je **vécus** ns vécûmes	j'ai **vécu**

29 D. Verben auf -oir

Infinitiv	Futur	Indikativ Präsens	Konjunktiv Präsens	passé simple	Perfekt
55. apercevoir erblicken, bemerken	s. § 21				
56. s'asseoir sich setzen	je m'**assiérai** ns ns assiérons	je m'**assieds** ns ns **asseyons**	q. je m'**asseye** q. ns ns asseyions	je m'**assis** ns ns assîmes	je me suis **assis, e**
57. devoir müssen	s. § 21				
58. falloir nötig sein	il **faudra**	il **faut**	qu'il **faille**	il **fallut**	il a **fallu**
59. mouvoir bewegen	je **mouvrai** ns mouvrons	je **meus** ns mouvons ils **meuvent**	q. je **meuve** q. ns mouvions	je **mus** ns mûmes	j'ai **mû** (mue, mus
60. pleuvoir regnen	il **pleuvra**	il **pleut**	qu'il **pleuve**	il **plut**	il a **plu**

53. Vor vokalischer Endung, außer vor *-u*, wird das *c* zu *qu*. Einige Formen, z. B. *il vainc*, sind kaum noch gebräuchlich; dafür steht *il est, reste, en sort vainqueur*.

56. Neben diesen Formen existieren gleichwertig folgende Formen: **Präsens:** *je m'assois, tu t'assois* etc. **Imperfekt:** *je m'assoyais, nous nous assoyions.* **Futur:** *je m'assoirai.* **Imperativ:** *assois-toi, assoyez-vous.* **Konjunktiv Präsens:** *que je m'assoie.* **Partizip Präsens:** *s'assoyant.*

enso		Merke	
vaincre	überzeugen	le vainqueur	Sieger
		sortir vainqueur	als Sieger hervorgehen
		remporter la victoire	den Sieg davontragen
		victorieux, se	siegreich
		la conviction	Überzeugung
vivre	wieder erleben; aufleben	vive…!	es lebe …!
vivre à qn	jdn. überleben	de son vivant	zu seinen Lebzeiten
		ne pas avoir de quoi vivre	nicht genug zum Leben haben
		les vivres *m*	Lebensmittel
		la vie	Leben
		vif, ve	lebhaft

29

apercevoir de	merken	un aperçu	Überblick
rcevoir	wahrnehmen	percevoir des impôts	Steuern erheben
		le percepteur	Steuereinnehmer
seoir	setzen	être assis	sitzen
rasseoir	sich wieder hinsetzen	la place assise	Sitzplatz
		l'assiette *f*	Teller
		la séance	Sitzung, Vorstellung
		le siège	Sitz, Belagerung
		la session	Sitzungsperiode
		il faut travailler	man muß …
		il me faut un crayon	ich benötige …
		un homme comme il faut	ein anständiger Mensch
mouvoir	erregen, bewegen	le mouvement	Bewegung
er: ému, e		(im)mobile	(un)beweglich
omouvoir	befördern	le mobilier	Mobiliar
er: promu, e		les meubles *m*	Möbel
		l'immeuble *m*	Gebäude
		le moteur	Motor
		le motif	Beweggrund
		l'émotion *m*	Erregung
		ému	erregt, gerührt
		émouvant	ergreifend
		l'émeute *f*	Aufstand
		il pleut à verse	es regnet Bindfäden
		il pleut à torrents	es gießt in Strömen
		la pluie	Regen
		pluvieux, se	regnerisch
		le parapluie	Regenschirm

57. Beachte die drei Part. Perf.: *dû (devoir)*, *mû (mouvoir)*, *crû (croître)*, die den *accent circonflexe* im Femininum und Plural verlieren: *L'honneur dû à cet homme. — Une somme due. — Les dix mille francs dus.* Die übrigen einsilbigen Part. Perf. haben keinen *accent*, z. B. *plu* (von *pleuvoir* und *plaire*).

mouvoir wird selten gebraucht; dafür *agiter, remuer, bouger: Le vent agite les feuilles. Une vie très agitée. Le chien remua* (wedelte) *la queue. Il resta longtemps sans bouger.*

Infinitiv	Futur	Indikativ Präsens	Konjunktiv Präsens	passé simple	Perfekt
61. pouvoir können	je **pourrai** ns pourrons	je **peux** ns pouvons ils **peuvent**	q. je **puisse** q. ns **puissions**	je **pus** ns pûmes	j'ai **pu**
62. recevoir empfan- gen	s. § 21				
63. savoir wissen	je **saurai** ns saurons	je **sais** ns savons **Imp.:** sache; sachons; sachez	q. je **sache** q. ns **sachions** **Part. Präsens:** sachant	je **sus** ns sûmes	j'ai **su**
64. valoir gelten	je **vaudrai** ns vaudrons	je **vaux** ns valons	q. je **vaille** q. ns **valions**	je **valus** ns valûmes	j'ai **valu**
65. voir sehen	je **verrai** ns verrons	je **vois** ns voyons	q. je **voie** q. ns **voyions**	je **vis** ns vîmes	j'ai **vu**
66. vouloir wollen	je **voudrai** ns voudrons	je **veux** ns voulons ils **veulent** **Imp.:** veuille — veux veuillez —voulez	q. je **veuille** q. ns **voulions**	je **voulus** ns voulûmes	j'ai **voulu**

[61.] Neben *je ne peux pas* gibt es die Form *je ne puis.* Die Frageform der 1. Person Singular heißt *puis-je?* oder *est-ce que je peux?*

benso		Merke	
		il se peut	es ist möglich
		peut-être	vielleicht
		le pouvoir	Fähigkeit, Vermögen; Macht
		le plein-pouvoir	Vollmacht
		la puissance	Kraft; Herrschaft
		puissant, e	mächtig, stark
		(im)possible	(un)möglich
		recevoir un journal	eine Zeitung halten
		la réception	Empfang
		le récepteur	Telefonhörer
		le receveur	Schaffner
		je ne saurais vous le dire	ich kann es Ihnen nicht sagen
		savoir par cœur	auswendig wissen
		à savoir	und zwar
		le savoir	Wissen
		le savoir-vivre	Lebensart, Anstand
		savant	gelehrt
		le savant	Gelehrter
		sage	weise, artig
		la sagesse	Weisheit
		à mon insu	ohne mein Wissen
équivaloir à	gleichen Wert haben mit	il vaut mieux	es ist besser
prévaloir	überlegen sein, überwiegen	(en) valoir la peine	der Mühe wert sein
aber: qu'il prévale		la valeur	Wert
		valeur déclarée	,,Wertpaket"
		la vaillance	Tapferkeit
		vaillant	tapfer
		valable	gültig
		le vaurien	Taugenichts, Nichtsnutz
evoir	wiedersehen	faire voir	zeigen
entrevoir	flüchtig sehen	la vue	Anblick, Aussicht
prévoir	voraussehen	(in)visible	(un)sichtbar
aber: je prévoirai		être visible	zu sprechen sein
pourvoir à	sorgen für	viser	zielen
pourvoir qn de qc	jdn mit etw. versehen	la vision	Erscheinung
aber: je pourvoirai		vis-à-vis de	gegenüber von
je pourvus		au revoir	auf Wiedersehen
		la revue	Zeitschrift, Parade
		l'avis *m*	Ansicht, Meinung
		voici, voilà	hier ist, da ist
		les prévisions météoro-logiques	Wettervorhersage
		imprévu	unvorhergesehen
en vouloir à qn	jdm böse sein	je veux bien	ich habe nichts dagegen
Imp.:		cela veut dire	das heißt
ne m'en **veux** pas		veuillez me passer le pain	haben Sie die Güte ...
ne m'en **veuille** pas		la volonté	Wille
ne m'en voulez pas		volontaire	freiwillig
ne m'en **veuillez** pas		volontiers	gern

66. Die Imperative *veux, voulons, voulez* werden nur verwendet, wenn es sich um einen Appell an den Willen handelt, z. B. *veux, et tu pourras.*

30 XI. Die wichtigsten unvollständigen Verben (verbes défectifs)

Es gibt im Französischen eine Reihe von Verben, die nicht alle Personen und Zeiten bilden können. Sie heißen daher **unvollständige Verben.**
Diese Verben werden, außer im Infinitiv, nur in den angegebenen Formen oder in festen Wendungen gebraucht und gehören fast ausschließlich der literarischen Sprache an.
Wir bringen im folgenden nur die wichtigsten von ihnen. (Besonders seltene Formen stehen in Klammern.)

Infinitiv	Gebräuchliche Formen		Merke	
1. bruire rauschen, brausen	**Präs.** **Imperf.** **P. Präs.**	il bruit il bruissait ils bruissaient bruissant	dafür oft: **faire du bruit, bruisser** le bruit bruyant bruyamment, Adv	Geräusch laut laut
2. choir fallen	**Präs.** **Passé s.** **P. Perf.**	je chois, tu chois, il choit, ils choient il chut chu, e	dafür meist: **tomber** (gelegentlich noch **(se) laisser choir**) la chute faire une chute le parachute	Fall, Sturz stürzen Fallschirm
3. déchoir herunterkommen, verfallen, weniger werden	**Präs.** **Passé s.** **Futur** **Kond.** **Konj.** **P. Perf.**	je déchois etc. ns déchoyons etc. je déchus etc. je déchoirai etc. je déchoirais etc. que je déchoie etc. déchu, e	dafür meist: **perdre, diminuer, tomber en ruine** déchoir de son rang = perdre son rang le corps déchoit = les forces diminuent une maison déchue = une maison tombée en ruine	
4. échoir fällig sein, verfallen, ungültig werden	**Präs.** **Passé s.** **Futur** **Kond.** **P. Präs.** **P. Perf.**	il échoit il échut il échoira il échoirait ils échoiraient échéant, e échu, e	dafür: **être payable, expirer, périmer** le terme échoit le 1er janvier = est payable mon passeport échoit = expire un billet échu = périmé le cas échéant l'échéance *f* à brève échéance à longue échéance le jour d'échéance	notfalls Fälligkeit kurzfristig langfristig Verfallstag
5. clore schließen, abschließen, beenden	**Präs.** **Imp.** **P. Perf.** **(Fut.** **(Kond.** **(Konj.**	je clos, tu clos, il clôt, (ils closent) clos clos, e je clorai etc.) je clorais etc.) que je close etc.)	dafür meist: **fermer** les yeux clos à huis clos un enclos, la clôture la clôture	mit geschlossenen Augen hinter verschlossenen Türen, unter Ausschluß der Öffentlichkeit Zaun Schließung

Infinitiv	Gebräuchliche Formen	Merke
6. éclore 1. aufblühen 2. ausschlüpfen	vgl. **clore** Nur 3. Pers. Sing. und Plur. und Partizip Perfekt.	dafür: 1. s'ouvrir, s'épanouir 2. sortir de l'œuf une fleur éclose = épanouie un bouton (Knospe) qui éclôt = qui s'ouvre les oiseaux sont éclos = sortis de l'œuf
7. faillir beinahe tun, fehlen, verfehlen	**Passé s.** je faillis etc. **Futur** je faillirai etc. **Kond.** je faillirais etc. **Perf.** j'ai failli (alte Formen: **Präs.** je faux, tu faux, il faut; **Imperf.** je faillais etc.)	dafür meist: manquer de faire qc j'ai failli tomber = j'ai manqué de tomber il s'en faut de peu es fehlt wenig la faillite Konkurs faire faillite } faillir (wie finir) } Konkurs machen
8. frire braten, backen	**Präs.** je fris, tu fris, il frit **P. Perf.** frit, e **Perfekt** j'ai frit Die fehlenden Formen werden durch *faire frire* ersetzt.	dafür meist: faire frire la pomme de terre frite } la pomme frite } Pomme frite la frite } la friture Gebratenes, Pfannengericht
9. (gésir) liegen	**Präs.** je gis, tu gis, il gît, ns gisons etc. **Imperf.** je gisais etc. **P. Perf.** gisant	dafür meist: être couché, e, reposer ci-gît (auf Grabsteinen) = ici repose le gîte Bleibe, Nachtlager le gisement Ablagerung, Lager le gisement houiller Kohlenvorkommen
10. ouïr hören	**P. Perf.** ouï, ouïe	dafür meist: entendre par ouï-dire vom Hörensagen l'ouïe *f* Gehör, Kieme c'est inouï! das ist unerhört

11. traire
melken
	Präs. je trais, tu trais, il trait,
	      ns trayons etc.
	Imperf. je trayais etc.
	Futur je trairai etc.
	Konj. que je traie etc.
	P. Präs. trayant
	Perfekt j'ai trait
		ebenso:
		abstraire abstrahieren
		(se) distraire (sich) zerstreuen,
		               ablenken
		extraire (une dent) ziehen
		extraire (du charbon) fördern
		soustraire subtrahieren
		
		abstrait abstrakt
		l'abstraction *f* Abstraktion
		distrait zerstreut
		la distraction Zerstreuung, Ver-
		               gnügen
		un extrait Auszug, Extrakt
		la soustraction Subtraktion

43

Gebrauch der Formen des Verbs

31 I. Die Hilfsverben (les verbes auxiliaires)

Hilfsverben sind solche Verben, die dazu dienen, in Verbindung mit dem Hauptverb die zusammengesetzten Zeiten *(temps composés)* zu bilden: *j'ai mangé, je suis arrivé, il a été arrêté.* Es handelt sich vor allem um *avoir* und *être.* Man bezeichnet sie als **temporale Hilfsverben.**

Daneben gibt es eine Reihe von Hilfsverben, die nicht zur Bildung der Tempora in zusammengesetzten Zeiten dienen, sondern vor allem das Verhältnis, die Einstellung des Sprechenden zur Handlung ausdrücken: *je veux le faire, il doit être malade, il peut avoir quinze ans.* Sie heißen **modale Hilfsverben.**

Eine dritte Gruppe schließlich gibt an, in welcher Beziehung der Sprechende oder Handelnde zum Zeitverlauf des Geschehens steht: *je viens d'arriver* ich bin gerade angekommen, *il est en train de lire une lettre* er ist gerade dabei, einen Brief zu lesen.

A. Die temporalen Hilfsverben avoir und être

32 1. Mit *avoir* verbunden werden

a) J'ai été malade. Tu as eu de la chance.	die Verben *avoir* und *être* selbst;
b) Nous avons visité le musée. J'ai toujours obéi à mes parents.	alle Verben, die ein Objekt haben (vgl. § 34);
c) Nous avons bien dormi. J'ai hésité à le lui dire. Elle a tremblé comme une feuille.	die weitaus größte Zahl der intransitiven Verben;
d) Il avait plu pendant la nuit. Il n'avait pas neigé depuis longtemps.	alle nur unpersönlich gebrauchten Verben;
e) Nous **avons marché** deux heures. Pourquoi **avez-vous couru** si vite? J'ai **nagé, galopé, sauté, trotté, fui.**	im Gegensatz zum Deutschen die Verben, die eine Bewegungs- oder Gangart ausdrücken (vgl. dagegen *aller, venir* etc., § 33).

33 2. Mit *être* verbunden werden

a) Je **me suis trompé.** Elle **s'était blessée** au genou. Elle **s'est tue** pour ne pas se trahir.	alle reflexiven Verben (vgl. § 37);
b) Le mendiant **est** (fut, a été, sera) **arrêté** par la police.	das gesamte Passiv (vgl. § 24);
c) Elle **était devenue** toute pâle. Les premières fleurs **sont écloses.** De quoi **est**-il **mort**? Mon fils **est né** le 7 avril 1943. Je ne **suis** pas **né** d'hier. Ich bin auch nicht von gestern.	einige Verben, die einen Wechsel des Zustandes ausdrücken, z. B. *décéder* verscheiden *devenir* werden *éclore* aufblühen, ausschlüpfen *mourir* sterben *naître* geboren werden, entstehen;

d) Il **est entré** sans frapper. Quand **est-il parti** (sorti, rentré)? Ma mère **était restée** (demeurée) seule. L'étranger **est retourné** dans son pays.	eine bestimmte Anzahl intransitiver Verben, die eine Bewegung, und zwar eine Bewegungsrichtung (nicht eine Bewegungsart, vgl. § 32), oder das Gegenteil (Ruhe) ausdrücken.

Verben der Bewegungsrichtung oder Ruhe:

aller	sich begeben, gehen, fahren etc.	rester, demeurer	bleiben
arriver	ankommen, sich ereignen	retourner	zurückkehren
entrer	eintreten	revenir	zurückkommen
partir	abreisen, aufbrechen	sortir	ausgehen
parvenir	gelangen	tomber	fallen
rentrer	zurückkehren	venir	kommen

3. Wechselnder Gebrauch von *avoir* oder *être*   **34**

a) Einige **Verben der Bewegungsrichtung** oder der Ruhe können auch **transitiv** gebraucht werden, d. h. ein Objekt zu sich nehmen. Sie haben dann eine andere Bedeutung und werden mit *avoir* konjugiert.

Le concierge **a monté** (hinaufgeschafft) **la valise** au troisième étage. **J'ai descendu** le vin à la cave. **J'ai monté** (descendu) **l'escalier**. Les paysans **avaient** déjà **rentré** (eingefahren) la récolte. Il **a retourné** (gewendet) sa veste. **J'ai sorti** (herausgeholt) la voiture du garage.	Nous **étions montés** dans le train. Je **suis descendu** chez le concierge. Le thermomètre **est monté** à 30 degrés, **est descendu** à zéro. Mon frère **est rentré** depuis deux heures. Elle **est retournée** dans son pays. Madame n'est pas là. Elle **est sortie** en ville.

A *J'ai longtemps demeuré (habité) dans cette rue. — Elle est demeurée (restée) seule après la mort de son mari :* demeurer wohnen wird mit *avoir* verbunden (wie *habiter*); *demeurer* bleiben wird mit *être* verbunden (wie *rester*).

b) Einige Verben wie *changer* sich ändern, *disparaître* verschwinden, *paraître* erscheinen haben *avoir*, wenn die **Tätigkeit** ausgedrückt werden soll. Sie haben *être*, wenn das Ergebnis der Tätigkeit, ein **Zustand**, betont werden soll. Bei *être* ist das Partizip hier als Adjektiv aufzufassen.

Elle **a** beaucoup **changé** ces dernières années. Le livre **a paru** il y a un mois. [im Nu.] Le voleur **avait disparu** en un clin d'œil	Elle **est** toute **changée** depuis la mort de son mari. Le livre **est paru** depuis un mois. Le voleur **était disparu** depuis longtemps.

A Manche Grammatiker unterscheiden darüber hinaus noch Sätze wie: *Le train a passé à quatre heures* (Handlung) und *Le train est passé depuis longtemps* (Zustand) — *Tu as grandi pendant mon absence* und *Que tu es grandi!* Diese Unterscheidung wird im lebendigen Sprachgebrauch nicht mehr beachtet.

Der heutige Gebrauch ist folgender:
Man konjugiert meist mit *être* die Verben, die eine **Bewegung** ausdrücken: *Le train est passé à quatre heures*. Man konjugiert meist mit *avoir* die Verben, die einen **Wechsel**, eine Änderung ausdrücken: *Il a grandi, maigri, pâli, vieilli*, etc.

45

35 B. Andere Hilfsverben

1. a) Qu'est-ce que tu **vas faire** maintenant? b) J'**allais sortir** lorsque le téléphone sonna. Ich wollte gerade ausgehen, als . . . **Je vais vous dire** une chose: je n'en crois rien. Ich will Ihnen mal was sagen . . .	*aller* mit dem Infinitiv bezeichnet die nahe Zukunft (temporal) oder die Absicht (modal). In der Umgangssprache wird diese Umschreibung gern gebraucht.
2. La bonne **vint ouvrir** la porte. Une cigarette? — Non, merci, **je viens de fumer.** Que ferais-tu si ton père **venait à mourir?**	*venir faire* kommen, um etwas zu tun; *venir de faire* soeben etwas getan haben; *venir à faire* zufällig etwas tun.
3. Ne dérange pas ton père! Il est **en train d'écrire** une lettre.	*être en train de* gerade dabei sein betont die Dauer der Handlung, die sich vollzieht.
4. Je ne peux pas vous recevoir en ce moment; vous voyez que je suis **sur le point de sortir.**	*être sur le point de* im Begriff sein, gerade etwas tun wollen bezeichnet eine Handlung, die sofort beginnen soll.
5. J'ai **failli mourir** de douleur. Il a **manqué de se faire écraser** (überfahren werden) par un taxi.	*faillir faire* *manquer de faire* } beinahe etwas tun. *manquer de faire* (zuweilen auch ohne *de*) ist weitaus häufiger.

A Weitere, besonders modale Hilfsverben findet man in dem Kapitel über den Infinitiv ohne Präposition (vgl. § 77). Praktisch kann man alle die Verben als modale Hilfsverben bezeichnen, die ohne Präposition mit dem Infinitiv verbunden werden.

36 II. Das reflexive Verb (le verbe pronominal)

Im Französischen gibt es, wie im Deutschen, Verben, die in Verbindung mit einem Personalpronomen *(me, te, se, nous, vous, se)* auftreten: *Je me lave* ich wasche mich. Diese Verben heißen daher *verbes pronominaux.*

In dem Satz *Il se voit dans la glace* bezieht sich die Handlung auf das Subjekt zurück; Subjekt und Objekt bezeichnen dieselbe Person. Solche *rückbezüglichen* Verben, die **reflexiven Verben,** heißen im Französischen *verbes pronominaux réfléchis.*

In dem Satz *Nous nous voyons souvent* Wir sehen uns (einander) häufig (vgl. *we often see each other*) handeln mehrere Personen wechselseitig; die Handlung bezieht sich nicht mehr auf den Urheber zurück. Man spricht von **reziproken Verben:** *verbes pronominaux réciproques.* Die Wechselseitigkeit wird (wie durch das seltene deutsche *einander*) im Französischen gelegentlich durch bestimmte Ausdrücke noch besonders betont: *Ils se regardent l'un l'autre, les uns les autres* gegenseitig; *ils se nuisent l'un à l'autre; ils se louent mutuellement; il faut s'entr'aider.*

In einem Satz wie *Il s'en va* hat das Pronomen *se* nicht mehr den Sinn eines Objekts. Das **Pronomen hat keine eigene Bedeutung** mehr und ist mit dem Verb zu einer Einheit verschmolzen. Von reflexiver Bedeutung ist keine Rede mehr. Verben, die nur mit Pronomen vorkommen, wie *s'en aller, se repentir* etc., nennt man *verbes essentiellement pronominaux,* während nur gelegentlich reflexiv gebrauchte Verben *verbes accidentellement pronominaux* heißen, z. B. *laver — se laver.*

In Sätzen wie *Cela se dit souvent — La porte se ferma* handelt das Subjekt nicht, sondern die durch das Verb ausgedrückte Tätigkeit wirkt sich auf das Subjekt aus. Diese Sätze drücken einen **Vorgang** aus, **bei dem der Handelnde nicht genannt wird.**

Aus dem Gesagten geht hervor, daß die in Deutschland übliche Bezeichnung *reflexive Verben*, mit der die gesamte Gruppe bezeichnet wird, unzureichend ist. Im Französischen wird daher mit Recht nur die erste Gruppe von Verben (*Il se voit dans la glace*) als *verbes réfléchis* bezeichnet. Die gesamte Gruppe nennt man dagegen *verbes pronominaux*, weil diese Verben mit einem Pronomen verbunden werden. Die *verbes réfléchis* sind also nur eine Unterabteilung der *verbes pronominaux*.

Im folgenden behalten wir jedoch die in Deutschland übliche Bezeichnung *reflexive Verben* für alle Verben dieser Art bei, fügen aber in Klammern die genauere französische Bezeichnung an.

A. Konjugation **37**

				Frage
je	**me**	lave	je me lavais	quand te laves-tu?
tu	**te**	laves	je me lavai	pourquoi ne s'est-elle pas
il elle }	**se**	lave	je me suis lavé elle s'est lavée	lavée?
nous	**nous**	lavons	nous nous sommes lavés	**Imperativ**
vous	**vous**	lavez	je m'étais lavé	lave-toi
ils elles }	**se**	lavent	je me laverai je me laverais	ne te lave pas

Zur Veränderlichkeit des Partizips Perfekt bei diesen Verben vgl. § 102 ff.
Zur Stellung der Pronomina vgl. § 249 ff.

Besonderheiten:

1. Asseyez-vous. Tais-toi. Je me suis promené(e).	**Faites asseoir** Monsieur. **Je te ferai taire.** **Je l'ai envoyé promener.**	Lassen Sie den Herrn sich setzen. Ich werde dich zum Schweigen bringen. Ich habe ihn zum Teufel geschickt.
2. Le soleil s'est couché. Il s'est évadé de prison.	le soleil **couchant** un prisonnier **évadé**	die untergehende Sonne ein entsprungener Häftling

1. Das Reflexivpronomen fehlt meist nach *faire*, zuweilen nach *laisser* und *envoyer*.
2. Es fehlt ebenfalls bei den Partizipien.

B. Gebrauch

1. Gelegentlich reflexiv gebrauchte Verben *(verbes accidentellement pronominaux)* **38**

J'ai **achevé** mon travail habe beendet. Le voleur **fut arrêté** wurde festgenommen. J'**attends** le train. Cet échec m'**a découragé** entmutigt. **Eteignez** le feu. Löscht …! Il **promenait** chaque matin son chien dans le parc führte spazieren. Un bruit m'**avait réveillé** hatte geweckt.	L'année **s'achève** geht zu Ende. Le train **s'arrête** à toutes les stations hält. Il faut **s'attendre** à tout. Ne te **décourage** pas! Verliere den Mut nicht! Le feu **s'est éteint** ist erloschen. J'irai **me promener** un peu gehe spazieren. Je me suis **réveillé** de bonne heure bin aufgewacht.

Eine ganze Reihe von Verben treten sowohl als transitive Verben wie auch als reflexive Verben auf. Oft entspricht dabei die nicht reflexive Form einem deutschen transitiven Verb, die reflexive Form einem deutschen intransitiven Verb.
Die wichtigsten dieser Verben sind:

achever	vollenden	s'achever	zu Ende gehen
terminer	beenden	se terminer	
appeler	nennen, rufen	s'appeler	heißen
arrêter	anhalten, festnehmen	s'arrêter	anhalten, stehenbleiben
attendre	erwarten	s'attendre à	gefaßt sein auf
attendrir	rühren	s'attendrir	gerührt werden
coucher	hinlegen	se coucher	sich hinlegen, zu Bett gehen
décourager	entmutigen	se décourager	mutlos werden
douter de	bezweifeln	se douter de	ahnen
endormir	einschläfern	s'endormir	einschlafen
éteindre	auslöschen	s'éteindre	erlöschen
fatiguer	ermüden	se fatiguer	müde werden
lever	erheben	se lever	aufstehen, sich erheben
noyer	ertränken	se noyer	ertrinken
promener	spazieren führen	se promener	spazierengehen
réveiller	wecken	se réveiller	aufwachen
taire qc	etwas verschweigen	se taire	schweigen

39 2. Nur reflexiv gebrauchte Verben *(verbes essentiellement pronominaux)*

Il **s'écria** que c'était une injustice. Je **m'empresse** de répondre à votre lettre. Il faut que je **m'en aille.** L'oiseau **s'était envolé.** Plusieurs prisonniers **s'étaient évadés** à la faveur de la nuit.	Pourquoi **te méfies-**tu de tout le monde? Il **se moque** de tes menaces. Vercingétorix **s'était réfugié** dans la place forte d'Alésia. Combien je **me repens** de ne pas avoir suivi tes conseils!

Eine ganze Reihe von Verben werden nur reflexiv gebraucht.

Merke:

s'écrier	ausrufen	s'évader	entweichen
s'écrouler	einstürzen	s'évanouir	ohnmächtig werden
s'effondrer		se fier à	sich anvertrauen
s'efforcer	sich bemühen	se méfier de	mißtrauen
s'emparer de	sich bemächtigen	se moquer de	sich lustig machen
s'empresser	sich beeilen	se réfugier	(sich) flüchten
s'en aller	fortgehen, gehen	se repentir de	bereuen
s'enfuir	fliehen	se soucier de	sich kümmern um
s'envoler	fortfliegen	se souvenir de	sich erinnern

40 3. Verben, die im Französischen nicht reflexiv gebraucht werden

Nos dépenses **augmentent** (diminuent) chaque jour. Tu n'**as** pas **honte** de mentir? Si tu **bouges,** ma photo est ratée!	Les temps **ont** bien **changé.** Il **a séjourné** un an à Berlin. Les ailes du moulin **tournaient** vite. La voiture **redouble** de vitesse.

Das Französische hat mehr reflexive Verben als das Deutsche. Man merke sich jedoch eine Reihe von Verben, die im Deutschen reflexiv gebraucht werden, im Französischen aber nicht. Die wichtigsten dieser Verben sind:

augmenter	sich vermehren, anwachsen	diminuer	sich vermindern
avoir honte	sich schämen	empirer	sich verschlimmern
bouger ⎫		prendre la liberté de	sich die Freiheit nehmen zu
remuer ⎭	sich rühren	redoubler	sich verdoppeln
changer	sich ändern	séjourner	sich aufhalten
différer	sich unterscheiden	tourner	sich drehen

A Unterscheide: *changer* sich ändern — *se changer*   sich umziehen (vgl. § 118)

                tourner sich drehen — *se tourner vers qn* sich jdm zuwenden

4. Reflexivkonstruktion ohne Nennung des Handelnden   **41**

Mon dernier livre **se vend** bien.	verkauft sich gut	Wie im Deutschen gibt es auch im Französischen eine Reihe von Verben, bei denen durch die reflexive Form die Handlung selbst, aber nicht der Handelnde bezeichnet wird (vgl. dt. *Das versteht sich*). Diese Konstruktion ist sehr beliebt und häufiger als im Deutschen.
Le mot chariot **s'écrit** avec un seul r.	schreibt sich	
Cette erreur **s'explique** facilement.	erklärt sich	
La porte **s'ouvrit** soudain.	öffnete sich	
Cela ne **se dit** pas.	Das sagt man nicht.	
Cette expression ne **s'emploie** plus.	ist nicht mehr gebräuchlich	
Cela **se voit** tous les jours.	sieht man	
Le vase **s'est cassé, s'est brisé**.	ist zerbrochen	

A Diese Konstruktion wird oft als *Reflexivkonstruktion mit passivischem Sinn* bezeichnet, doch trifft diese Bezeichnung nicht für alle Fälle zu. In dem Satz *Le mot chariot s'écrit avec un seul r* liegt passivischer Sinn vor (schreibt sich = wird geschrieben).

In dem Satz *La porte s'ouvrit soudain* (öffnete sich = ging auf) bezeichnet die reflexive Form lediglich die Handlung, ohne daß der Handelnde (der Urheber der Bewegung) in Erscheinung tritt. *La porte s'ouvrit* muß also nicht identisch sein mit *La porte fut ouverte*.

III. Die Zeiten   **42**

Verben drücken Geschehnisse oder Zustände aus: *Il arrive. Il ouvre la porte. — Il est fatigué. Il reste à la maison.*

Geschehnisse oder Zustände können ganz allgemeingültig, ganz zeitlos aufgefaßt werden: *Le soleil se lève le matin et se couche le soir.* Das ist so, war so und wird immer so bleiben.

Zeitlich aufgefaßt gehören sie der Vergangenheit oder Zukunft an. Die Gegenwart ist nur die Grenze zwischen beiden. Zwar bildet man Sätze wie *J'écris une lettre.* Aber alles schon Geschriebene ist bereits vergangen, alles noch zu Schreibende ist zukünftig. Der Sprechende indes wird sich dieses ständigen Weitergehens nicht bewußt. Geschehnisse oder Zustände, die er miterlebt, erscheinen ihm in ihrem Verlauf als Gegenwart (Präsens).

Für die verschiedenen Stufen der Vergangenheit und der Zukunft hat sich das Französische, wie andere Sprachen, mehrere Zeitformen geschaffen: für die Vergangenheit das **Imperfekt** und das **Historische Perfekt**, das **Perfekt** und das 1. und 2. **Plusquamperfekt**, für die Zukunft das 1. und 2. **Futur** und das 1. und 2. **Konditional**.

43 A. Das Präsens (le présent)

1. Le jour suit la nuit. La terre est ronde. Tout est bien qui finit bien.	Das Präsens steht in allgemeingültigen Aussagen (daher besonders in Sprichwörtern);
J'écris une lettre. Nous sommes au théâtre; on joue une comédie de Molière.	zum Ausdruck gegenwärtig erscheinender Geschehnisse oder Zustände, d. h. solcher, die der Sprechende miterlebt;
Je me rase tous les jours. Il se lève en général à 7 heures. Ce chien mord.	um eine gewohnheitsmäßige oder regelmäßig wiederkehrende Handlung auszudrücken.
2. Un enfant traverse la rue. Une voiture arrive. Je reconnais le danger. Je cours à l'enfant. Je le saisis par le bras.	In lebhafter Erzählung wird das Präsens oft zur Schilderung von Geschehnissen der Vergangenheit gebraucht.
3. Je pars demain, la semaine prochaine. Je vais passer huit jours en Italie: je passe par Milan Mailand; je reste deux jours à Florence (Grammaire Larousse).	Zuweilen steht das Präsens im Sinne eines nahen Futurs, oder es bezeichnet eine zukünftige Handlung, deren Durchführung als sicher oder fest beabsichtigt gilt.

44 B. Imperfekt und Historisches Perfekt (imparfait und passé simple)

In den deutschen Sätzen *Es regnete. — Er stellte sich unter* drückt das Präteritum *es regnete* eine schon länger andauernde Handlung, einen Zustand und das Präteritum *er stellte sich unter* eine neu eintretende Handlung aus.

Im Französischen würden die Sätze heißen: *Il pleuvait. — Il se mit à l'abri.* Beide Sätze gehören derselben Zeitstufe, der einfachen Vergangenheit, an. Die Verbformen *pleuvait* und *se mit* bezeichnen also keine verschiedenen Zeiten, sondern die **Art und Weise, wie der Sprechende die Handlung sieht,** ob noch andauernd oder neu eintretend. Es handelt sich also um verschiedene **Handlungsarten** (Aktionsarten). Darin besteht der Wesensunterschied zwischen *imparfait* und *passé simple*.

Das Deutsche hat zum Ausdruck des unbegrenzten Verlaufs keine besondere Form. Will es ihn bewußt ausdrücken, so muß es zu Umschreibungen greifen: *Er war beim Schreiben. — Er war im Begriff zu schreiben. — Er schrieb gerade. — Er pflegte zu sagen* usw. (vgl. auch *it was raining*).

45 1. *Imparfait* und *Passé simple* im Einzelsatz

Sieht der Sprecher Geschehnis oder Zustand in unbegrenztem Verlauf, **nicht abgeschlossen,** so steht das *imparfait*.
Was war schon?

Sieht er Geschehnis oder Zustand begrenzt, **abgeschlossen,** nimmt er das *passé simple*.
Was geschah nun?

Imparfait	Passé simple
a) Il ne **travaillait** plus. Une auto **attendait** devant la gare. Le bruit **grandissait** toujours. Une guerre **ravageait** le pays. La guerre **semblait** être sans fin, elle **durait** depuis vingt ans.	Enfin, il se **remit** à travailler. Je **pris** l'auto pour aller au théâtre. Le bruit **cessa brusquement.** Une terrible guerre **éclata.** La guerre **dura trente ans.** Molière **naquit en 1622, il mourut en 1673.**

A Das *passé simple* bezeichnet also nur den Aspekt, den der Sprechende von der Handlung hat. Die Dauer der Handlung spielt dabei keine Rolle. In dem Satz: *La guerre dura trente ans* ist nur wichtig, daß der Krieg zeitlich begrenzt ist.

Da vor allem historische Ereignisse abgeschlossene Handlungen sind, haben die deutschen Grammatiker dem *passé simple* den Namen *Historisches Perfekt* gegeben.

b) Il me **posait toujours** la même question. Il ne me **saluait jamais**. Il **répétait** cette phrase **sans cesse**.	Il me **posa trois fois** cette question. A partir de ce jour-là, il ne me **salua** plus. Il **répéta** cette phrase **deux fois**.

Derselbe Unterschied besteht, wenn es sich um die **Wiederholung eines Geschehnisses** handelt. Ist die Wiederholung nicht abgeschlossen, steht das *imparfait*, ist sie abgeschlossen, das *passé simple*.

A Durch diesen Unterschied bekommt die Konjunktion *quand* (oft auch *lorsque*) zwei verschiedene Bedeutungen:

1. *quand* (*lorsque*) mit *imparfait* heißt wenn, jedesmal wenn: *Quand* (*lorsque*) *le professeur entrait, les élèves se levaient* (immer, jedesmal) Wenn der Lehrer eintrat ...

2. *quand* (*lorsque*) mit *passé simple* heißt als: *Quand* (*lorsque*) *le professeur entra, les élèves se levèrent* Als der Lehrer eintrat ...

2. *Imparfait* und *Passé simple* im Satzgefüge   **46**

a) Nous **étions** tous à la maison:
        Papa **lisait** le journal,
                Maman **repassait**,
                        et nous, nous **jouions** avec le train électrique.

Pendant que je faisais mes devoirs,
                Charles **réparait** sa bicyclette,
                                Marie **écrivait** une lettre.

Verlaufen mehrere Handlungen gleichzeitig, so ist keine von ihnen abgeschlossen, und das *imparfait* ist die Aktionsart der **Beschreibung**.
Daher steht *pendant que* während stets mit dem *imparfait*.

b) D'abord | je **fis** mes devoirs, | ensuite | je **réparai** ma bicyclette, | puis | **j'écrivis** une lettre.

| **J'écrivis** une lettre, | | la **mis dans une enveloppe** | et | la **portai** à la poste. |

Bei aufeinanderfolgenden Geschehnissen setzt das folgende immer erst dann ein, wenn das voraufgehende abgeschlossen ist, d. h. Anfang und Ende treten lebhaft ins Bewußtsein. Das *passé simple* ist die Aktionsart der **Erzählung, des Berichts**.

c) — — — J'**écrivais** une lettre — — — | quand tout à coup le téléphone **sonna.**

— — | Il **regarda** fixement la photo | — — qui se **trouvait** sur le bureau de son père.

Setzt eine Handlung ein, während eine andere weiterläuft und noch nicht abgeschlossen ist, so steht die neueinsetzende im *passé simple*, die noch im Ablauf begriffene im *imparfait*.

A Die Verschiedenheit von Dauer und neueintretender Handlung wird im Relativsatz besonders sichtbar: *Le général attaqua l'ennemi, qui se retira* der sich daraufhin zurückzog. Aber: *Il attaqua l'ennemi qui se retirait* er griff den sich zurückziehenden Feind an.

47 3. *Imparfait* und *Passé simple* in längerer Darstellung

Zustandsschilderung	Neu eintretende Handlungen
Un soir, un paysan **rentrait** de la ville. Il **faisait** déjà nuit. La lune **était** cachée derrière de gros nuages. Mais notre paysan ne le **remarquait** pas.	Tout à coup, un homme **surgit**, le revolver au poing. «Votre portefeuille!» **cria**-t-il. Le paysan **eut** peur et **donna** son portefeuille.
Molière **était** devenu célèbre. Louis XIV l'**honorait** de son amitié et le **recevait** chez lui. Molière se **moquait** des faiblesses et des ridicules (lächerlichen Seiten) de ses contemporains. Ceux qu'il **maltraitait** particulièrement, c'**étaient** les médecins.	En 1673, Molière **écrivit** sa dernière comédie, le Malade imaginaire. Cette pièce, il la **joua** quatre fois. A la quatrième fois, il **fut** pris d'un grave malaise. On **porta** l'acteur chez lui. Il **mourut** quelques heures après.

48 4. Besonderheiten

a) Sehr häufig müssen wir im Deutschen allerlei Zusätze oder Umschreibungen gebrauchen, um dem Sinn der beiden Aktionsarten, die im Deutschen durch ein einziges Tempus ausgedrückt werden, voll gerecht zu werden.

Pendant la guerre de Cent ans, la France **semblait** perdue. Jeanne d'Arc **parut** et **sauva** son pays. Da erschien Jeanne d'Arc und rettete ihr Vaterland.	L'œuvre de la révolution s'**accomplissait**; Das Werk der Revolution vollendete sich mehr und mehr.
J'**ouvris** un peu la porte du bureau de M. Dupont. Il **écrivait**. Er schrieb gerade.	l'ancien régime était détruit; une ère nouvelle **commençait** ... war im Begriff anzubrechen.

b) Oft entspricht die Form des *imparfait* und des *passé simple* bei ein und demselben Verb zwei verschiedenen Verben im Deutschen.

J'avais peur; c'est pourquoi je n'osais pas entrer ich hatte Angst. Je **savais** cela depuis longtemps ich wußte.	Quand je le vis, j'**eus** peur. Als ich ihn erblickte, bekam ich Angst. Le médecin **sut** trop tard qu'on avait trouvé un nouveau remède er erfuhr.

Merke:

j'avais	ich hatte	j'eus	ich bekam
je connaissais	ich kannte	je connus	ich lernte kennen
j'étais	ich war	je fus	ich wurde
je savais	ich wußte	je sus	ich erfuhr
je me taisais	ich schwieg	je me tus	ich verstummte
je voyais	ich sah	je vis	ich erblickte

5. Das Imperfekt der lebhaften Vorstellung   **49**

Après quelques minutes mortellement longues, j'**arrivais** au but, je **saisissais** la clef restée dans la serrure, je la **tournais**, je **poussais** la porte (J. Normand).	Nach einigen Minuten, die mir wie Ewigkeiten erschienen, kam ich endlich ans Ziel. Ich nahm den Schlüssel, der noch im Schloß stak, drehte ihn um, und schon stieß ich die Tür auf.
Lorsque le notaire **arriva** avec M. Geoffrin ..., elle les **reçut** elle-même et les **invita** à tout visiter en detail. **Un mois plus tard,** elle **signait** le contrat de rente et **achetait** en même temps une petite maison bourgeoise (G. de Maupassant).	Als der Notar mit Herrn Geoffrin erschien, empfing sie sie selbst und lud sie ein, alles genau zu besichtigen. Und schon einen Monat später unterzeichnete sie den Rentenvertrag und erstand gleichzeitig ein kleines Haus in der Stadt.

Im modernen Französisch findet sich auch bei der Darstellung abgeschlossener Handlungen das Imperfekt statt eines zu erwartenden Historischen Perfekts. Dieses Imperfekt läßt den Hörenden an dem unmittelbaren Erleben der Vergangenheit teilnehmen. Es findet sich in anschaulicher, oft affektvoller Schilderung, wobei die zeitliche Situation immer durch eine **genaue Zeitangabe** *(après quelques minutes — un mois plus tard — en même temps)* gegeben ist.

C. Das Perfekt (le passé composé)

Das Perfekt wird mit dem Präsens von *avoir* oder *être* umschrieben (vgl. § 32—34). Es enthält zwar — wie das Präsens — keine bestimmte Zeitangabe, aber es drückt etwas **Vollendetes, Abgeschlossenes** aus. Es ist somit nahe verwandt mit dem *passé simple*, für das es auch oft eintritt. Der Gebrauch ist derselbe wie im Deutschen (aber nicht wie im Englischen): *Hier j'ai vu le Malade imaginaire. — Yesterday, I saw Shakespeare's Julius Caesar.*

1. Das Perfekt als Tempus für Geschehnisse, die bis zur Gegenwart heranreichen   **50**

a) Il **est arrivé** aujourd'hui. Il **a plu** ce matin. Elle **a** déjà **quitté** New York pour l'Europe.	Des Perfekt steht bei Geschehnissen, die sich erst kürzlich ereignet haben;

| b) Christophe Colomb **a découvert** l'Amérique.

Jeanne d'Arc **a été brûlée** à Rouen.
Molière **a écrit** le Malade imaginaire. | bei Tatsachen aus der Vergangenheit, selbst einer weit entlegenen, die für die Gegenwart noch bedeutungsvoll sind. |

A Die unter b angegebenen Fälle können auch im *passé simple* zum Ausdruck kommen (vgl. § 45). Dann handelt es sich um reine Tatsachenangaben aus der Vergangenheit, ohne Bezug auf die Gegenwart.

51 2. Das Perfekt als Tempus der Erzählung in der Umgangssprache

Besondere Bedeutung hat das Perfekt dadurch erhalten, daß es in der lebendigen Sprache das *passé simple* verdrängt hat. Dies ist auch in Briefen, Tagebuchberichten und modernen Theaterstücken der Fall.

Schriftsprache	Umgangssprache
Tout à coup, un homme **surgit**, le revolver au poing. «Votre portefeuille!» **cria**-t-il. Le paysan **eut** peur et **donna** son portefeuille.	Tout à coup, un homme **a surgi**, le revolver au poing. «Votre portefeuille!» **a-t-il crié**. Le paysan **a eu** peur et **a donné** son portefeuille.

52 D. Das 1. und 2. Plusquamperfekt (Plus-que-parfait und Passé antérieur)

Das Französische hat zwei Zeiten, die dem deutschen Plusquamperfekt entsprechen. Beide drücken etwas in der Vergangenheit Vollendetes aus.
Entsprechend dem *imparfait* und dem *passé simple* bezeichnet

1. **J'avais terminé** la lecture de ce livre, quand vous êtes entré.	das 1. Plusquamperfekt den **Zustand,**
2. **A peine fut-il entré** dans la chambre, que tout le monde s'écria: «C'est lui!» **Quand** (lorsque) **j'eus reconnu** le danger, ma résolution était prise.	das 2. Plusquamperfekt den **Vorgang.** Es steht besonders nach *lorsque, quand* als *dès que, aussitôt que* sobald, sobald als *après que* nachdem *à peine ... (que)* kaum ... als, so.

E. Das Futur (le futur)

53 1. Futur I *(futur simple)* und Futur II *(futur antérieur)*

a) Je **finirai** ce travail aujourd'hui même. Ich mache diese Arbeit noch heute fertig. Je **ferai** ce que vous **voudrez**. Ich tue, was Sie wollen.	Das Futur I bezeichnet eine zukünftige Handlung, die von der Gegenwart (dem Standpunkt des Sprechenden) aus gesehen wird. (Dt. oft Präsens.)
b) A huit heures, **j'aurai fini** ce travail. Um acht Uhr bin ich mit dieser Arbeit fertig. Quand **j'aurai fini**, je **partirai**. Wenn ich fertig bin, gehe ich.	Das Futur II bezeichnet eine Handlung, die bis zu einem Zeitpunkt abgeschlossen ist oder die vor einer anderen zukünftigen Handlung liegt. Dt. oft Präsens.

2. Gebrauch des Futurs

54

a) **Demain j'irai** au théâtre. Elle **viendra** certainement. Quand **tu rentreras**, dis à tes parents que je ne **pourrai** pas venir avant la fin de la semaine. **J'espère** qu'il **obtiendra** cette place. Je vous **jure** (promets) qu'il ne le **fera** plus.	Das Futur steht bei von der Gegenwart aus gesehenen zukünftigen Handlungen und Zuständen. Im Deutschen steht dafür oft das einfache Präsens. (Zum Präsens im futurischen Sinn vgl. § 43.) Es steht in Nebensätzen nach *espérer*, *promettre*, *jurer*, wenn diese Verben auf die Zukunft weisen.
b) Notre amie n'est pas venue: elle **aura** encore sa migraine sie wird wohl wieder ... haben. La lampe brûle encore; ton frère **aura** oublié de l'éteindre wird vergessen haben	Das Futur steht, um, wie im Deutschen, eine Annahme auszudrücken;
c) Je vous **demanderai** de répondre tout de suite · ich möchte Sie bitten .... **Oserai-je** vous demander un petit service? Dürfte ich wagen ...?	zuweilen, um eine zurückhaltende, höfliche Aussage auszudrücken;
d) Pour la prochaine fois, vous **apprendrez** cette fable par cœur. C'est demain samedi. Tu **mettras** tes habits neufs et tu **porteras** un joli présent ... au père Léonard (G. Sand). Tu ne **tueras** point! Du sollst nicht töten.	um im imperativischen Sinne einen mehr oder minder starken Befehl auszudrücken.

F. Das Konditional (le conditionnel)

55

Das Futur bezeichnet eine zukünftige Handlung in Bezug auf die Gegenwart: *Il parle de ce qu'il fera plus tard.*

Das Konditional dagegen bezeichnet eine zukünftige Handlung in Bezug auf die Vergangenheit: *Il parlait de ce qu'il ferait plus tard (le futur du passé).*

1. Je **vis** qu'on ne **pourrait** pas l'aider. Les enfants **parlaient** de ce qu'ils **feraient** plus tard: ils **entreprendraient** un grand voyage, ils **verraient** des terres inconnues.	Als reines Tempus bezeichnet das 1. Konditional eine von der Vergangenheit aus gesehene Zukunft.
2. **J'avais vu** qu'on n'**aurait** pas **pu** l'aider. Je **savais** qu'à dix heures, il **aurait achevé** son travail et qu'il **aurait quitté** l'atelier.	Das 2. Konditional bezeichnet eine von der Vergangenheit aus gesehene vollendete Zukunft.
3. Il **a dit** qu'il ne **viendrait** pas. Il **espérait** toujours que nous **pourrions** faire ce voyage.	Es steht also in futurischen Nebensätzen nach Hauptverben in der Vergangenheit. (Zum Konditional als Modus vgl. § 72 f.)

56 IV. Die Modi (les modes du verbe)

Modus bedeutet *Art und Weise*, in der Grammatik die Art und Weise, in der der Sprechende oder das Subjekt Stellung zu dem nimmt, was mitgeteilt wird. Man kennt im Französischen vier Modi: den Indikativ *(l'indicatif)*, den Konjunktiv *(le subjonctif)*, den Imperativ *(l'impératif)* und das Konditional *(le conditionnel)*.

In den Sätzen *Il est venu. — Il n'est pas venu* handelt es sich um einfache Mitteilungen von etwas, das vom Sprechenden als Tatsache gesehen wird. Diesen Modus nennt man **Indikativ**. Der Indikativ stellt aber nicht unbedingt die objektive Wirklichkeit dar, sondern auch solche Vorgänge und Zustände, die dem Sprechenden nur als Wirklichkeit erscheinen: *Je crois qu'il est venu hier.* Schließlich dient der Indikativ zum Ausdruck einer eine klare Entscheidung heischenden Frage: *Est-il venu?* Entscheidend ist also nicht die Wirklichkeit des Geschehens, sondern die Einstellung des Sprechenden zur Aussage. In *Il viendra demain* (Indikativ, Futur) erscheint dem Sprechenden die Ankunft als gewiß, aber sie ist noch nicht Wirklichkeit.

In *Je veux qu'il vienne. — Je ne crois pas qu'il soit venu. — Je suis heureux qu'il soit venu* dagegen haben wir den **Konjunktiv** vor uns, eine unsichere, zaghafte, persönlich gefärbte Aussage. Dabei ist die Wirklichkeit oder Unwirklichkeit des Geschehens nicht maßgebend, sondern nur die ganz persönliche Stellungnahme. Daher ist der Konjunktiv insbesondere der Modus der Willensäußerung, der Annahme, der Möglichkeit, der Unwahrscheinlichkeit, der zweifelnden Aussage, des persönlichen Empfindens.

Die Sätze *Viens ici. — Venez demain* enthalten eine mehr oder minder starke Aufforderung, eine Bitte oder einen Befehl. Dieser Modus heißt **Imperativ**.

Das **Konditional** gilt für die französischen Grammatiker durchweg als Modus. Diese Auffassung ist in den meisten Fällen berechtigt. In *Il viendrait s'il avait le temps* ist das Konditional Modus, in *Il a dit qu'il viendrait demain* dagegen ist es reines Tempus *(l'imparfait du futur* oder *le futur du passé)*.

Schließlich können auch reine Tempusformen des Indikativs den Charakter eines anderen Modus annehmen. In *Il viendra demain* handelt es sich um ein Tempus des Indikativs, in *Tu viendras demain* dagegen kann es sich um eine Aufforderung handeln, die durch ein modales Futur ausgedrückt wird.

57 A. Der Indikativ (l'indicatif)

1. Il est arrivé hier. La terre est ronde.	Der Indikativ steht in Mitteilungen, die als Tatsachen angesehen werden;
2. Quand est-il arrivé? Viendra-t-il?	in der klaren, eine entscheidende Antwort erheischenden Frage;
3. Il m'écrit (me dit) que son frère **est** malade.	in Nebensätzen (im Gegensatz zum Deutschen auch in indirekter Rede!).

Zur Zeitenfolge in konjunktivischen Sätzen vgl. § 70.

58 B. Der Konjunktiv (le subjonctif)

Die Bezeichnungen *Konjunktiv* (Modus der Zusammenfügung) und *subjonctif* (Modus der Unterordnung) sagen über das Wesen dieses Modus allenfalls Teilwahrheiten, aber nichts Entscheidendes aus. Es handelt sich jedoch um traditionelle Bezeichnungen, die wir beibehalten.

Der Konjunktiv drückt aus, was der Sprechende **wünscht**: *Je désire qu'il m'écrive une lettre* (Konjunktiv der Willensäußerung).

Er drückt weiter aus, was er **annimmt** oder **zugesteht**: *Supposons qu'il m'écrive une lettre — Admettons que cela soit vrai* (Konjunktiv der Annahme, der Einräumung, des Zugeständnisses).

Der Konjunktiv steht ferner für das, was dem Sprechenden als **zweifelhaft** oder **nicht zutreffend** erscheint: *Je doute qu'il m'écrive une lettre — Il est impossible qu'il m'écrive une lettre* (Konjunktiv der persönlichen Stellungnahme, der zweifelnden Aussage, der Unwahrscheinlichkeit).

Überhaupt bezeichnet der Konjunktiv die **persönliche** (subjektive) **Auffassung** des Sprechenden, sein persönliches Empfinden oder Urteil über das Ausgesagte, wobei die Wirklichkeit oder Unwirklichkeit des Geschehens oder Zustandes keine Rolle spielt. In einem Satz wie *Je me réjouis qu'il soit venu* will der Sprechende durch den Konjunktiv ausdrücken: *Daß er gekommen ist, das freut mich*. In einem Satz wie *C'est la plus belle lettre qu'il ait écrite* will er sagen: *Das ist der schönste Brief, den er geschrieben hat — meiner Meinung nach* (Konjunktiv des persönlichen Empfindens).

1. Der Konjunktiv der Willensäußerung

a) Der Konjunktiv der Willensäußerung zum Ausdruck eines **Wunsches**, einer **Bitte**, **59** **Aufforderung**, steht in **Hauptsätzen**.

Vive la liberté. Es lebe …! **Vivent** les vacances. Dieu vous **garde**. Gott schütze euch! **Plaise** (plût) à Dieu, au Ciel que … Wollte Gott … **Puissiez**-vous revenir sain et sauf. Mögen Sie wohlbehalten …	Er steht **ohne** einleitendes *que* in wenigen formelhaften Wendungen (die oft schon als Interjektionen aufgefaßt werden);
Que chacun se **retire** et **qu'aucun** n'**entre** ici! (Corneille). **Que** votre règne **arrive** (Evangiles). **Que** tous **fassent** leur devoir!	**mit** einleitendem *que*, weil der Konjunktiv sich sonst in vielen Fällen nicht vom Indikativ unterscheidet.

A *Advienne que pourra* komme was wolle, *coûte que coûte* um jeden Preis, *comprenne qui pourra!* In einigen Resten drückt der Konjunktiv in Hauptsätzen eine Einräumung aus.

Nur in der Wendung *je ne sache pas que* ich wüßte nicht, daß hat sich im Hauptsatz ein **alter** Konjunktiv der Ungewißheit erhalten.

Merke auch: *Il n'a jamais été médecin, que je sache* soviel ich weiß.

b) Der Konjunktiv der Willensäußerung steht in **Nebensätzen** nach einer Reihe von **60** Verben, die ein **Verbot**, einen **Befehl**, einen **Wunsch**, eine **Erlaubnis** u. dgl. ausdrücken.

J'aime mieux (je préfère) qu'il n'en **sache** rien. Je **désire** que tu **viennes** seul. **Empêchez** qu'il (ne) le **sache**.	**Permettez** que je vous **lise** cette lettre. Que **voulez**-vous que je **fasse?** Was soll ich tun? Je **veux** qu'il **sorte**.

Merke:

aimer mieux	lieber wollen, vorziehen	implorer	anflehen
préférer		permettre	erlauben
attendre que	abwarten bis	prendre garde	sich hüten
commander	befehlen	prier	bitten
consentir à	einwilligen	souffrir	dulden, zulassen
défendre	verbieten	supplier	anflehen
demander	verlangen	tâcher	versuchen
désirer	wünschen	tenir à ce que	darauf Wert legen, daß
souhaiter		tolérer	dulden
empêcher	verhindern	trouver bon	für gut befinden
éviter	vermeiden	trouver mauvais	mißbilligen
exiger	fordern	vouloir	wollen

A **1.** *Dites-lui que je suis arrivé — Dites-lui qu'il m'attende à la sortie.* Bei Verben wie *dire, crier, écrire* etc. ist zu unterscheiden, ob sie eine Mitteilung enthalten (dann Indikativ) oder eine Aufforderung (dann Konjunktiv). Auch das Verb *entendre* kann eine willensmäßige Bedeutung haben: *J'entends qu'on m'obéisse* ich bestehe darauf, verlange.

2. *J'attends que vous ayez fini votre travail. attendre que,* das einen Wunsch ausdrückt, steht mit dem Konjunktiv. Daneben gibt es auch das rein zeitliche *attendre jusqu'à ce que,* das ebenfalls den Konjunktiv hat (vgl. § 62).

3. *La Cour* (Gerichtshof) *ordonne que le témoin soit (sera) entendu.* Bei Verben wie *arrêter* festsetzen, *décider* entscheiden, *décréter* verfügen, *ordonner* anordnen etc. kann Konjunktiv oder Indikativ stehen. Der Indikativ steht, wenn die Ausführung des Befehls auf Grund der Autorität der befehlenden Stelle als sicher erscheint.

61 c) Der Konjunktiv der Willensäußerung steht nach den **unpersönlichen Verben** und Ausdrücken, die eine **Forderung**, eine **Billigung, Mißbilligung** usw. enthalten.

Il **faut que** vous **soyez** prêts à deux heures.	Il **vaut mieux que** ce **soit** lui qui le fasse.
Il **importe que** tu me **dises** la vérité.	Il **est juste** qu'il **soit** puni.
	Il **est grand temps que** vous **partiez**.

Merke:

il convient que	es schickt sich	il est important que	es ist wichtig
il faut que	es ist nötig	il est juste que	es ist gerecht
il importe que	es ist wichtig	il est naturel que	es ist natürlich
il vaut mieux que	es ist besser	il est nécessaire que	es ist nötig
il est bon que	es ist gut	il est temps que	es ist Zeit
il est essentiel que	es ist wesentlich	il est utile que	es ist nützlich

62 d) Der Konjunktiv der Willensäußerung steht in **adverbialen Nebensätzen**

1. Je vais me presser **pour que** tout **soit** prêt avant l'arrivée des invités. Parlez plus haut, **afin que** tout le monde **puisse** vous entendre.	nach den finalen Konjunktionen *pour que* *afin que* } damit.
Approchez, que je vous **dise** un secret. **Ôte-toi** de là, **que** je m'y **mette**.	Nach dem Imperativ steht oft nur einfaches *que;*

2. Ecrivez la lettre **de façon qu'on puisse** la lire. Agissez **de manière** (de telle sorte) **qu'on soit** content de vous. Faites **en sorte que** personne ne vous **voie.**	nach den Konjunktionen *de façon que* *de manière que* ⎫ *de telle sorte que* ⎬ so, daß *en sorte que* ⎭
3. Qu'est-ce que tu vas faire **jusqu'à ce que** je **revienne?** (J. Romains). J'ai travaillé **jusqu'à ce que** la nuit **soit** venue m'interrompre.	nach der temporalen Konjunktion *jusqu'à ce que* bis, ganz gleich, ob der Sinn final ist oder nicht.

A 1. *Il a agi de manière (de telle sorte) qu'on a été content de lui.* Drücken die Konjunktionen *de manière, de telle sorte* etc. nicht die Absicht, sondern die Folge aus, so steht der Indikativ.

2. Will man den rein temporalen Sinn hervorheben, so braucht man gern statt *jusqu'à ce que* das rein temporale *jusqu'au moment où* mit dem Indikativ: *J'ai travaillé jusqu'au moment où la nuit est venue.*

e) Der Konjunktiv der Willensäußerung steht im **Relativsatz,** wenn in diesem etwas **63** **Gewünschtes, Gefordertes, für bestimmte Zwecke Geeignetes** ausgedrückt wird.

Je cherche un appartement **qui convienne** à mes parents. Savez-vous un appartement **qui convienne** à mes parents?	Je voudrais bien trouver une source **où il** y **ait** de l'eau potable. Peut-on trouver ici une source **où il y ait** de l'eau potable?

A 1. Statt des Konjuktivs kann auch das Konditional stehen: *Je cherche un appartement qui conviendrait à mes parents, ... une source où il y aurait de l'eau potable.*

2. Wird im Relativsatz eine tatsächlich vorhandene Eigenschaft ausgedrückt, steht der Indikativ: *J'ai enfin trouvé un appartement qui convient à mes parents. Je connais par ici une source où il y a de l'eau potable.*

2. Der Konjunktiv der Annahme, der Einräumung, des Zugeständnisses

Nach **Verben der Annahme,** wie *admettre, convenir* eingestehen, einräumen, zugeben, **64** *supposer* annehmen, steht

Admettons que je me **sois** trompé pour une fois. **Supposez** que je **sois** médecin.	der **Konjunktiv,** wenn eine unbestätigte, unwahrscheinliche oder willkürliche Annahme vorliegt;
J'admets qu'il en est ainsi. Je suppose que vous savez ce qui se passe ici.	der **Indikativ,** wenn die Annahme oder das Zugeständnis als sicher gilt.

A In klassischer Sprache steht *en cas que* falls mit dem Konjunktiv: *En cas que vous ayez besoin d'argent, n'hésitez pas à me le dire.* Man sagt jedoch heute in fast allen Fällen *au cas où* mit dem Konditional: *Au cas où vous auriez besoin d'argent ...*

65

a) Il a obtenu un poste important, **quoiqu'il soit** encore assez jeune. **Bien qu'il m'ait** nui, je lui pardonne. Elle a les cheveux blancs, **malgré qu'elle ne soit** pas vieille (J. Romains). Je t'emmènerai à la campagne, **pourvu que** ton père le **permette.** Tu réussiras **à moins que** tu ne **perdes** courage.	Der Konjunktiv der Einräumung steht ferner im Adverbialsatz nach konzessiven Konjunktionen wie *quoique* *bien que* ⎫ *malgré que* ⎬ obgleich, obwohl *pourvu que* ⎭ vorausgesetzt, daß *à moins que ne* ... sofern nicht, wenn nicht;
b) **Où que tu ailles,** je saurai te trouver. **Qui que ce soit,** il sera puni. **Qui que ce soit qui** te **l'ait** dit, je n'en crois rien. **Quoi que ce soit qu'on dise,** reste calme! Il affronte tous les dangers, **quels qu'ils soient.**	nach folgenden Wendungen (unbestimmten Fürwörtern) mit verallgemeinerndem Sinn: *où que* wo auch, wohin auch im- *qui que* wer auch immer [mer *quoi que* was auch immer *quel que* welcher Art auch
c) **Si (quelque, pour) savant que tu sois,** tu ne sais pas tout. **Pour** grands **que soient** les rois, ils sont ce que nous sommes (P. Corneille). **Tout** simple **qu'il soit,** il a déjà deviné (F. Mauriac).	nach folgenden Wendungen mit konzessivem Sinn: *si* ... *que* ⎫ *pour* ... *que* ⎬ so ... auch *quelque* ... *que* ⎪ *tout* ... *que* ⎭
d) **Soit** qu'il **pleuve, soit** qu'il **fasse beau,** je viendrai de toute façon.	in dem distributiven *soit* ... *soit* sei es ... oder

A 1. *malgré que* als gleichwertig für *quoique* wird von den Puristen noch bekämpft, findet sich aber mehr und mehr bei den besten Autoren. Die häufigste Konjunktion ist *quoique. bien que* ist literarisch oder sehr gehoben, *encore que* ist leicht archaisch.

2. *Si savant que tu sois* ist am häufigsten, *quelque savant que tu sois* nur literarisch und leicht archaisch, *pour savant que tu sois* völlig veraltet.
In klassischer Sprache steht nach *tout* ... *que* der Indikativ: *Tout savant qu'il est, il ne sait pas tout.* Durch Analogie setzt sich aber der Konjunktiv auch bei *tout* ... *que* immer mehr durch.

In wirklich lebendiger Sprache sind alle diese Wendungen wenig gebräuchlich. Man drückt den Gedanken der Einräumung folgendermaßen aus: *Tu as beau être savant, tu ne sais pas tout.*

3. Der Konjunktiv der persönlichen Stellungnahme und der zweifelnden Aussage

66 a) Der Konjunktiv der persönlichen Stellungnahme bzw. der zweifelnden Aussage steht nach **Ausdrücken des Sagens und Denkens,** die an sich schon besagen, daß etwas zweifelhaft ist.

Je **doute** (je **conteste**) qu'il **ait** raison. J'**ignorais** qu'il y **eût** un berger dans l'île (A. Daudet). Je **nie** que cela **soit** arrivé.	Il **semble** seulement que ce **soit** vrai. Il se **peut** qu'il **fasse** beau demain. Je **comprends** (kann mir vorstellen) que cette nouvelle t'**ait** affligé.

Merke:

douter	zweifeln	il est douteux	es ist zweifelhaft
ignorer	nicht wissen	il est possible	
(s')imaginer	sich einbilden	il se peut	es ist möglich
nier	leugnen	il est impossible	es ist unmöglich
ne pas nier	nicht leugnen	il semble	es scheint

A Wenn die Aussage als sicher oder wahrscheinlich hingestellt werden soll, steht jedoch der Indikativ. Dies ist besonders der Fall, wenn die Verben des Zweifelns verneint sind: *Je ne doute pas qu'il fera tout ce qu'il pourra* (Dictionnaire de l'Académie). *Je n'ignore pas que vous êtes adroit* (Dictionnaire de l'Académie). *J'ignorais que vous étiez de retour.*

Nach *il semble que* steht meist der Konjunktiv, während nach *il me (te, lui* etc.) *semble* der Indikativ häufiger ist: *Il me sembla que je voyais Achille* (Fénelon). Ist *sembler* verneint oder fragend, so steht immer der Konjunktiv: *Il ne me semble pas qu'on puisse penser différemment* (Littré).

b) Der Konjunktiv der zweifelnden Aussage steht im **Relativsatz**, soweit der Inhalt **67** des Relativsatzes als unsicher erscheint und der Redende sich eingesteht, daß es auch anders sein könnte.
Dies ist besonders nach **Superlativen** wie *l'unique, le seul, le premier, le dernier* etc. der Fall und nach **Ausdrücken mit Ausschließlichkeitscharakter** wie *rien, personne.*

Il y a peu d'hommes qui **aient** voyagé en Orient.	C'est **la seule** faute que j'**aie** trouvée dans votre dictée.
Y a-t-il ici quelqu'un qui ne me com-**prenne** pas?	Il n'y a **personne** qui **sache** faire de meilleurs gâteaux que ma mère.
C'est **la plus belle** ville française que je **connaisse.**	Je ne connais **rien** qui **soit** plus beau.

A Besteht für den Sprechenden kein Zweifel an der Tatsächlichkeit seiner Aussage, so kann auch der Indikativ stehen: *Il y a peu d'hommes qui ont voyagé en Orient. Les visites de Swann avaient été les dernières qu'elle avait reçues* (M. Proust).

4. Der Konjunktiv der Unwahrscheinlichkeit **68**

Bei den **Verben des Sagens und Denkens in verneinter, fragender** (selten in bedingender) **Form** steht im nachfolgenden *que*-Satz

a) **Crois-tu** qu'il **dise** la vérité? **Si vous croyez** que j'**aie** dit cela pour vous offenser, vous vous trompez. Je **ne pense pas** qu'il **vienne** encore. Je **ne prétends pas** qu'il **soit** le seul à le savoir.	der **Konjunktiv**, wenn die Unsicherheit, das Nichtwissen, die Unwahrscheinlichkeit ausgedrückt werden sollen;
b) Ignorez-vous qu'il **est** malade? Vous n'ignorez pas qu'elle **est** riche. Elle ne savait pas que le garçon **avait** menti (Fr. Mauriac).	der **Indikativ**, wenn die Sicherheit oder die Objektivität der Aussage betont werden soll.

Merke:

Verben des Sagens		Verben des Denkens	
affirmer ⎫ assurer ⎬	versichern	croire	glauben, meinen
		être d'avis	der Ansicht sein
avouer	eingestehen	se figurer ⎫	
déclarer	erklären, behaupten	s'imaginer ⎬	sich einbilden
dire	sagen	ignorer	nicht wissen
jurer	schwören	ne pas ignorer	sehr wohl wissen
prétendre ⎫		penser	denken, meinen
soutenir ⎬	behaupten	savoir	wissen

A Geht der *que*-Satz dem Hauptsatz voraus, so steht immer der Konjunktiv: *Que tu aies eu de la peine à le convaincre, je le crois bien. (Je crois bien que tu as eu de la peine à le convaincre.) — Que tu sois sage, j'en suis certain. (Je suis certain que tu es sage.) — Que la télévision soit en train de détrôner le film, personne n'en doute.*

c) Il est très riche, **sans que** cela **paraisse.** Il est parti **sans que** je m'en **sois** aperçu. Je partirai **avant qu'il (ne) pleuve.**	Im Adverbialsatz steht immer der Konjunktiv nach *sans que* ohne daß *avant que (ne)* bevor.

69 5. Der Konjunktiv des persönlichen Empfindens

Je suis **heureux** que vous **soyez** venu. Je m'**étonne** qu'il n'en **sache** rien. Je **regrette** que cela **soit** arrivé. Je **crains** qu'il (ne) **vienne.** **C'est dommage** que vous n'**ayez** pas son adresse.	Nach **Verben und Wendungen der Gemütsbewegung,** die ein Gefühl ausdrükken, steht der Konjunktiv. Die rein persönliche Stellungnahme, nicht der objektiv zutreffende Sachverhalt, ist maßgebend für den Modus.

Merke:

se réjouir ⎫ être heureux ⎬ être content	sich freuen	je suis fâché	1. ich bin böse 2. es tut mir leid
		c'est une honte	es ist eine Schande
être ravi ⎫		c'est dommage	es ist schade
être enchanté ⎬	entzückt sein	être triste ⎫	
être charmé ⎭		être affligé ⎬	betrübt sein
avoir peur ⎫		avoir honte	sich schämen
craindre ⎬	fürchten	déplorer	bedauern, beklagen
s'étonner ⎫		s'indigner	sich entrüsten
être étonné ⎬	sich wundern, staunen	se plaindre	sich beklagen
être surpris	überrascht sein	regretter	bedauern, bereuen

A *Il se plaint qu'on l'ait calomnié — Il se plaint de ce qu'on l'a calomnié.* Nach Ausdrücken der Gemütsbewegung steht zuweilen ein Satz mit *de ce que,* der meist den Indikativ hat: *Elle se plaignit de ce qu'on la servait horriblement* (G. Flaubert).

In neuerer Zeit ist auch hier die Tendenz zum Konjunktiv hin zu beobachten: *Il se plaint de ce qu'on l'ait calomnié. Il s'étonne de ce qu'il ne soit pas venu* (Dict. de l'Académie). *Madame de la Hotte se réjouissait de ce que sa fille épousât un beau garçon* (R. Boylesvé).

6. Die Zeitenfolge in konjunktivischen Sätzen *(la concordance des temps)* **70**

Je ne crois pas	qu'il **fasse** beau dehors. qu'il **fasse** beau demain. qu'il **ait fait** beau hier.	**gleichzeitig** **künftig** vorher

Nach einer Zeit der Gegenwart steht der Konjunktiv Präsens oder Perfekt.
Auch nach dem Futur steht der Konjunktiv Präsens: *Je lui dirai qu'il le fasse.*

Je ne croyais pas Je n'ai pas cru Je n'avais pas cru Je n'aurais pas cru	qu'il **fît** beau dehors. qu'il **fît** beau demain. qu'il **eût fait** beau hier. qu'il **fasse** beau dehors. qu'il **fasse** beau demain. qu'il **ait fait** beau hier.	**Schriftsprache** **Konjunktiv Imperfekt** **Konjunktiv Plusquamperf.** **Umgangssprache** **Konjunktiv Präsens** **Konjunktiv Perfekt**

Nach einer Zeit der Vergangenheit steht in der traditionellen Schriftsprache der Konjunktiv Imperfekt, in der Umgangssprache der Konjunktiv Präsens (vgl. Anmerkung 2).

A 1. In der heutigen Schriftsprache kommen meist nur noch die 3. Person Singular und Plural des Konjunktivs Imperfekt vor. Die übrigen Formen werden als schwerfällig oder lächerlich empfunden und im allgemeinen gemieden.

2. In der gesprochenen Sprache ist der Konjunktiv Imperfekt tot, während der Konjunktiv Präsens sehr lebendig ist. Auch die besten Schriftsteller verwenden heute, wie die Umgangssprache, immer häufiger den Konjunktiv Präsens nach einer Form der Vergangenheit. Verstöße gegen die sogenannte *concordance des temps* sind keine Fehler mehr: *Je voudrais qu'il le fasse. — J'avais voulu que vous soyez là* (J. Romains). — *Elle n'avait pas envie que je la laisse seule* (J. Romains). — *Comme j'aurais voulu que vous restiez toujours des petits!* (G. Duhamel). — *J'avais peur que tu sortes* (J. Anouilh). — (Zur Zeitenfolge im indirekten Satz vgl. auch § 57.)

C. Der Imperativ (l'impératif) **71**

1. **Va**-t'en. **Allez**-vous-en. **Donne**-moi le livre. N'**aie** pas peur. **Recommençons.** Alors je me suis dit: **Soyons** raisonnable.	Der Imperativ drückt in der 2. Person Singular und Plural und in der 1. Person Plural eine Aufforderung, einen Befehl, eine Bitte oder auch einen Rat aus. Für die fehlende 1. Person Singular tritt zuweilen die 1. Person Plural ein.
2. Qu'ils **viennent.** Qu'on **attende** mes ordres. **Sauve** qui peut.	Der an eine dritte Person gerichtete Befehl wird durch Konjunktivformen (meist mit einleitendem *que*) ausgedrückt.
3. **Veuillez** vous asseoir. **Ayez** la bonté de m'avertir. **Faites**-moi le plaisir de m'accompagner. **Soyez assez bon pour** m'ouvrir la porte.	Der Imperativ wird oft durch Umschreibungen gemildert.
4. Vous **copierez** cette page pour demain. Tu ne **sortiras** pas sans ma permission. Tu ne **tueras** point (Bible).	Auch ein modales Futur drückt zuweilen einen mehr oder minder entschiedenen Befehl aus.

D. Das Konditional (le conditionnel)

72 **1. Das Konditional als Tempus und Modus**

Tempus (le futur du passé)	Modus (le conditionnel)
Je **vis** tout de suite qu'on ne **pourrait** pas l'aider.	Je **pourrais** l'aider, mais **je ne veux pas.**
J'**avais** tout de suite **vu** qu'on n'**aurait** pas **pu** l'aider.	J'**aurais pu** l'aider, mais **je n'ai pas voulu.**

Als reines **Tempus** bezeichnet das 1. und 2. Konditional eine **von der Vergangenheit aus gesehene Zukunft** (vgl. § 55).

Als **Modus** drückt das Konditional die **Möglichkeit** oder die **Nichtwirklichkeit** aus.

A Da das Konditional oft nach Bedingungssätzen steht, hat es den Namen *conditionnel* (Bedingungsform) erhalten.

73 **2. Der Gebrauch des Konditionals als Modus**

a) Je **voudrais** gagner le gros lot. Ce **serait** charmant de vivre ensemble. Je me **promènerais** avec Colette ... Nous **cultiverions** chacun un petit coin. Elle me **ferait** manger ses fraises (V. Hugo).	Als Modus steht das Konditional zum Ausdruck eines Wunsches oder einer Annahme.
b) Même **s'il le jurait,** je ne le **croirais** pas. **Quand même il le jurerait,** je ne le **croirais** pas. **Il le jurerait:** je ne le **croirais** pas. **Le jurerait-il,** je ne le **croirais** pas (literarische Form). **Il le jurerait que** je ne le **croirais** pas (umgangssprachliche Form). **Sans toi,** je serais perdu. **Deux minutes plus tard,** j'aurais manqué le train.	Es steht nach Bedingungssätzen mit oder ohne *si* zum Ausdruck der Unwahrscheinlichkeit oder Unwirklichkeit; die Bedingung kann dabei auch durch einen Satzteil ohne Verb ausgedrückt werden.
c) Me **serais**-je trompé? Sollte ich mich getäuscht haben? **Aurait**-il raison? Hätte er vielleicht recht?	Das Konditional steht weiter zum Ausdruck der Möglichkeit in zweifelnder Frage;
d) **Vous feriez bien** de relire votre texte. **Vous seriez** fort **aimable** de me le dire. **Je ne saurais** vous dire où il habite. **Auriez-vous la complaisance** de m'accompagner?	in höflichen Wendungen als gemäßigte Aussage, Bitte oder Aufforderung;
e) Quoi! je **mentirais** à mon père? Was? Ich sollte meinen Vater belügen? Comment! je **donnerais** un poste aussi important à un homme incapable?	zum Ausdruck einer Möglichkeit, die mit Entrüstung zurückgewiesen wird;

f) Un accident de chemin de fer s'est produit hier. Il y **aurait** plus de 50 morts es soll ... gegeben haben. D'après des informations non confirmées jusqu'ici, le Président du Conseil **aurait** démissionné ... soll der Ministerpräsident zurückgetreten sein.	zum vorsichtigen Ausdruck einer Mitteilung, die man nur vom Hörensagen kennt. Diese Konstruktion ist sehr beliebt im Stil der Presse und des Rundfunks.

A *Il marchait comme un homme qui aurait trop bu* wie etwa jemand, der zuviel getrunken hat. Das Konditional steht auch im nur andeutungsweise ausgesprochenen Vergleich.

3. Tempus und Modus im Konditionalsatz mit *si* — **74**

Modus		Tempus im	
		Bedingungssatz	**Hauptsatz**
Wirklich oder möglich	Si elle est heureuse, je **suis** content. S'il vient, je lui **donnerai** le livre.	**Präsens**	**Präsens** **Futur**
Bloße Annahme auf Gegenwart bezogen	Si elle était heureuse, je **serais** content. S'il venait, je lui **donnerais** le livre.	**Imperfekt**	**Konditional I**
Bloße Annahme auf Vergangenheit bezogen	Si elle avait (eût) été heureuse, j'**aurais** (j'eusse) été content. S'il était (fût) venu, je lui **aurais** (eusse) **donné** le livre.	**Plusquamperfekt** oder selten **Konjunktiv Plusquamperfekt**	**Konditional II** **Konjunktiv Plusquamperfekt**

Werden mehrere Bedingungssätze aneinandergereiht, so kann das einleitende *si* in den folgenden Bedingungssätzen durch *que* wieder aufgenommen werden. Nach diesem *que* steht der Konjunktiv, wird *si* wiederholt, steht immer der Indikativ:

S'il vient et si je ne suis pas là, ⎱
S'il vient et que je ne sois pas là, ⎰ *dites-lui de m'attendre.*

Beachte: Nach bedingendem *si* wenn steht nie ein Futur oder Konditional, kein Konjunktiv außer dem seltenen Konjunktiv Plusquamperfekt!
Nach *si* ob stehen Futur, Konditional oder andere Zeiten je nach dem Sinn: *Je ne sais pas s'il viendra, s'il est venu. Je ne savais pas s'il viendrait.*

V. Der Infinitiv — **75**

Der Infinitiv ist eine substantivische Form des Verbs. Wie jedes Substantiv kann er daher mit Präpositionen verbunden werden und kann im Satz Subjekt, Objekt, prädikative Ergänzung, adverbiale Bestimmung oder Attribut sein.

Einige Infinitive sind so sehr zum Substantiv geworden, daß sie sogar den Artikel vor sich haben können, z. B.: *le déjeuner, le devoir, le dîner, le pouvoir, le rire, le souper, le sourire, le souvenir* und einige andere.

Im Gegensatz zum Deutschen ist die Zahl der Infinitive mit Artikel sehr beschränkt und durch den Gebrauch festgelegt (etwa 50).

A. Der Infinitiv ohne Präposition (reiner Infinitiv)

76 **1. Der reine Infinitiv steht unabhängig**

a) **Promettre** et **tenir** sont deux. **Mentir** est une honte. **Visiter** tous les monuments serait impossible.	als **vorangehendes Subjekt** (vgl. dagegen § 88);
b) **Vivre, c'est agir.** **Vouloir, c'est pouvoir.** **Partir, c'est mourir** un peu.	als **prädikative Ergänzung** nach *c'est* das heißt.

A 1. *Voir page 3. Ne pas se pencher au dehors. Prendre deux cuillerées à soupe* (Eßlöffel) *par jour.* Der reine Infinitiv steht in verkürzten Sätzen besonders als Imperativ.

2. *Que faire? Où courir? Comment sortir de cette situation?* Der reine Infinitiv steht auch in der unsicheren, zögernden Frage.

77 **2. Der reine Infinitiv steht abhängig von Verben, und zwar**

a) nach **modalen Hilfsverben**

Je lui **fis ouvrir** la fenêtre. **Laissez-moi entrer.** Il **veut** (peut, doit) **venir** ce soir.	(wie im Dt.) *faire* *laisser* *vouloir, pouvoir, devoir*	(veran)lassen (zu)lassen
Il ne **daigna** même pas **répondre** à ma prière. Je n'**osais** pas le **déranger** dans son travail. Il avait 50 ans et **paraissait** en **avoir** davantage. Vous ne **semblez** pas me **comprendre**. Il **savait gagner** l'estime de tout le monde.	(abw. vom Dt.) *daigner* *oser* *paraître* } *sembler* } *savoir*	geruhen wagen scheinen verstehen, können

A Beachte auch die Wendungen ohne Präposition:

Tu as beau crier, il ne t'entend pas, il est sourd. — *avoir beau faire qc* vergeblich etwas tun

Elle a failli tomber (häufiger: *elle a manqué de tomber*). — *faillir faire qc* beinahe etwas tun

b) nach einigen **unpersönlichen Ausdrücken**:

Il **fait bon se promener** au soleil. Il **faut** le lui **dire** tout de suite. Il **semble faire** moins froid que ce matin. Il **vaut mieux** ne pas **parler** de cette affaire.	*il fait bon* *il faut* *il semble* *il vaut mieux*	es tut gut man muß, es ist nötig es scheint es ist besser

c) nach **Verben der sinnlichen Wahrnehmung**

Cet homme **s'écoute parler** hört sich gern reden. On ne **s'entend** pas **parler**. Man versteht sein eigenes Wort nicht.	*écouter* *entendre*	zuhören hören
Il **regarde** le bateau **s'éloigner**. Je me **sentis trembler** de tout mon corps. Personne n'**avait vu venir** les enfants.	*regarder* *sentir* *voir*	zusehen fühlen sehen

d) nach folgenden **Verben des Wünschens**

Est-ce que vous **aimez danser?**	*aimer*	gern tun
J'**aime mieux rester** à la maison.	*aimer mieux*	lieber wollen
Nous **espérons** le **voir** bientôt.	*espérer*	hoffen
Je **désire** ne pas **être dérangé.**	*désirer*	wünschen
Je **préfère** ne pas **sortir.**	*préférer*	vorziehen

A 1. Folgt auf *aimer mieux faire qc, il vaut mieux faire qc* ein zweiter Infinitiv, so wird er mit *que* oder *que de* eingeleitet; nach *préférer* steht in diesem Falle in korrekter Sprache *plutôt que (de)*: *J'aime mieux rester à la maison, que (de) sortir par cette pluie. Il vaut mieux être puni, que (de) mentir. Andromaque préférait mourir plutôt que (de) trahir son mari.*

2. Bei *souhaiter* steht meist der Infinitiv mit *de*, doch findet sich auch oft der reine Infinitiv: *J'aurais souhaité de dîner avec lui* (A. France). *Je ne souhaite connaître que vous* (A. Gide).

3. Neben dem modernen *aimer faire* findet sich häufig (besonders in der Schriftsprache) das traditionelle *aimer à faire: J'aime à croire* (ich möchte annehmen, glauben) *que ce projet vous plaira. Il aimait à se reposer un peu après les repas. — aimer de faire* ist veraltet.

e) nach den **Verben des Denkens, Meinens, Glaubens**

Je **compte faire** un voyage.	*compter*	beabsichtigen
Je **croyais** vous **faire** plaisir.	*croire*	glauben
Il **se figure** (s'imagine) **être** beau.	*se figurer, s'imaginer*	sich vorstellen
Je ne **pensais** pas **avoir** si tôt fini.	*penser*	denken
Je me **rappelle l'avoir vu** au théâtre.	*se rappeler*	sich erinnern

f) nach den **Verben der Aussage, des Behauptens und Versicherns**

L'accusé **affirma** (assura, déclara) **être** innocent.	*affirmer, assurer*	versichern
	avouer	gestehen
Il **avoua avoir commis** le crime.	*déclarer*	erklären
Il **dit** le **savoir** de bonne source.	*dire*	sagen
Il **jura avoir vu** le coupable.	*jurer*	schwören
Elle **prétend avoir** de l'argent.	*prétendre*	vorgeben

A 1. *Il jura avoir dit la vérité.* Aber: *Il jura de dire, désormais, la vérité* daß er von jetzt an die Wahrheit sagen würde. *jurer* mit *de* bezieht sich auf die Zukunft.

2. *Il dit le savoir de bonne source.* Aber: *Dites-lui de venir tout de suite* er solle sofort kommen. *dire* mit *de* drückt einen Befehl aus.

g) nach den **Verben der Bewegung** zur Angabe des Zweckes

Cet après-midi j'**irai voir** ma tante.	*aller*	gehen
La bonne **courut ouvrir** la porte.	*courir*	laufen
Il faut **envoyer chercher** le médecin.	*envoyer*	schicken
Les paysans **menaient paître** (weiden) leurs bêtes.	*mener*	führen
Il **viendra** me **prendre** à huit heures.	*venir*	kommen

78 B. Der Infinitiv mit à

Der Gebrauch der Präpositionen *à* und *de* beim Infinitiv war bis ins 17. Jahrhundert hinein schwankend und ist es zum Teil heute noch (vgl. § 89). Im Laufe der Zeit hat sich jedoch ein fester Sprachgebrauch herausgebildet, der entscheidet, welche Präposition im einzelnen Falle anzuwenden ist. Bei einer Reihe von Verben hat sich die Sprache für *à* entschieden, ohne daß man eine allgemein gültige Regel dafür aufstellen könnte, warum dies geschah.

Man kann zwar sagen, daß dem Satz *Je l'invite à un dîner* der Satz *Je l'invite à dîner* entspricht; man kann auch sagen, daß der Infinitiv mit *à* oft im Sinne einer Ergänzung zur Angabe von Richtung, Zweck, Ziel gebraucht wird: *Il cherche continuellement à vous nuire.*

Bei anderen Verben jedoch, die ebenfalls einen Zweck, ein Ziel ausdrücken, steht *de:* *Il essaye, il tâche, il tente de vous nuire.*

Es ist ratsam, die Verben und Ausdrücke, die eine Präposition vor dem nachfolgenden Infinitiv verlangen, jeweils gleich mit dieser Präposition zusammen zu lernen.

79 1. Der Infinitiv mit *à* steht nach einer Reihe von **Verben**, die auch ein **substantivisches Objekt mit à** anschließen. So stehen z. B. nebeneinander

Substantivisches Objekt	Infinitiv
Il faut **s'attendre à tout.**	Il faut **s'attendre à rencontrer** des difficultés.
Il a **consenti à ces conditions.**	Il a **consenti à accepter** ces conditions.
Est-il vraiment **réduit à la mendicité?**	Est-il vraiment **réduit à mendier?**
Je **renonce à toute explication.**	Je **renonce à t'expliquer** ce problème.

Merke:

accoutumer à	gewöhnen	encourager à	zuraten
aider à	behilflich sein bei	exhorter à	ermahnen, dringend
s'apprêter à	sich anschicken		auffordern
aspirer à	streben	habituer à	gewöhnen
s'attendre à	darauf gefaßt sein, damit	inviter à	einladen, auffordern
	rechnen	(se) préparer à	(sich) vorbereiten
autoriser à	ermächtigen	réduire à	nötigen
se borner à	sich beschränken	renoncer à	verzichten
condamner à	verurteilen	se résigner à	sich beschränken, sich ab-
consentir à	einwilligen		finden
contribuer à	dazu beitragen	songer à	gedenken, etwas zu tun

80 2. Der Infinitiv mit *à* steht außerdem nach einer Reihe von **Verben**, die ein **Ziel**, ein **Bestreben**, ein **Bemühen**, eine **Richtung** auf etwas ausdrücken.

Je **n'arrive** pas **à ouvrir** la porte.	Enfin il s'est **mis à travailler.**
J'ai encore une lettre **à écrire.**	Pourquoi **s'obstiner à avoir** raison?
Cet homme **cherche à vous nuire.**	L'accusé **persiste à nier.**
Mon professeur m'a **enseigné** (appris) **à prononcer** correctement.	Attendez une minute; Monsieur ne **tardera** pas **à rentrer.**
Si vous avez encore besoin d'argent, **n'hésitez** pas **à le dire.**	Je **tiens à** vous **faire comprendre** ma situation.

Merke:

apprendre à	lehren, lernen	hésiter à	zögern
j'arrive à		se mettre à	anfangen
je réussis à	es gelingt mir	s'obstiner à	sich darauf versteifen
je parviens à		s'occuper à	sich beschäftigen
avoir à	zu tun haben	persister à	darauf beharren
chercher à	suchen, versuchen	rester à	zu tun bleiben
donner à	zu tun geben	servir à	dienen zu
enseigner à	lehren	tarder à	zögern, lange warten
s'entendre à	sich darauf verstehen	tenir à	Wert darauf legen
s'entêter à	sich darauf versteifen	trouver à	zu tun finden; Mittel finden, etwas zu tun

A 1. *arriver à faire* wird am häufigsten gebraucht; *réussir* ist gewählt, *parvenir* literarisch.

2. Man sagt: *Les enfants tardent à rentrer de l'école.* Aber: *Il lui tarde de la revoir* er sehnt sich danach, sie wiederzusehen.

81 3. Der Infinitiv mit *à* steht nach einigen **Verben,** die das **Verhältnis des Handelnden zu einer Tätigkeit** ausdrücken (Gefallen an der Tätigkeit, Verweilen bei ihr).

Mon fils **s'amuse** souvent **à taquiner** (necken, hänseln) sa petite sœur. Il **passe son temps à** ne rien **faire.**	Il **emploie ses soirées** libres **à faire** de la musique. Elle **se plaît à** toujours me **contredire.**

Merke:

s'amuser à faire qc	Vergnügen, Gefallen dabei finden, etwas zu tun
employer son temps à faire qc	seine Zeit darauf verwenden, etwas zu tun
se fatiguer à faire qc	seine Kräfte daran verschwenden, etwas zu tun
passer son temps à faire qc	seine Zeit damit verbringen, etwas zu tun
se plaire à faire qc	sich darin gefallen, etwas zu tun

82 4. Der Infinitiv mit *à* steht zur Bezeichnung von **Zweck, Bestimmung** oder **Eignung.**

a) une chambre à coucher la machine à coudre, à calculer une bonne à tout faire	nach Substantiven;
b) Ce petit malheur est **facile (difficile) à réparer.** Je suis **prêt à exécuter** vos ordres. Il est toujours **le premier à arriver** et **le dernier à partir.** Il est toujours **prompt à se décider.** Vous êtes **le seul à me comprendre.**	nach einer Reihe von Adjektiven wie *facile à* leicht *difficile à* schwer *le premier à* der erste *le dernier à* der letzte *prompt à* schnell, bereit *le seul à* der einzige

A 1. Hierher gehören auch Sätze wie *Maison à vendre. Chambre à louer. Vin à emporter.* Vgl. auch *un verre à vin* etc.

2. Unterscheide: *Cet homme est facile à tromper* und *Il est facile de tromper cet homme* (vgl. § 88).

3. Einer adverbiellen Bestimmung entsprechen Infinitive wie:

A le voir (Wenn man ihn so sieht), *on le prendrait pour un homme très distingué.*

A l'en croire (Wenn man ihm glauben will), *il aurait fait cinquante kilomètres à pied en un jour.*

A vrai dire (Um die Wahrheit zu sagen, offen gestanden), *je n'en sais rien moi-même.*

4. Zu *contraindre, forcer, obliger, commencer, continuer, décider, résoudre* etc. vgl. § 89.

83 C. Der Infinitiv mit de

Der Sprachgebrauch hat entschieden, in welchen Fällen der Infinitiv mit *à* oder *de* steht (vgl. § 78). Allgemein ist zu beobachten, daß der Infinitiv mit *de* bei weitem der häufigste ist.

Die Präposition *de* hat ihre ursprüngliche Bedeutung *(Il parle de partir* wovon? *Il vient de Paris, il vient d'arriver* woher?*)* in den meisten Fällen fast ganz verloren: *Tâchez de bien travailler.* Sie ist wie deutsch *zu* und englisch *to* zum einfachen **Verbindungswort** geworden, das überall da eintritt, wo nicht der reine Infinitiv oder der mit *à* oder anderen Präpositionen steht.

Es genügt also, die Fälle zu lernen, in denen der reine Infinitiv oder der Infinitiv mit *à* stehen muß. In fast allen anderen Fällen steht der Infinitiv mit *de*.

Der Infinitiv mit *de* steht bei der größten Anzahl der französischen Verben. Insbesondere findet man ihn:

84 1. Nach einer Reihe von **Verben,** die auch eine **substantivische Ergänzung mit de** anschließen:

Substantivische Ergänzung	Infinitiv
On l'accusa **de vol.**	On l'accusa **d'avoir volé.**
Il s'agit **d'argent.**	Il s'agit **de trouver** l'argent nécessaire.
Il parle **d'un voyage.**	Il parle **de partir** en voyage.
Je me souviens **de cette rencontre.**	Je me souviens **de l'avoir rencontré.**

Merke:

accuser de	anklagen	parler de	sprechen
s'agir de	sich handeln	remercier de	danken
s'étonner de	sich wundern	se repentir de	bereuen
(s')excuser de	(sich) entschuldigen	rêver de	träumen
féliciter de	beglückwünschen	se souvenir de	sich erinnern
menacer de	drohen	se vanter de	sich rühmen

A Bei *féliciter* und *remercier* setzt sich *pour* statt *de* immer mehr durch.

85 2. Als Objektsatz nach **transitiven Verben**

Direktes Objekt	Objektsatz mit Infinitiv
Je crains **la mort.**	Je crains **de mourir.**
Il ne mérite pas **cette récompense.**	Il ne mérite pas **d'être récompensé.**
Je lui offris **ma compagnie.**	Je lui offris **de l'accompagner.**
As-tu oublié **la lettre que tu lui avais promise?**	As-tu oublié **de lui écrire cette lettre?**

Merke:

cesser de	} aufhören	offrir de	anbieten
finir de		oublier de	vergessen
craindre de	fürchten	permettre de	erlauben
dédaigner de	verschmähen	promettre de	versprechen
défendre de	verbieten	proposer de	vorschlagen
dire de	sagen, befehlen	refuser de	ablehnen
essayer de	versuchen	regretter de	bedauern
éviter de	vermeiden	risquer de	Gefahr laufen
jurer de	schwören	souhaiter de	wünschen
mériter de	verdienen	tâcher de	} versuchen
négliger de	verabsäumen	tenter de	

3. Nach **Verben,** die eine **Ergänzung im Sinne eines direkten Objektes** verlangen **86**

Dépêchez-vous d'achever votre travail.	*se dépêcher de* }
Je **m'empresse de répondre** à votre lettre.	*s'empresser de* sich beeilen
Il **se hâte de rentrer.**	*se hâter de* }
Elle ne **put s'empêcher de rire.**	*implorer de* anflehen
Je vous **prie d'attendre.**	*ne pouvoir s'empêcher de* nicht umhinkönnen
	prier de bitten

Merke: *venir de faire qc* soeben etwas getan haben.

4. Der Infinitiv mit *de* steht außerdem **87**

a) Je suis **content de** vous **voir.**	als Ergänzung nach **Adjektiven und Adverbien,** vor allem nach solchen, die eine **Gemütsbewegung** ausdrücken, z. B.
Je suis **fier d'avoir obtenu** cette place.	
Je suis **heureux d'avoir fini** ce travail.	
Je suis **loin de le croire.**	*content* zufrieden *loin* entfernt
Etes-vous **sûr de le reconnaître?**	*fier* stolz *sûr* sicher, gewiß
Je suis **surpris de** vous **voir** ici.	*heureux* glücklich *surpris* überrascht
b) l'**art d'écrire**	als Attribut nach **Substantiven,** z. B.
la **joie de vivre**	*avoir envie* Lust haben
J'ai **peur d'avoir oublié** quelque chose.	*avoir peur* Angst haben
Vous avez **raison de** vous **plaindre.**	*avoir raison* recht haben
Donnez-vous **la peine de** vous **asseoir.**	*se donner la peine* sich die Mühe machen
Faites-moi **le plaisir d'accepter.**	*faire le plaisir* den Gefallen tun

5. Der Infinitiv mit *de* steht weiterhin als nachfolgendes Subjekt **88**

a) Il est **défendu** (interdit) **d'entrer.**	nach **unpersönlichen Ausdrücken** wie
Il est **difficile de juger** la situation.	*il est défendu, interdit* es ist verboten
Il est **facile de réparer** votre voiture.	*il est difficile, facile* es ist schwer, leicht
Il est **honteux de mentir.**	*il est honteux* es ist eine Schande
Il était **impossible de retourner** à la maison.	*il est juste* es ist richtig
Il est **juste de le punir.**	*il est (im)possible* es ist (un)möglich
Est-il **possible de** vous **revoir?**	(Vgl. *Cet homme est facile à tromper* § 82.)

71

b) **C'est** une honte (que) **de mentir.** **Ce fut** une chose terrible (que) **de le savoir** si malade. **C'est** un devoir **de voter** (wählen). **C'est** déjà **beaucoup d'avoir** six enfants. **C'est peu de travailler** trois heures par jour.	nach *c'est, c'était, ce fut* etc. Dieses *de* kann durch *que* eingeleitet werden, doch fehlt das *que* häufig; es steht nicht nach *c'est peu, c'est beaucoup,* *c'est trop, c'est assez.*

A Der sogenannte historische Infinitiv *(infinitif de narration)* mit *de* drückt in lebhafter Rede einen plötzlich eintretenden Vorgang aus. Er steht fast nur nach der Konjunktion *et.* Sein Gebrauch ist vorwiegend literarisch: *Ainsi dit le renard, et flatteurs d'applaudir* (La Fontaine) . . . und sogleich klatschten die Schmeichler Beifall.

89 D. Der Infinitiv mit à oder de

Der Sprachgebrauch hat sich in einigen Fällen noch nicht für *de* oder *à* beim Infinitiv entschieden (vgl. § 78). Man kann z. B. sagen *Il commence à pleuvoir* oder *Il commence de pleuvoir.*

Der Gebrauch der einen oder der anderen Präposition drückt dabei keinerlei Bedeutungsunterschied aus. Die Wahl der Präposition steht frei und wird oft nur durch den Wohlklang bestimmt.

1. L'orchestre **commença de jouer** (R. Rolland). Le petit Christophe **commença à comprendre** ce qui se passait autour de lui (R. Rolland). D'ailleurs, je **continuais d'écrire** (J. Romains). Vous avez **continué à la rencontrer?** (J. Romains). Il **s'efforça de (à) parler** très bas.	Bei den Verben *commencer* , beginnen, anfangen *continuer* fortfahren *s'efforcer* sich anstrengen steht der Infinitiv ohne Bedeutungsunterschied mit *à* oder *de.* Bei *commencer* und *continuer* ist *à* häufiger, bei *s'efforcer* steht meist *de.*
2. Quelque chose le **contraignit à veiller** (M. Prévost). On voulait le **forcer à partir.** La crainte l'**oblige à se taire.** Un devoir impérieux me **forçait de retourner** à Paris (G. de Nerval).	Bei den Verben *contraindre* nötigen *forcer* zwingen *obliger* verpflichten, nötigen steht im Aktiv meist der Infinitiv mit *à.*
3. La ville fut **contrainte de se rendre** à l'ennemi. L'ennemi fut **forcé de se retirer.** Je serais **obligé de vous punir.** Il se crut **obligé** pourtant à **rediscuter** ce problème (R. Rolland).	Im Passiv steht nach diesen Verben meist der Infinitiv mit *de,* weil das Partizip Perfekt als Adjektiv empfunden wird. Ausnahmen sind möglich (vgl. den letzten Satz).

A Ist das Partizip Perfekt nicht Adjektiv, sondern Vollverb, so steht auch im Passiv *à: Il a été contraint* (wurde gezwungen) *par les circonstances à prendre cette mesure. — Il est contraint* (ist gezwungen) *de prendre cette mesure.*

4. Cette raison **m'a décidé** (bewogen) **à** partir.	Nous **décidâmes** (beschlossen) **de** partir sur-le-champ.
Il **est décidé** (entschlossen) **à** vendre sa voiture.	Il **a décidé** (beschlossen) **de** vendre sa voiture.
Nous nous décidons (entschließen uns) **à** rester.	
Il faut **le résoudre** (dazu bringen) **à** partir.	Il **a résolu** (beschlossen) **d'**attendre l'arrivée de son père.
Il ne put **se résoudre** (entschließen) **à** parler. Je **suis résolu** (entschlossen) **à** tout risquer.	

Bei *décider qn* und *résoudre qn* im Sinne von *bewegen, dazu bringen* steht *à*.

Die Verben sind dann **transitiv**.

Bei *décider* und *résoudre* im Sinne von *beschließen* steht *de*.

Die Verben sind dann **intransitiv**.

Ebenso steht *à* bei *se décider, se résoudre* und bei *être décidé, être résolu*.

Unterscheide also: *avoir résolu de faire qc* und *être résolu à faire qc*
avoir décidé de faire qc und *être décidé à faire qc*.

5. Je n'**arrive** pas **à ouvrir** la porte. Je **demande à être reçu** immédiatement. Je **pense partir** lundi. Je **viens vous dire** que tout est prêt.	Il lui **arrive** rarement **de faire** des fautes. Je **vous demande de m'écouter.** **Pensez à mettre** la lettre à la boîte. Que ferais-tu si ton père **venait à mourir?**

Bei einigen Verben ändert sich der Sinn mit der Präposition, die vor dem folgenden Infinitiv steht.

Merke:

j'arrive à faire	es gelingt mir
il m'arrive de faire	es kommt vor, daß ich
demander à faire qc	etwas selbst zu tun verlangen
demander à qn de faire qc	verlangen, daß jmd etwas tut
penser faire qc	gedenken, beabsichtigen, etwas zu tun
penser à faire qc	daran denken (nicht vergessen), etwas zu tun
venir à faire qc	zufällig etwas tun
venir de faire qc	soeben etwas getan haben
venir faire qc	kommen, um etwas zu tun

E. Der Infinitiv mit anderen Präpositionen   **90**

Außer *à* und *de* finden sich folgende Präpositionen vor dem Infinitiv:

1. Je courus à la maison **pour** (afin de) **lui raconter** la nouvelle. Ma tante ne vient jamais nous voir **sans nous apporter** un petit cadeau. Tu t'amuses **au lieu de travailler.**	wie im Deutschen *pour faire* } *afin de faire* } um zu tun *sans faire* ohne zu tun *au lieu de faire* anstatt zu tun

2. **Après nous avoir interrogés,** il réfléchit un moment. Il faut réfléchir **avant de parler.** Exprimez vous **de manière à être compris** de tout le monde.	abweichend vom Deutschen *après avoir fait* nachdem man getan hat *avant de faire* bevor man tut *de manière* \} *à faire* so daß man tut *de façon* /
3. Souvent, on **commence par rire** et on **finit par pleurer.** **Commençons par lire** et traduisons en- suite. Tout **finira par s'arranger.**	*par* nur in den beiden Wendungen *commencer par faire* mit etw. anfangen, etw. anfänglich tun *finir par faire* mit etw. enden, schließlich etw. tun

91 F. Die Verwendung der Infinitivkonstruktion

Die Infinitivkonstruktion ist im Französischen sehr beliebt und wird als besonders elegant empfunden. Deutschen Sätzen wie *Ich fürchte, daß ich etwas vergessen habe.* — *Ich bedaure, daß ich nicht habe kommen können* entsprechen die französischen Sätze *J'ai peur d'avoir oublié quelque chose.* — *Je regrette de ne pas avoir pu venir.*

Nur wenn Haupt- und Nebensatz verschiedenes Subjekt haben, ist die Infinitivkonstruktion nicht möglich: *J'ai peur qu'il ne vienne trop tard.*

Die Vorliebe für den Infinitiv geht jedoch so weit, daß man auch in solchen Fällen dem Satz eine infinitivische Wendung zu geben sucht, etwa *J'ai peur de le voir venir trop tard.* Oder statt des schwerfälligen Satzes *J'ai peur qu'il ne dise qu'il ne veut pas* bevorzugt man *J'ai peur de l'entendre dire qu'il ne veut pas.*

Solche Infinitivkonstruktionen werden möglich durch Einfügen von Verben der Wahrnehmung *(voir, entendre* etc.*)*.

92 VI. Die Partizipien und das Gerundium

Das Französische hat zwei Partizipien, das Partizip Präsens *(aimant)* und das Partizip Perfekt *(aimé)*, die im Deutschen auch erstes und zweites Partizip genannt werden. Das Partizip hat seinen Namen daher, daß es *teilnimmt* (lat. *participere)* am Charakter des Verbs und des Adjektivs.

Partizip Präsens und Verbaladjektiv. In dem Satz *Une femme aimant ses enfants* hat das Partizip verbalen Charakter, da für *aimant ses enfants* auch die (häufigere!) Form *qui aime ses enfants* steht. Dagegen ist in *une femme aimante* eine liebende Frau die Form *aimante* als Adjektiv aufzufassen. Die Grammatiker des 17. Jahrhunderts bestimmten, daß nur die adjektivische Form des Partizips verändert werden darf und nannten sie Verbaladjektiv *(adjectif verbal)*. Diese ursprünglich ganz willkürliche Scheidung von Partizip und Verbaladjektiv ist eine sprachliche Realität geworden, die heute in das Sprachbewußtsein eingegangen ist und streng beachtet wird.

Partizip Perfekt. Das Partizip Perfekt hat ebenfalls verbalen und adjektivischen Charakter. In dem Satz *Cette femme est aimée de ses enfants* hat es stärker verbalen Charakter, in dem Satz *Il pensa à sa femme aimée* ist es Adjektiv.

Gerundium. Das Gerundium, die deklinierte Form des Infinitivs im Lateinischen *(cantare, cantandi, cantando)*, entwickelte im Französischen die Endung *-ant*, die mit der des heutigen Partizip Präsens übereinstimmt (Partizip Präsens: *chantant* singend, Gerundium: *en chantant* beim Singen). Es tritt heute praktisch nur noch mit der Präposition *en* auf. Die französische Bezeichnung lautet *gérondif*, obwohl *en chantant* etc. mit dem lateinischen Gerundivum nichts zu tun hat.

Alle diese Formen sind, wie der Infinitiv, **indefinite** Formen des Verbs, weil sie keine **Zeitbestimmung** enthalten. Die durch sie ausgedrückte Handlung wird in ihrer Zeit nur durch das Verb des Hauptsatzes bestimmt:

Je le vois lisant	*= qui lit*	— Gegenwart.
Je l'ai vu lisant	*= qui lisait*	— Vergangenheit.
Je le verrai lisant	*= qui lira*	— Zukunft.

A. Das Partizip Präsens (le participe présent)

1. Das Wesen des Partizip Präsens   93

a) **als Verb**	**als Verbaladjektiv**
une histoire **amusant tout le monde**	une histoire **amusante**
un homme **parlant quatre langues**	L'homme est une **créature parlante.**
	le **film parlant**
Je n'entendis plus que des plumes **courant sur des papiers** (E. Fromentin).	de l'**eau courante** fließend
	une **expression courante** geläufig
Des foules **s'excitant d'heure en heure** circulaient dans les rues.	Tout le monde trouva ces **événements** fort **excitants.**

Das Partizip Präsens ist **Verb.** Es kann daher ein Objekt oder eine adverbiale Bestimmung nach sich haben und ist **unveränderlich.**	Das Verbaladjektiv ist **Adjektiv.** Es steht daher meist ohne Ergänzung und ist (wie das Adjektiv) **veränderlich.**

b) Elle **trouva** les enfants **dormant** profondément.	une **eau dormante** stehendes Gewässer
un homme **pensant** toujours aux autres	des gens bien **pensants** brave rechtschaffene Leute
Je **remarquai** une voiture **roulant** à toute vitesse.	une **chaise roulante** Rollstuhl

Das Partizip drückt als Verbalform eine **vorübergehende Handlung** aus, die in der Zeit durch das **Hauptverb** bestimmt wird.	Dagegen drückt das Verbaladjektiv einen **dauernden Zustand** oder eine **typische Eigenschaft** aus.

In dem Ausdruck *une chaise roulante* drückt *roulante* eine dauernde, typische Eigenschaft aus. In *une voiture roulant à toute vitesse* drückt das Partizip keine dauernde Eigenschaft, sondern eine vorübergehende Handlung aus.

Einem deutschen Partizip, das eine Tätigkeit ausdrückt, entspricht im allgemeinen im Französischen ein Relativsatz.

A Die Zahl der französischen Verbaladjektive ist beschränkt. Sie stehen im Wörterbuch (z. B. dem *Petit Larousse*) als Adjektive verzeichnet und drücken stets eine bestimmte Eigenschaft aus, die von der Bedeutung des dazugehörigen Verbs recht verschieden sein kann. Man kann also nicht von jedem Verb ein Verbaladjektiv bilden, wie dies im Deutschen der Fall ist. Einige Beispiele: „Einer suchte den andern über das *knackende* Geländer ins Wasser zu werfen" (G. Keller): *Chacun s'efforçait de jeter l'autre à l'eau par-dessus la balustrade* qui craquait (übers. von E. Mersiol). — „Jetzt aber liest ihn jedermann, und die *reisenden* jungen Engländer führen gewöhnlich einen kompletten Byron mit sich" (Goethe): *Aujourd'hui tout le monde le lit, et les jeunes Anglais* qui voyagent *emportent habituellement avec eux les œuvres complètes de Byron* (übers. von J. Chuzeville).

Merke besonders:

eine brennende Kerze	une bougie allumée	**aber:**	
ein brennendes Haus	une maison en flammes	glühender Eifer	un zèle brûlant
fliehende Truppen	des troupes en fuite	eine fliehende Stirn	un front fuyant
eine betende Frau	une femme en prière		
ein weinendes Mädchen	une fillette en larmes		
ein rauchender Mann	un homme qui fume	rauchende Schwefelsäure	l'acide sulfurique fumant
ein spielendes Kind	un enfant qui joue		
die erwachende Natur	la nature qui s'éveille		
die steigenden Preise	les prix qui montent	ein ansteigender Weg	un chemin montant
	(la hausse des prix)	ein hochgeschlossenes Kleid	une robe montante

94

c) un événement **coïncidant avec un autre** zusammenfallend	deux **triangles coïncidents** kongruente Dreiecke
deux objets **ne différant pas l'un de l'autre**	Ce sont deux **problèmes** fort **différents.**
un homme **se fatiguant vite au travail**	un **travail** très **fatigant**
un homme **négligeant sa famille**	un **serviteur négligent**
L'avant-propos (Vorwort) **précédant ce livre** est trop long.	Nous en avons déjà parlé dans les chapitres **précédents.**
des remarques **provoquant des protestations**	Ne trouvez-vous pas ces **remarques provocantes?**

In einer Reihe von Fällen bestehen neben den normalen Partizipien besondere Verbaladjektive mit anderer Schreibung und Bedeutung.

Merke besonders:

coïncidant	zusammenfallend	**coïncident, e**	sich deckend, kongruent
différant	sich unterscheidend	**différent, e**	unterschiedlich, verschieden
excellant	sich auszeichnend	**excellent, e**	ausgezeichnet, vorzüglich
fatiguant	ermüdend	**fatigant, e**	beschwerlich, anstrengend
influant	beeinflussend	**influent, e**	einflußreich
négligeant	vernachlässigend	**négligent, e**	nachlässig
pouvant	könnend	**puissant, e**	mächtig
précédant	vorangehend	**précédent, e**	vorhergehend, vorig
provoquant	hervorrufend	**provocant, e**	aufreizend, herausfordernd
sachant	wissend	**savant, e**	weise, gelehrt
valant	geltend, einen Wert habend	**vaillant, e**	tapfer

95 **2. Der Gebrauch des Partizip Präsens**

Das Partizip Präsens wird gebraucht

a) **Voyant qu'il ne viendrait pas,** je n'ai pas attendu plus longtemps.	zur Angabe des **Grundes** (Kausalsatz); dt. *weil, da;*
Voyant le danger, le chauffeur ralentit.	
Ayant faim, il rentra à la maison.	
Se sentant mal accueilli, il resta fort peu de temps.	
N'ayant pas reçu ma lettre, mon frère n'a pas pu faire ce que je lui demandais.	

b) Il y a ceux qui, **comprenant trop vite,** comprennent mal (A. Gide). Il y a des gens qui, **ignorant tout,** veulent parler de tout.	zuweilen zum Ausdruck eines **Gegensatzes,** einer **Einräumung** (Konzessivsatz); dt. *obwohl, obgleich, wenn auch;*
c) Jeune homme, **ayant fait** de bonnes études, cherche situation (Annoncenstil). **La voiture, roulant** à toute vitesse, dérapa dans un virage dangereux.	statt eines französischen **Relativsatzes,** der sich auf das Subjekt bezieht;
d) **Ouvrant brusquement la porte,** il entra. **Prenant** (ayant pris) **son chapeau,** il sortit. **Tenant une lampe à la main,** il s'avança vers moi.	zur Angabe der **Art und Weise** einer Handlung oder der **Begleitumstände,** die vor der Haupthandlung liegen. Diese Sätze werden im Deutschen oft durch *und* verbunden.

3. Die Verwendung des Partizip Präsens $\quad$ **96**

Das Partizip Präsens ist in der Umgangssprache selten und wenig beliebt. Es gehört fast ausschließlich der Schriftsprache an. Allenfalls hört man es noch im kausalen Gebrauch.

Als Ersatz eines Relativsatzes wird es von guten Schriftstellern nur gebraucht, wenn es sich auf das Subjekt bezieht. Soll ein Objekt näher bestimmt werden, so benutzt man einen Relativsatz, also: *Je vous recommande ce jeune homme qui a fait de bonnes études. — J'ai rencontré tout à l'heure une voiture qui roulait à toute vitesse.*

Allzu häufiger Gebrauch des Partizips verrät den Stil des Halbgebildeten und kennzeichnet besonders den schwerfälligen Behördenstil. Sehr lebendig dagegen sind das Verbaladjektiv und das Gerundium.

B. Das Gerundium (le gérondif) $\quad$ **97**

Das Gerundium wird gebraucht

1. Il lisait **en marchant.** Tu ne dois pas parler **en mangeant.** Elle raconta son histoire **en mettant** la table. Je lui ai fait un cadeau **en partant.**	zur Betonung der **Gleichzeitigkeit** zweier Handlungen; dt. *während, beim* ...;
Tout en écrivant, il écoutait ce qu'on disait autour de lui. Vous n'êtes pas venu, **tout en sachant** que je vous attendais.	Es wird zuweilen durch *tout* verstärkt zur besonderen Betonung der Gleichzeitigkeit. Dabei erhält der Satz oft einen konzessiven Sinn; dt. *obwohl, obgleich;*
2. Il arriva **en courant.** C'est **en forgeant** qu'on devient forgeron. On s'instruit **en voyageant.**	in adverbialem Sinne zur Angabe der **Art und Weise** oder des **Mittels;**
3. **En passant** (si vous passez) par là, vous aurez un mauvais chemin.	zur Angabe einer **Bedingung** (Konditionalsatz); dt. *wenn.*

98 C. Der Unterschied im Gebrauch von Partizip Präsens und Gerundium

J'ai vu ma **femme sortant** (qui sortait) de la maison.	Das **Partizip** bezieht sich auf das Wort, das ihm am nächsten steht (hier auf das Objekt *ma femme*).
J'ai vu ma femme **en sortant** (au moment où je sortais) de la maison.	Das **Gerundium** dagegen bezieht sich auf das Subjekt (hier *je*).

A Wenn kein Mißverständnis möglich ist, kann sich das Gerundium auch auf einen anderen Satzteil als das Subjekt beziehen. *L'appétit vient en mangeant. En disant ces paroles, les larmes lui vinrent aux yeux* (Fénelon). *Je vois qu'en m'écoutant vos yeux au ciel s'adressent* (Racine).

99 D. Das Partizip Perfekt (le participe passé)

un homme **blessé**, une femme **blessée**, des gens **blessés** une liberté **permise**	Das Partizip Perfekt ist seinem Wesen nach ein verbales Adjektiv und richtet sich in Geschlecht und Zahl nach seinem Beziehungswort.
Ma **mère, fatiguée** par le voyage, se coucha de bonne heure.	Dasselbe gilt in verkürzten Relativsätzen.

100 1. Veränderlichkeit beim Hilfsverb *être*

	Beziehungswort	
Les fenêtres étaient **ouvertes.** Nous sommes **obligés** d'accepter cette invitation.	les fenêtres nous	Bei *être* ist das **Subjekt** Beziehungswort. Das Partizip Perfekt richtet sich nach ihm in Geschlecht und Zahl.

101 2. Veränderlichkeit beim Hilfsverb *avoir*

	Beziehungswort	
a) Elle a travaillé du matin au soir. Elle a écrit une longue lettre. Elle a relu sa lettre.	— — —	Bei *avoir* ist ein **vorangehendes direktes Objekt** Beziehungswort. Geht kein direktes Objekt voran, wird das Partizip Perfekt nicht verändert.
b) 1. Voici la lettre qu'elle a **écrite.** Compte les fautes qu'elle a **faites.**	(la lettre) que (les fautes) que	Das direkte Objekt kann vorangehen 1. als Relativpronomen (*que*);
2. Je les ai **comptées.** Je l'ai **grondée.** Pourquoi les a-t-elle **faites?**	les (les fautes) l' (la jeune fille) les (les fautes)	2. als Personalpronomen (*la, les, nous, vous*);

	Beziehungswort	
3. Combien de fautes a-t-elle **faites?** Regarde, quelle faute as-tu **faite** là? Que de fautes tu as **faites!**	combien de fautes quelle faute que de fautes	3. in Frage- und Ausrufe- sätzen als Substantiv, das durch *quel, combien de* oder *que de* einge- leitet wird;
4. Elle a déjà corrigé quelques fautes. Lesquelles a-t-elle déjà **corrigées?**	lesquelles (quelles fautes)	4. als Fragepronomen *(lequel).*

A Nur die Partizipien transitiver Verben richten sich nach einem vorangehenden direkten Objekt. Bei intransitiven Verben beeinflußt ein voraufgehendes direktes Objekt das Partizip nicht: *Où est la bouteille qu'elle n'a pas réussi à déboucher?* — *Voici la porte qu'elle n'a pas pu ouvrir.* — *Je lui ai rendu tous les services que j'ai pu.*

3. Veränderlichkeit beim reflexiven Verb

Die reflexiven Verben werden mit *être* verbunden, doch gelten für die Veränderlich- keit des Partizips Perfekt dieselben Regeln wie für das mit *avoir* verbundene Partizip (vgl. § 101). Man muß also unterscheiden, ob das Reflexivpronomen Dativ oder Akkusativ ist, bzw. ob dem Verb das direkte Objekt folgt oder vorangeht.

a) Das Reflexivpronomen ist **Dativ**   **102**

	Beziehungswort	
1. Ils se sont **nui.** Plusieurs rois incapables s'étaient **succédé.** Elles se sont **plu** l'une à l'autre. Hier, nous nous sommes enfin **parlé** sans témoins. Qu'est-ce qu'ils se sont **dit?**	— — — — —	Ist das Reflexivpronomen Dativ, bleibt das Partizip Perfekt unverändert. So immer bei *se dire se ressembler* *se nuire se sourire* *se parler se succéder* *se plaire se suffire*
2. Jeanne s'est **cassé** un bras. Elle s'est **lavé** les mains. Ils se sont **jeté** des boules de neige. Elles se sont **dit** des méchance- tés.	— — — —	Es ist immer Dativ, wenn der Satz ein direktes Ob- jekt enthält. Steht dieses hinter dem Verb, bleibt das Partizip Perfekt un- verändert.

b) Das Reflexivpronomen ist **Akkusativ** oder hat **keine logische Funktion**   **103**

	Beziehungswort	
1. Elle s'est **coupée.** Les enfants ne se sont pas en- core **lavés.** Jean et Pierre se sont **battus.**	se (elle-même) se (les enfants) se (Jean et Pierre)	Ist das Reflexivpronomen Akkusativ, so bezieht es sich auf das Subjekt, und das Partizip Perfekt rich- tet sich nach diesem.

| 2. Vous êtes-vous **promenés?**
Ils se sont **tus.**
Elles s'en sont **allées.**
Elle s'est tout de suite **aperçue**
de son erreur.
Nous ne nous étions pas **doutés**
du danger. | (vous) vous
(ils) se
(elles) se
(elle) se

(nous) nous | Diese Regel gilt auch für reflexive Verben, bei denen das Reflexivpronomen keine logische Funktion hat (vgl. verbes essentiellement réfléchis, § 36 und § 39). |

104 c) Reflexives Verb mit **vorangehendem direktem Objekt**

| Toute la peine que je me suis **donnée** est perdue.
Quelles idées s'est-elle **faites?**
La jambe qu'il s'est **cassée** l'autre jour, n'est pas encore guérie. | **Beziehungswort**
(toute la peine)que

quelles idées
(la jambe) que | Geht dem reflexiven Verb ein direktes Objekt voran, so ist dieses das Beziehungswort, und das Partizip Perfekt richtet sich in Geschlecht und Zahl nach ihm (vgl. § 101). |

105 4. Besonderheiten

| a) Tous étaient venus, **excepté ma mère,** qui était souffrante.
Tout le monde s'amusait, **y compris les grandes personnes.**
Ci-joint (ci-inclus) vous trouverez une lettre. | Tous étaient venus, **ma mère exceptée;** elle était souffrante.
Tout le monde s'amusait, **les grandes personnes comprises.**
Lisez attentivement **la lettre ci-jointe** (ci-incluse). |

Die Partizipien *excepté* ausgenommen, *y compris* einbegriffen, *ci-joint, ci-inclus* beigefügt und einige andere werden nicht verändert, wenn sie dem Nomen oder Pronomen vorausgehen (sie gelten dann als Präpositionen).

| b) Ce tableau ne vaut plus **la somme** qu'il a **valu** autrefois.
Les 30.000 francs que ce meuble m'a **coûté.**
Les vingt minutes que j'ai **couru** m'ont paru longues.
les dix ans qu'il avait **vécu** à l'étranger | **la gloire que** cette action lui a **value** eingebracht hat
Vous n'imaginez pas **les efforts que** ce travail m'a **coûtés.**
Nous oublierons vite **les dangers que** nous avons **courus.**
les terribles années que j'ai **vécues** (durchlebt) pendant la guerre |

Die Partizipien der Verben *coûter, valoir, peser, marcher, courir, vivre* und einiger anderer werden **nicht verändert** nach einem vorangehenden Akkusativ, der einer adverbialen Bestimmung der **Zeit**, des **Maßes** oder des **Wertes** entspricht.

Werden diese Verben jedoch **transitiv** gebraucht, so werden die Partizipien **verändert**. Dies ist besonders im übertragenen Sinne der Fall.

c) les violonistes que j'ai **entendus** jouer Je **les** ai **vus** bâtir une maison.	la symphonie que j'ai **entendu** jouer par un grand orchestre **la maison** que j'ai **vu** bâtir

Folgt auf ein Partizip ein Infinitiv, so wird das Partizip nur **verändert,** wenn der Nebensatz mit *que* **aktiven Sinn** hat (die Geiger spielen selber!); das Partizip bleibt **unverändert,** wenn der Nebensatz **passiven Sinn** hat (die Symphonie wird gespielt!).

d) Je les ai **fait** chercher partout. Les cathédrales que j'ai **pu visiter.** La décision que j'ai **voulu prendre.** Vous n'avez pas pris toutes les précautions que vous auriez **dû prendre.**	— Vous avez obtenu la réparation (Wiedergutmachung) que vous avez **voulue.** On lui rendit tous les honneurs **dus** à son rang die man seinem Rang schuldete.

Das Partizip *fait* bleibt **vor Infinitiv immer unverändert,** ebenso die Partizipien *voulu, pu, dû, cru,* wenn sie als **Hilfsverben** vor einem Infinitiv stehen. Manchmal kann der Infinitiv sogar fehlen: *J'ai fait tous les efforts que j'ai pu (faire).* Sind diese Verben jedoch **Vollverben,** so wird das Partizip **verändert.**

Das Partizip Perfekt der **unpersönlichen Verben** bleibt stets **unverändert:** *Les grands froids qu'il a fait. Les inondations qu'il y a eu. Quels soins il a fallu pour éviter ce malheur!*

E. Die absolute Partizipialkonstruktion   **106**

Zuweilen steht im Französischen ein Substantiv mit Partizip ohne ausdrückliche grammatische Beziehung zum Satz (absolute Partizipialkonstruktion).

Diese Verbindungen entsprechen deutschen Wendungen verschiedenster Art. Sie gehören im wesentlichen der literarischen Sprache an.

La guerre étant déclarée, on mobilisa. **Dieu aidant,** nous serons vainqueurs. **La nuit venue,** on résolut de rentrer.	Da, als der Krieg erklärt worden war ... Mit Gottes Hilfe ... Als, da die Nacht gekommen war ...

Die Beziehungen des Verbs

I. Das Verb und sein Subjekt

A. Persönliche und unpersönliche Verben   **107**

Persönliche Verben *(verbes personnels)* haben ein **bestimmtes Subjekt:** *Je travaille. Les oiseaux chantent. Elle est heureuse.*

Unpersönliche Verben *(verbes impersonnels)* haben **kein bestimmtes Subjekt.** Sie sind meist durch das unbestimmte *il* (dt. *es*) eingeleitet: *Il pleut. Il est trois heures.*

Man unterscheidet eigentliche unpersönliche Verben *(verbes impersonnels proprement dits),* die nur in unpersönlicher Form vorkommen *(il pleut),* und solche, die unpersönlich gebraucht werden können *(un messager arriva — il arriva un messager).*

108 **1. Eigentliche unpersönliche Verben**

Il fait du vent et **il pleut.** **Il fait** encore un peu froid. Il **faisait** très sombre dans la chambre. **Il est** trois heures. **Il faut** savoir se taire à temps.	Eigentliche unpersönliche Verben beziehen sich in der Hauptsache auf **Naturerscheinungen** und **Zeitangaben.** Hierzu kommt *il faut* es ist nötig, man muß.

Merke:

il neige	es schneit	il fait **sombre**	es ist dunkel
il pleut	es regnet	quelle heure est-il?	wie spät ist es?
il fait **beau, beau temps**	es ist schön, schönes Wetter	il est **5 heures**	es ist 5 Uhr
il fait **mauvais, mauvais**	es ist schlechtes Wetter	il est **midi**	es ist 12 Uhr, Mittag
temps		il est **temps**	es ist Zeit
Il fait **froid, chaud**	es ist kalt, warm	il **y a**	es gibt, es ist, sind
il fait **du vent**	es ist windig	il **faut faire qc**	man muß etwas tun
il fait **jour, nuit**	es ist Tag, Nacht	il me **faut qc**	ich brauche etwas

Gebrauch von *falloir*

il me faut ta clé	ich brauche deinen Schlüssel	il lui faut partir	} er muß aufbrechen
il me la faut	ich brauche ihn	il faut qu'il parte	
il faut faire qc	man muß etwas tun	il nous faut partir	} wir müssen aufbrechen
Il va falloir le lui dire.	Man wird es ihm sagen müssen	il faut que nous partions	

Beim Gebrauch von *falloir* meidet man die als schwerfällig empfundene Häufung von Pronomen beim Infinitiv. Man zieht die Konstruktion *il faut que* (mit Konjunktiv) vor.

statt *il te faut le faire*   sagt man *il faut que tu le fasses*

statt *il lui faut s'en aller*   sagt man *il faut qu'il s'en aille*

Die gesprochene Sprache meidet also den Konjunktiv Präsens keineswegs.

109 **2. Verben mit unpersönlichem *il* und folgendem Subjekt**

Persönliche Verben nehmen oft unpersönliche Form an, wenn das eigentliche Subjekt nachfolgt: *Un messager arriva — Il arriva un messager.*

Das *il* (dt. *es*) nennt man dann das **grammatische Subjekt** *(le sujet grammatical),* das nachfolgende Subjekt *un messager* das **Sinnsubjekt** *(le sujet logique).*

a) **Un messager** arriva. **Il** arriva **un messager.**	Bei Einführung des Verbs durch das grammatische Subjekt *il* steht das Sinnsubjekt am Satzende.
b) **Il arriva** (es kamen) des messagers. La peste faisait rage. **Il mourut** (es starben) des milliers de gens.	Nach dem grammatischen Subjekt *il* bleibt das Verb im Französischen stets im Singular (im Deutschen steht es im Plural).
Il est des gens (es sind, gibt Leute …) **qui le croient.**	Im folgenden Nebensatz richtet es sich nach dem Sinnsubjekt.

3. Unpersönliche Wendung im Deutschen — persönliche Wendung im Französischen   **110**

Das Französische hat sehr viel weniger unpersönliche Wendungen als das Deutsche. Häufig entspricht einer französischen persönlichen Wendung in aktiver Form (meist mit *on*) im Deutschen eine unpersönliche Wendung (a), oft in passiver Form (b).

a) Ils ne **manquent** pas de courage.	Es fehlt ihnen nicht an Mut.
Qu'est **devenue ta sœur?**	Was ist aus deiner Schwester geworden?
Comment **allez-vous?**	Wie geht es Ihnen?
Je me porte bien, **je vais** bien.	Es geht mir gut.

b) **On prétend** qu'il est innocent.	Es wird behauptet, er sei unschuldig.
Après le dîner, **on dansera.**	Nach dem Abendessen wird getanzt.
On ne fume pas ici.	Hier wird nicht geraucht.
On fera de la musique.	Es wird musiziert.

Merke:

j'ai chaud, froid	mir ist warm, kalt	je vais bien, mal	es geht mir gut, schlecht
j'arrive		je suis content que	es freut mich, daß
je réussis } à faire qc	es gelingt mir, etwas zu tun	je m'étonne que	es wundert mich, daß
je parviens		je suis fâché que	es ärgert mich, daß
je manque de qc		on frappe	es klopft
qc me manque }	es fehlt mir an etwas	on sonne	es klingelt

B. Übereinstimmung des Verbs mit dem Subjekt   **111**

1. Je lis. Nous lisons. Les élèves lisent.	Das Verb stimmt in Person und Zahl mit dem Subjekt überein (vgl. § 99 ff.).
2. Mon père et ma mère **arriveront** demain. Grands et petits **s'amusèrent** bien. Mon père et ma mère **sont arrivés.** Mon ami et sa femme **sont venus** me voir.	Bei mehreren Subjekten steht das Verb im Plural. Sind die Subjekte verschiedenen Geschlechts, so hat das Maskulinum beim Partizip den Vorrang.
3. **Ma sœur et moi, nous** les **avons** attendus à la gare. **Vous** et les enfants, **vous avez** été témoins de l'accident. **Toi et moi, nous serons** de la fête.	Sind die Subjekte verschiedener Person, so hat die 1. Person vor der 2. und 3., die 2. vor der 3. den Vorrang. Vor dem Verb steht dann (abweichend vom Deutschen) ein zusammenfassendes *nous* oder *vous*.
4. Une **foule** de spectateurs **étaient** accourus (**était** accourue). Une **foule** énorme **barrait** la route. Un grand **nombre de soldats fut** tué (**furent** tués). **La plupart** des hommes **croient** qu'ils seraient heureux, s'ils étaient riches.	Bei Kollektivwörtern steht das Verb meist im Plural, wenn die Einzelwesen gemeint sind. Wird die Gesamtheit gesehen, so steht der Singular. Nach *la plupart des* die meisten steht das Verb immer im Plural.

5. **Vous qui avez** été témoins de cet accident ihr, die ihr Zeugen wart **Moi, qui n'avais** jamais vu cela (der das nie gesehen hatte), (je) fus fort surpris.	Nach einem Personalpronomen wird im Relativsatz das Pronomen nicht wiederholt.

A *Un seul mot, un soupir, un coup d'œil nous trahit* (Voltaire). — *Un souffle, une ombre, un rien, tout lui donnait la fièvre* (La Fontaine).

Wenn das Subjekt aus einer Aufzählung von Wörtern besteht, die nicht durch eine Konjunktion verbunden sind, so steht das Verb im Singular. Das ist besonders dann der Fall, wenn die Aufzählung durch ein Wort wie *tout, rien, chacun, personne* usw. zusammengefaßt wird.

112 C. Das neutrale Pronomen ce als Subjekt

Qui est-ce qui a ouvert la porte?

C'est moi	ich bin es	qui l'ai	ouverte	der sie geöffnet hat
C'est toi	du bist es	qui l'as	ouverte	der sie geöffnet hat
C'est lui	er ist es	qui l'a	ouverte	der sie geöffnet hat
C'est elle	sie ist es	qui l'a	ouverte	die sie geöffnet hat
C'est nous	wir sind es	qui l'avons	ouverte	die sie geöffnet haben
C'est vous	ihr seid es	qui l'avez	ouverte	die sie geöffnet haben
Ce sont eux	sie sind es	qui l'ont	ouverte	die sie geöffnet haben
Ce sont elles	sie sind es	qui l'ont	ouverte	die sie geöffnet haben
oder:				
C'est eux	sie sind es	qui l'ont	ouverte	die sie geöffnet haben
C'est elles	sie sind es	qui l'ont	ouverte	die sie geöffnet haben

Merke:
1. Zum Hinweis auf ein Personalpronomen wird für den Singular und für die 1. und 2. Person Plural die Form *c'est* verwandt, für die 3. Person Plural meist *ce sont*.
2. Für die 3. Person Plural ist neben *ce sont* auch *c'est* korrekt, wenn *qui* oder *que* folgt: *Ce sont des erreurs.* — *C'est eux qui ne valent rien* (G. Bernanos).
3. Bei der Hervorhebung mit *c'est . . . qui (que)* richtet sich das Verb nach dem hervorgehobenen Pronomen (*moi* — 1. Person Singular; *toi* — 2. Person Singular usw.).

113 II. Das Verb und seine Ergänzungen (les compléments du verbe)

Verb	Direktes Objekt	Präp. Objekt	Prädikative Ergänzung	
			zum dir. Objekt	zum Subjekt
1. J'ouvre	le livre.			
Il sait	chanter.			
Elle obéit		à ses parents.		
On doute		de sa sincérité.		
Elle montre	la lettre	à son père.		
2. Je suis				son ami.
C'est				un fou.
Il paraît				heureux.
Elle mourut				seule.
Il est con- sidéré				comme ennemi.
Il fut choisi				pour chef.

Verb	Direktes Objekt	Präp. Objekt	Prädikative Ergänzung zum dir. Objekt	zum Subjekt
3. Il a	les yeux		bleus.	
Cela rendra	mes parents		heureux.	
Je crois	Charles		mon meilleur ami.	
On proclama	Louis		roi de France.	
Considérez	ce monsieur		comme ennemi.	
Choisissez	Gaston		pour chef.	

Weitere Ergänzungen zum Verb sind die **Umstandsbestimmungen** (*compléments circonstanciels*). Die wichtigsten sind:

1. *complément de temps:*   *Nous partirons la semaine prochaine.*
2. *complément de lieu:*   *Restez chez vous.*
3. *complément de manière:*   *Il marchait d'un pas lent.*
4. *complément de prix:*   *Cela coûte mille francs.*
5. *complément de cause:*   *Elle pleura de joie.*

A. Verb und Objekt

1. Verben mit direktem Objekt im Französischen   **114**

Dieu **aide ceux** (denjenigen) qui s'aident eux-mêmes.	Elle **le suivit** du regard.
Ne **croyez pas les flatteurs.**	Comme je **remercie mon père** de ses bons conseils!
César **envahit la Gaule.**	Un bon citoyen **sert** fidèlement **son pays.**
Des cavaliers **précédaient le cortège.**	Il m'a **raconté ses voyages.**

Im Deutschen entsprechen diesen Verben oft Verben mit Dativobjekt oder mit präpositionalem Objekt. **Merke besonders:**

aider qn	⎫	féliciter qn (de)	jdm Glück wünschen (zu)
assister qn	⎪ jdm helfen	flatter qn	jdm schmeicheln
secourir qn	⎬	fuir qn, qc	vor jdm, etw. fliehen;
seconder qn	⎭		ihn, es meiden
applaudir qn	jdm Beifall klatschen	maudire qn	jdm fluchen, ihn verfluchen
braver qn	jdm trotzen	menacer qn	jdm drohen, ihn bedrohen
conseiller qn	jdm raten	précéder qn	jdm vorangehen
contredire qn	jdm widersprechen	raconter qc	von etw. erzählen
craindre qn, qc	sich vor jdm, etw. fürchten	se rappeler qn, qc	sich an etw. erinnern,
devancer qn	jdm vorauf-, vorangehen		sich jds erinnern
croire qn	jdm glauben	remercier qn (de qc)	jdm (für etw.) danken
éclairer qn	jdm leuchten	rencontrer qn	jdm begegnen
écouter qn	jdm zuhören	servir qn	jdm dienen
égaler qn	jdm gleichkommen	sonner qn	nach jdm klingeln
envahir qc (un pays)	in etw. einfallen	suivre qn	jdm folgen

A Beachte den Unterschied:

1. *assister qn* jdm helfen — *assister à qc* einer Veranstaltung beiwohnen, daran teilnehmen: *Le maire a assisté à l'inauguration du monument.*

2. *suivre qn* jdm folgen — *succéder à qn* jdm zeitlich nachfolgen: *Louis XV succéda à Louis XIV.*

3. *applaudir qn* (*un acteur*) Beifall klatschen — *applaudir à qc* Beifall zollen, billigen: *J'applaudis à votre projet.*

4. *fuir qn* jdn meiden, fliehen — *fuir devant qn* vor jdm fliehen: *Le lièvre fuit devant le chien.*

115 2. Intransitive Verben, die transitiv werden können

Intransitiv	Transitiv
Je **suis descendu** à la cave.	Descendez le tableau.
Elle **est montée** au grenier.	Qui **a monté ma valise** au second étage?
M. Dupont **est sorti** à trois heures.	Il **a sorti un couteau** de sa poche.
Tout cela **est passé.**	Ils **ont passé le pont.**
Il **vit** dans la misère.	Il **a vécu des années** de misère.

Einige intransitive Verben können transitiv werden, ändern aber dabei ihre Bedeutung.

Merke:

descendre	hinuntersteigen	descendre qc	etw. hinunterbringen, herunterholen, niedriger hängen usw.
monter	hinaufsteigen	monter qc	etw. hinaufbringen
sortir	ausgehen	sortir qc (de)	etw. holen, herausholen (aus)
passer	vorübergehen	passer qc	etw. durch-, überschreiten
vivre	leben	vivre qc	etw. durchleben, durchmachen

116 3. Verben mit *à*

Je ne m'**attendais** pas **à** cette réponse.	*s'attendre à qc*	sich auf etw. gefaßt machen, gefaßt
Je lui ai **demandé** s'il voulait venir.	*demander à qn*	jdn fragen [sein auf
Il **s'intéresse à** tout.	*s'intéresser à qn, qc*	sich für jdn, etw. interessieren
Je ne **lui mentirai** jamais.	*mentir à qn*	jdn belügen
Pourrais-je **parler à** Mme Leblanc?	*parler à qn*	jdn sprechen
Je **réfléchirai aux** mesures à prendre.	*réfléchir à qc*	über etw. nachdenken
Répondez à ma question, **à** ma lettre.	*répondre à qc*	etw. beantworten
Le père a **survécu à** tous ses enfants.	*survivre à qn, qc*	jdn, etw. überleben

A *J'en parlerai au patron* Chef. — *Il ne parlait pas l'allemand; j'ai parlé italien avec lui.* — *Est-ce que tu parles de la sœur de M. Leblanc?* — *Le conférencier* (Vortragende) *parlera sur un sujet assez difficile.*

Unterscheide:
parler à qn	jdn sprechen, ihm etw. vortragen (einer spricht)
parler avec qn	sich mit jdm unterhalten (beide sprechen)
parler de qc	von etw. sprechen
parler sur qc	über etw. sprechen

117 4. Verben mit *de*

Il **s'agit d'**une histoire vraie.	Je **m'occuperai de** cette affaire.
Je ne **m'aperçus** pas **du** danger.	Ne **ris** pas **de** ses menaces.
Tout le monde **s'étonna de** cette réponse.	Le vent **redoubla de** violence.
Elle m'a **félicité de** mon succès.	Je me **soucie** beaucoup **de** mon ami.
Méfiez-vous de lui.	Il se **vengea** odieusement **de** son voisin.
Tous se sont **moqués de** moi.	Je ne **veux** pas **de** ton argent.

Merke:

s'acquitter de qc	sich einer Sache entledigen, etw. erfüllen	se méfier de qc	sich vor etw. in acht nehmen
s'agir de	sich handeln um	se méfier de qn	jdm mißtrauen
s'apercevoir de qc	etw. merken, gewahr werden	se moquer de qn, qc	sich lustig machen über
		s'occuper de qc	sich beschäftigen mit
s'approcher de qn, qc	sich jdm, einer Sache nähern	se passer de qc	etw. entbehren
		se plaindre de qn	sich beklagen über
avoir besoin de qc	etw. brauchen, nötig haben	profiter de qc	etw. benutzen, ausnutzen
désespérer de qc	verzweifeln an	redoubler de qc	etw. verdoppeln, verstärken
se douter de qc	etw. ahnen	remercier qn de	jdm danken für
s'émerveiller de qc ⎫		se repentir de qc	etw. bereuen
s'étonner de qc ⎬ sich wundern über		rire de qn, qc	lachen über
féliciter qn de qc	jdn zu etw. beglück- wünschen	se soucier de qc, qn	sich kümmern, sorgen um
		sourire de qn, qc	lächeln über
		se venger de qn	sich an jdm rächen
jouir de qc	etw. genießen	vouloir de qc, qn	etw., jdn mögen

A 1. Unterscheide: a) *s'apercevoir de qc* etw. merken, gewahr werden; *apercevoir qc* etw. bemerken, sehen

b) *hériter de qn* jdn beerben: *il a hérité de son père.*

hériter de qc etw. erben: *il a hérité d'une maison*

hériter qc de qn etw. von jdm erben: *il a hérité une maison de son père.*

2. Bei *remercier* und *féliciter* steht neben *de* auch *pour: Soyez remercié pour cette nouvelle* (G. Bernanos). *Dingley remercia le jeune homme pour son hospitalité* (J. Tharaud).

5. Verben mit verschiedenen Konstruktionen   **118**

aider

Elle **aide sa mère** à faire la cuisine.	*aider qn*	jdm helfen
Ce médicament **aide à la digestion.**	*aider à qc*	zu, bei etw. helfen

A Der Satz *Elle aide à sa mère à faire la cuisine* ist nicht unfranzösisch, jedoch ist die Konstruktion *aider à qn à faire qc* heute wenig gebräuchlich.

changer

Comme tu **as changé!**	*changer* (intr.)	sich ändern, verändern
La situation **a** complètement **changé.**		
Je **change l'eau** des fleurs.	*changer qc*	etw. wechseln, umgestalten
On a **changé les meubles** de place.		
Pourriez-vous me **changer un billet** de mille francs?		
Changez de vêtements. Zieht euch um!	*changer de qc*	etw. wechseln, ändern (immer ohne Artikel und Possessivpronomen)
Il **change** souvent **d'avis** seine Meinung.		
Il faut **changer de train** à Strasbourg.		
Aux noces de Cana, Jésus-Christ **changea l'eau en vin.**	*changer qc en qc*	etw. verwandeln zu
Mes soupçons **se changèrent en certitude.**	*se changer*	sich umziehen
Attends une minute, je vais vite **me changer.**		

A Zum Gebrauch der Hilfsverben *avoir* und *être* bei *changer* vgl. § 34.

croire

Je **crois mon frère.**	*croire qn*	jdm glauben
Il ne **croit** pas **ce** que je dis.	*croire qc*	etw. glauben
Croyez-vous **au** diable?	*croire à qn*	an jdn glauben
Crois-tu **aux** horoscopes?	*croire à qc*	an etw. glauben
Je **crois en** Dieu.	*croire en qn*	jdm glaubend ver-
Je **crois** pleinement **en** vous.		trauen [haben
Pourquoi ne **croyez**-vous pas **en** l'avenir?	*croire en qc*	in etw. Vertrauen

demander

On **vous demande** au téléphone.	*demander qn*	nach jdm fragen,
Si vous avez besoin de quelque chose, **demandez la femme de chambre.**		ihn kommen lassen
Je **demande une réponse.**	*demander qc*	etw. verlangen
Demande-lui; il le sait.	*demander à qn*	jdn bitten, fragen
Demandez à vos parents si vous pouvez sortir.		
J'ai **demandé l'heure à un passant.**	*demander qc à qn*	jdn um etw. bitten,
Il **m'a demandé l'argent** qu'il m'avait prêté.		nach etw. fragen; etw. von jdm ver- langen

douter

Je ne **doute** pas **de** sa bonne volonté.	*douter de qc*	an etw. zweifeln
Personne ne **se doutait du** danger.	*se douter de qc*	etw. vermuten, ahnen

jouer

Cet acteur **joue** bien **le Misanthrope.**	*jouer un rôle*	eine Rolle spielen
C'est mon frère qui m'a **joué ce** mauvais **tour.**	*jouer un tour à qn*	jdm einen Streich spielen
Jouons aux cartes, **aux** échecs Schach.	*jouer à un jeu*	ein Spiel spielen
Claire **joue avec** son petit frère.	*jouer avec qn, qc*	mit jdm, etw. spielen
Elles **jouent avec** leurs poupées.		
Est-ce que **vous jouez du** violon ou **d'un** autre instrument?	*jouer d'un instru- ment*	ein Instrument spielen

manquer

Ne **manquez** pas **le train.**	*manquer qc*	etw. verpassen, ver- säumen
Il a **manqué à** sa parole.	*manquer à qc*	gegen etw. fehlen; es nicht erfüllen, halten
Je **manque d'argent.**	*je manque de qc*	etw. fehlt mir
Le temps **me manque.**	*qc me manque*	

se mêler

Le voleur **se mêla à** la foule et disparut.	*se mêler à qc*	sich unter etw. mischen
Ne **vous mêlez** pas **de** mes affaires.	*se mêler de qc*	sich ungebeten in etw. einmischen

rappeler — se souvenir

Combien de fois j'ai **rappelé à** ton ami **le temps** que nous avons passé ensemble!	*rappeler qc à qn*	jdn an etw. erinnern (es ihm zurückrufen)
Te rappelles-tu encore **les beaux jours** de Lyon?	*se rappeler qc*	sich an etw. erinnern (es sich ins Gedächtnis zurückrufen; *se* = Dativ)
Te souviens-tu encore **de** ces beaux jours?	*se souvenir de qc*	sich einer Sache entsinnen (*se* = Akkusativ)

A *Il me souvient de* ist veraltet.

servir

On ne peut **servir deux maîtres.**	*servir qn*	jdm dienen, jdn bedienen
Veux-tu que je **te serve?**		
La bonne **servit** le potage.	*servir qc*	etw. auftragen
A quoi sert cet instrument?	*servir à qc*	zu etw. dienen
Ce bâton **lui sert de** canne Spazierstock.	*servir à qn de qc*	jdm als etw. dienen
Je **me sers d**'un stylo pour écrire.	*se servir de qc*	sich einer Sache bedienen; sie nehmen; sie benutzen

user

Cet enfant **use** très vite **ses souliers.**	*user qc*	etw. abnutzen, verbrauchen
Pour le vaincre, il faut **user de** ruse.	*user de qc*	etw. benutzen, anwenden

6. Verben mit doppeltem Objekt   **119**

M. Leblanc enseigne (apprend) **la grammaire aux enfants.**	Bei Sach- und Personenobjekt ist nur das Sachobjekt direkt.
Il **la leur** enseigne (apprend).	
Qui **lui** a appris **cette règle?**	
Demandez-**lui le chemin.**	

A 1. Unterscheide: *apprendre qc* etw. lernen — *apprendre qc à qn* jdn etw. lehren — *apprendre qc avec qn* etw. bei jdm lernen.

2. Bei den Verben der geistigen und sinnlichen Wahrnehmung steht für die Person oft der Dativ der Hinsicht: *Je ne lui avais jamais vu* (bei ihm) *une mine aussi triste. On ne lui connaissait pas ce talent. Je lui ai trouvé quelque chose de bizarre. Je me sens le courage* (fühle in mir den Mut) *de braver ce danger.*

120 7. *faire* beim Infinitiv mit zwei Objekten

Je	fais chanter	**les enfants.**
Je **les**	fais chanter.	
Je	fais chanter	**une chanson française.**
Je **la**	fais chanter.	
Je	fais chanter	**aux enfants** une chanson française.
Je la **leur**	fais chanter.	

Wenn bei *faire* mit einem Infinitiv **zwei Objekte** stehen, so tritt das **Personenobjekt** *(les enfants)* in den **Dativ.**

faire verschmilzt oft mit dem folgenden Infinitiv zu einem festen Begriff:

faire faire machen lassen   *faire voir*   zeigen
faire savoir mitteilen   *faire comprendre, faire entendre* zu verstehen geben.

A Früher hatten auch die Verben *laisser, entendre* und *voir* regelmäßig diese Konstruktion. Heute stehen meist beide Objekte im Akkusativ, wobei das Personenobjekt zuerst steht. Das Personenobjekt muß jedoch im Dativ stehen, wenn beide Objekte zusammenstehende Pronomen sind:

> *J'ai laissé ma fille voir ce spectacle*   neben: *J'ai laissé voir ce spectacle à ma fille.*
> *Je l'ai laissé(e) voir ce spectacle*   neben: *Je lui ai laissé voir ce spectacle.*
> Aber nur: *Je le lui ai laissé voir.*

Bei reflexiven Verben bleiben nach *voir, entendre, laisser* beide Objekte im Akkusativ: *Je les entendis se disputer. Je la vis se rapprocher de sa sœur* (E. Fromentin).

121 B. Verb und prädikative Ergänzung

1. **La paysanne** française est **laborieuse.** **La ville** paraît **morte.** **La cathédrale** de Chartres a rendu **la ville fameuse.** **Elle** peut s'estimer **heureuse.** **Tu sortiras vainqueur** de ce combat als ...	Die prädikative Ergänzung kann ein Adjektiv oder ein Substantiv sein. Sie richtet sich nach ihrem Beziehungswort. Dieses kann Subjekt oder Objekt sein.
2. On **le nomma préfet** zum Präfekten. **Il** fut **nommé préfet.** Qui vous a **fait juge** entre nous deux? Le malheur **les a rendus injustes.** Je crois **cette entreprise dangereuse.** Je **l'ai connue jeune fille** als .... Ils **se quittèrent** très **bons amis** als ... Portrait de **Marie-Antoinette enfant** als ...	Die prädikative Ergänzung, die sich auf das Objekt bezieht (im Passiv auf das Subjekt), steht meist ohne Präposition. Im Deutschen wird sie meist durch *zu, für, als* eingeleitet.

Merke:

connaître	kennen als	faire (mit Subst.)	machen zu
couronner	krönen zu	instituer	einsetzen (als, zu)
croire	} halten für, ansehen als	se montrer	sich zeigen, erweisen als
juger		nommer	ernennen zu
déclarer	erklären für	proclamer	ausrufen zu
élire	wählen zu	rendre (mit Adj.)	machen

3. Il a **agi en** ami. On te **choisira pour** chef. Je la **regarde** (**considère**) **comme** très dangereuse sehe sie als gefährlich an. Il **passe pour** dangereux. Je vous avais **pris pour** votre frère. Je la **tiens pour** très dangereuse halte sie für gefährlich. J'ai été **traité en** ami. Il m'a **traité d'**imbécile.	Mit Präposition stehen: *agir en* — handeln als *choisir pour* — wählen zu *considérer comme*⎫ *regarder comme* ⎬ ansehen als *passer pour* — gelten als *prendre pour* — irrtümlich halten für *tenir pour* — halten für *traiter en* — behandeln als *traiter de* — bezeichnen als, beschimpfen

Merke: *Marie a les yeux bleus, tandis que son frère les a noirs.*
avoir l'imagination vive; avoir la santé délicate etc.

C. Das Passiv (la voix passive) **122**

Das Passiv zeigt an, daß die Handlung sich **am Subjekt vollzieht:** *La maison fut détruite* wurde zerstört.

Das Hilfsverb beim Passiv ist im Französischen *être*, im Deutschen *werden.*

In dem Satz *La maison est détruite* gibt *être* aber keine Handlung, sondern einen **Zustand** an *(ist zerstört)*. Ein wirkliches Passiv liegt im Französischen also nur vor, wenn entweder die Aktionsart (vgl. § 8 u. 44) die Handlung unterstreicht oder wenn das Futur eine künftige Handlung bezeichnet.

Es gibt daher nur folgende **echte Passivformen:**
elle fut détruite — elle a, avait, eut été détruite
elle sera détruite — elle aurait (eût) été détruite.

Will man ein Passiv im Präsens oder Imperfekt ausdrücken, so muß man den Handelnden nennen: *La maison est détruite par l'ennemi. Il est aimé de tout le monde.*

Wird der Handelnde nicht genannt, so kann der passivische deutsche Satz *Das Haus wird zerstört* im Französischen nur durch den aktivischen Satz *On détruit la maison* wiedergegeben werden.

Wegen seiner begrenzten Ausdrucksmöglichkeiten ist das **Passiv im Französischen wenig beliebt** und selten.

1. Die Bildung des Passivs **123**

Aktiv **Passiv**	Le feu **détruisit** la maison. La maison **fut détruite** par le feu.	Das Feuer zerstörte das Haus. Das Haus wurde vom Feuer zerstört.
Aktiv **Passiv**	Charles a **répondu à** la lettre. —	Karl hat den Brief beantwortet. Der Brief wurde von Karl beantwortet.
Aktiv **Passiv**	Les grands **aideront** les petits. Les petits **seront aidés** par les grands.	Die Großen werden den Kleinen helfen. —

Merke:

1. Nur **transitive Verben** *(verbes transitifs directs)* können im Französischen und Deutschen ein **persönliches Passiv** haben. Ausnahmen: *obéir* und *pardonner: Commande et tu seras obéi. Enfin elle fut pardonnée.* (Zur Konjugation des Passivs vgl. § 24.)
2. Der **Urheber** der passivischen Handlung wird durch *par* angeschlossen, gelegentlich durch *de*.

124 2. *par* oder *de* beim Passiv

Elle s'aperçut soudain qu'elle était **suivie par** (verfolgt) un individu suspect. Le voleur avait été **vu par** (gesehen) trois personnes.	Elle était toujours **suivie de** (in Begleitung von) son chien. Il réussit à sortir sans être **vu de** personne unbemerkt.

Merke: *par* steht, wenn die **Handlung,** *de* steht, wenn der **Zustand** betont wird.

So erklärt es sich, daß *de* besonders nach Partizipien wie *accompagné, entouré, précédé, suivi, aimé, haï, vu, entendu* u. a. steht.

125 # Die Wortstellung

Während das Deutsche eine große Freiheit in der Wortstellung hat, z. B. *Ich kenne diesen Herrn, diesen Herrn kenne ich*, ist die französische Wortstellung weitgehend erstarrt und folgt festen Regeln (nur: *Je connais ce monsieur*). Im Deutschen ist *diesen Herrn* sofort als direktes Objekt erkennbar, *ce monsieur* dagegen kann Subjekt oder Objekt sein. Was es ist, geht nur aus der Stellung im Satz hervor: Es ist Subjekt, wenn es vor, Objekt, wenn es nach dem Verb steht.

Um Mißverständnisse auszuschließen, hält das Französische eine verhältnismäßig starre Wortstellung ein, die nur dann aufgegeben wird, wenn ein Satzteil besonders hervorgehoben werden soll.

Die Wortstellung im Aussagesatz

126 ## I. Die Stellung nach den Satzteilen (grammatische Wortstellung)

1.				
	Charles écrit une lettre.			
	Charles écrit une lettre	à son père.		
	Charles écrit une lettre	à son père	sur du papier quadrillé.	
Le jeudi,	Charles écrit une lettre	à son père.		
Jeudi est le jour où	Charles écrit une lettre	à son père.		

In normalen Aussagesätzen, die auf die wirkliche oder gedachte Frage *was ist? was geschieht?* antworten und keinen Satzteil besonders hervorheben, gilt die **Wortstellung Subjekt — Verb — substantivische Objekte** (*l'ordre logique des mots*).

Dabei steht das **direkte Objekt meist unmittelbar nach dem Verb.** Weitere Ergänzungen gruppieren sich um diesen Satzkern.

Adverbiale Bestimmungen haben **keinen festen grammatischen Platz:** *Charles écrit une lettre le dimanche. — Le dimanche, Charles écrit une lettre à son père. — Charles écrit, le dimanche, une lettre à son père.*

Die Wortstellung Subjekt — Verb bleibt auch dann bestehen, wenn ein anderer Satzteil oder ein Nebensatz an den Satzanfang tritt.

2.				
M. Dubois	est	père de famille.		
Son premier enfant	fut	une fille.		
M. Dubois	appela		sa fille	Madeleine.
Les voisins	prennent		M. Dubois	pour un homme dur.

Prädikative Ergänzungen stehen nach dem Verb. Die auf das Subjekt bezogenen stehen unmittelbar nach dem Verb, die auf ein direktes substantivisches Objekt bezogenen nach dem Objekt.

II. Die Stellung nach dem Wohlklang (harmonische Wortstellung) **127**

| Jean | écrit | une lettre (2 Silben) | à son ami Paul (5 Silben) |
| Jean | écrit | à Paul (2 Silben) | une très longue lettre (5 Silben) |

Folgen dem Verb **zwei Objekte** so steht normalerweise das **direkte Objekt dem Verb am nächsten**. Diese Normalstellung wird nur aufgegeben, wenn das direkte Objekt länger ist als das indirekte. Aus Gründen der Satzharmonie tritt das **längere Objekt ans Satzende.**

III. Die Stellung nach dem Sinnwert der Satzteile **128**

Nicht alle Aussagen antworten auf die einfache Frage *was ist? was geschieht?*.
Oft, besonders im Gespräch, geben die Aussagen Auskunft auf Fragen wie *wo, wann war etwas? wie ist es? wer hat etwas getan? wann, wo, wie, warum hat er es getan? was gebe ich jdm? wem gebe ich es?* usw. Das heißt, ein bestimmter Satzteil soll hervorgehoben werden.

Man nennt den hervorgehobenen Satzteil den **Schwerpunkt der Aussage.**

Den Satzteil, mit dem die Aussage beginnt, nennt man **Ausgangspunkt der Aussage.**

A. Schwerpunkt der Aussage am Satzende

Im Deutschen kann man jeden Satzteil durch besondere Betonung hervorheben und damit zum Schwerpunkt der Aussage machen.

Der Sinn des Satzes wird dadurch verändert: *Karl hat einen Brief* geschrieben (nicht diktiert). *Karl hat einen* Brief (keine Postkarte) *geschrieben. Er hat* (nur) einen *Brief geschrieben. Er hat ihn* (tatsächlich) *geschrieben. Er* (kein anderer) *hat ihn geschrieben.*

Im Französischen ist dies nur in geringem Maße möglich. Der **Schwerpunkt der Aussage** ist im normalen, d. h. nicht affektischen, französischen Satz durch seine Stellung festgelegt: **Er steht am Ende.**

1. Verb mit einer Ergänzung **129**

Wo?	Mon frère l'a rencontré **au théâtre.** Mein Bruder hat ihn *im Theater* getroffen. — *Im Theater* hat ihn mein Bruder getroffen.
Wen?	Mon frère y a rencontré **ton ami Bernard.** Mein Bruder hat dort *deinen Freund Bernhard* getroffen. — *Deinen Freund Bernhard* hat mein Bruder dort getroffen.
Wann?	Ton ami viendra **aujourd'hui ou demain.** Dein Freund kommt *heute oder morgen.* — *Heute oder morgen* kommt dein Freund.
Was wird er tun?	Crois-moi! Ce soir, ton ami **viendra.** Heute abend *kommt* dein Freund. — Dein Freund *kommt* heute abend.

130 2. Verb mit zwei Ergänzungen

Wo?	Mon frère a rencontré **Bernard** (2 Silben) **à la Comédie française** (7 Silben).
Wen?	Mon frère a rencontré **au théâtre** (4 Silben) **ton vieil ami Bernard** (6 Silben).
Was? (Akk.)	Jeanne raconta **à sa mère** (3 Silben) **sa terrible aventure** (6 Silben).
Wem?	Jeanne raconta **l'aventure** (3 Silben) **à sa pauvre mère** (5 Silben).

Bei Verben mit zwei Ergänzungen strebt man im guten Stil einen Ausgleich an zwischen dem Prinzip der Endstellung des Schwerpunktes und der Harmonie des Satzes, d. h. der Schwerpunkt der Aussage muß mehr Silben haben als andere, weniger wichtige Satzteile (vgl. § 127).

131 3. Das Subjekt als Schwerpunkt am Satzende

Selbst das Subjekt kann als Schwerpunkt der Aussage ans Satzende treten. Es geht dann dem Verb meist ein anderer Satzteil voraus.

Le grand savant Pasteur est né dans cette maison.	Dans cette maison est né **le grand savant Pasteur.**
Cependant, **le mois d'août** arrive.	Cependant arrive **le mois d'août.**

A 1. Es genügt auch ein neutrales *il* (als grammatisches Subjekt), um eine Endstellung des substantivischen Subjekts möglich zu machen (vgl. § 109): *Il arriva un grand malheur. Il me manque juste cent francs* gerade 100 Francs.

2. In einigen kurzen Wendungen ist die Form Verb—Subjekt ohne vorhergehenden Satzteil üblich: *Entre Polyeucte* (als Bühnenanweisung). *Restent les films moins importants tels que . . .* (bei einer Aufzählung). *Soit le triangle ABC* gegeben ist . . . (bei einer Aufgabe).

132 4. Ein Nachsatz als Schwerpunkt

Auch bei **Satzgefügen** steht der **Schwerpunkt am Ende.** Der Sinn des Gefüges verändert sich also durch Umstellung.

Comme il était malade, **il n'a pas pu venir à ma fête.** (Was konnte er wegen der Erkrankung nicht tun?)	Il n'a pas pu venir à ma fête, **parce qu'il était malade.** (Warum konnte er nicht kommen?)
Pour qu'on ne le reconnût pas tout de suite, **il s'était déguisé.**	Il s'était déguisé, **pour qu'on ne le reconnût pas tout de suite.**

133 B. Hervorhebung durch Umschreibung mit c'est . . . qui (que)

C'est ton père (dein Vater, und niemand anders) **qui me l'a dit.**	Soll der Schwerpunkt der Aussage besonders stark hervorgehoben werden, so setzt man ihn mit der Umschreibung *c'est . . . qui (que)* an den Anfang des Satzgefüges.
C'est cette œuvre de Mozart que j'ai préférée à toutes les autres.	

Ce fut seulement en 1869 (erst 1869, und nicht früher) **que** le canal de Suez fut terminé. **C'est à l'amour de tes parents** (einzig dieser Liebe) **que** tu dois tout cela. **C'est de lui que** je parle, et non d'elle.	*c'est . . . qui* steht, wenn der Schwerpunkt der Aussage Subjekt ist; in allen anderen Fällen steht *c'est . . . que.* Ein präpositionales Beziehungsverhältnis wird in die Umschreibung mit aufgenommen.

A *C'est un trésor que la santé. — C'est un trésor, la santé.* Nach *c'est* mit einem prädikativen Substantiv wird das nachgestellte Subjekt entweder durch *que* eingeleitet oder durch eine Pause (Komma) abgehoben.

C. Absolute Voranstellung in Sätzen mit zwei Schwerpunkten **134**

Auch der **Ausgangspunkt der Aussage** kann stärker betont werden, so daß die Aufmerksamkeit des Hörers auf ihn gelenkt wird. Der Satz bekommt dann **zwei Schwerpunkte:** einen durch **Voranstellung des Ausgangspunktes** und einen durch die **normale Hervorhebung in der Endstellung.** Der Ausgangspunkt steht dann absolut, d. h. vom eigentlichen Satz durch ein Komma und eine Pause abgetrennt.

1. **Ton père, il** ne le croirait jamais. **Moi, je** ne dirais jamais de mensonges. **Moi, je** prends la pomme; **toi, tu** auras la poire; **lui** (,il) n'aura rien. **René, lui,** ira dans les Alpes. René, der reist . . . **Les Bonnier, eux,** vont comme toujours au bord de la mer. Bonniers, die reisen . . .	Der durch absolute Voranstellung hervorgehobene Ausgangspunkt der Aussage wird im eigentlichen Satz durch ein **Personalpronomen** wieder aufgenommen. Wird ein betontes Personalpronomen **vorangestellt,** so findet in der 1. und 2. Person die Wiederholung durch ein verbundenes Personalpronomen statt. In der 3. Person fehlt das verbundene Pronomen meist.
2. Je renonce **à ce projet.** — **Ce projet, j'y** renonce. Je me souviendrai toujours **de ces semaines** au bord de la mer. — **Ces semaines, je m'en** souviendrai toujours. **Ton ami,** je ne **lui** dois rien.	Auch andere Satzteile können absolut vorangestellt werden. Dabei bleibt ein präpositionales Beziehungsverhältnis zum Satz unausgedrückt. Es wird erst im folgenden Satz ausgedrückt durch Pronomen oder durch *en* oder *y.*
3. **Cette lettre** dont tu me parles, je ne **l'ai** jamais reçue. **Cette action,** on ne te **la** pardonnera pas.	Die absolute Konstruktion macht es auch möglich, substantivische direkte Objekte an den Satzanfang zu stellen.

D. Wiederholung des Ausgangspunktes in Sätzen mit zwei Schwerpunkten **135**

Il avait sept ans, **le petit François.** Vraiment, il m'intéresse, **ce petit** (A. France). Je **le** connais bien, **ton ami.** Tu m'**en** as si souvent parlé, **de ce livre.**	Der zunächst durch ein Pronomen nur schwach betonte Ausgangspunkt kann durch eine ergänzende Wiederholung am Satzende stärker hervorgehoben werden.

Die Wortstellung im Fragesatz

136 I. Die Arten der Fragekonstruktion

Es-tu content? **Avez-vous été** contents? Où **vas-tu?** Où **as-tu été?**	**Einfache Fragestellung:** Pronominales Subjekt hinter dem Verb, bei zusammengesetzten Zeiten hinter der konjugierten Verbform.
Ta sœur viendra-t-elle? Quand ta sœur viendra-t-elle? Ta sœur est-elle arrivée? Quand ta sœur est-elle arrivée?	**Absolute Fragekonstruktion:** Substantivisches Subjekt vor dem Verb, hinter dem Verb durch ein Personalpronomen wiederholt (vorwiegend literarisch).
Est-ce que **tu es** content? Où est-ce que **tu as été?** Est-ce que **ta sœur est arrivée?** Quand est-ce que **ta sœur est arrivée?**	**Umschreibung der Frage** mit *est-ce que:* Das Verb in der Form der Aussage (sehr geläufige Form, die immer anwendbar ist).
Tu es content? Ta sœur est arrivée? Tu as fini ta lettre?	**Frage in Aussageform:** wird nur durch den Ton kenntlich gemacht (sehr beliebte Form der gesprochenen Sprache).
Tu as été **où?** Ta sœur est arrivée **quand?**	**Das Fragewort steht am Satzende:** (nur familiär).

II. Die Verwendung der Fragekonstruktion

137 A. Das Subjekt ist ein Personalpronomen oder ce, on

Veux-tu être mon ami? Où **a-t-on** trouvé le pauvre enfant? Combien **vendez-vous** ces manteaux-là? **Est-ce** une erreur?	Ist das Subjekt ein Personalpronomen oder *ce* oder *on*, so wird am besten die einfache Fragestellung, d. h. die Inversion des Pronomens, gebraucht.

A Die Nachstellung des Pronomens *je* ist im Präsens nur noch üblich in *ai-je? suis-je? puis-je? dois-je? vais-je? sais-je? que fais-je?* In allen anderen Fällen umschreibt man mit *est-ce que* oder benutzt die durch den Ton gekennzeichnete Frage: *Est-ce que je rêve? — Je sors?*

B. Das Subjekt ist ein Substantiv

138 1. Fragen ohne Fragewort (Entscheidungsfragen)

Gehobene Sprache	Umgangssprache	
Les enfants ont-ils fini leurs devoirs?	Est-ce que les enfants ont fini leurs devoirs?	Les enfants ont fini leurs devoirs?
Le train est-il arrivé?	Est-ce que le train est arrivé?	Le train est arrivé?
Cette lettre n'est-elle pas trop lourde?	Est-ce que cette lettre n'est pas trop lourde?	Cette lettre n'est pas trop lourde?

2. Fragen mit einem Fragewort (Ergänzungsfragen)

a) Folgt dem Verb **kein direktes Objekt**, so sind meist **drei Wortstellungen** möglich: **139**

Einfache Inversion	Absolute Fragestellung	Umschreibung
Quand est arrivé ton père?	Quand ton père est-il arrivé?	Quand est-ce que ton père est arrivé?
A quoi servent les pommes?	A quoi les pommes servent-elles?	A quoi est-ce que les pommes servent?
Combien de blé a récolté ce paysan?	Combien de blé ce paysan a-t-il récolté?	Combien de blé est-ce que ce paysan a récolté?
Où ira ta sœur?	Où ta sœur ira-t-elle?	Où est-ce que ta sœur ira?

b) Folgt dem Verb ein **direktes Objekt** oder beginnt der Satz mit *pourquoi* (hier **140** auch ohne folgendes direktes Objekt), so gibt es nur **zwei Möglichkeiten:**

Absolute Fragestellung	Umschreibung
Quand ton frère m'apportera-t-il le livre promis?	Quand est-ce que ton frère m'apportera le livre promis?
Pourquoi ton frère n'est-il pas venu?	Pourquoi est-ce que ton frère n'est pas venu?

c) Fragen mit *que? qu'est-ce que?* **141**

Que cherche ton frère? <small>Was sucht dein Bruder?</small>	Qu'est-ce que ton frère **cherche?** Qu'est-ce que **cherche** ton frère?
Que nous **enseigne** notre morceau de lecture?	Qu'est-ce que notre morceau de lecture **nous enseigne?** Qu'est-ce que **nous enseigne** notre morceau de lecture?
Qu'a dit ton père?	Qu'est-ce que ton père **a dit?** Qu'est-ce **qu'a dit** ton père?

Beachte: *Que* ist so tonarm, daß es nur durch ein Pronomen vom Verb getrennt werden darf.

d) Fragen mit *qui?* **142**

Qui a consulté ton père? (= **qui est-ce qui a** consulté ton père <small>wer?</small>) **Qui a** offensé ton ami?	Nach *qui* <small>wer?</small> (Subjekt) steht die normale Wortstellung.
Qui ton père **a-t-il** consulté? (= **qui est-ce que** ton père a consulté <small>wen?</small>) **Qui** ton ami **a-t-il** offensé?	Nach *qui* <small>wen?</small> (Objekt) mit substantivischem Subjekt steht die absolute Fragestellung (<small>Schriftsprache</small>) oder die Umschreibung *est-ce que* (<small>Umgangssprache</small>). (Vgl. § 136.)

97

143   e) Das Fragewort ist Subjekt

Qui a découvert le moyen de guérir la rage Tollwut?	Ist ein Fragewort oder ein Substantiv mit Fragewort Subjekt der Frage, so tritt,
Quels fleuves se jettent dans la Manche?	wie im Deutschen, keine von der Aussage-
Combien d'étrangers sont arrivés hier?	form abweichende Stellung ein.

144   C. Die Inversion außerhalb des Fragesatzes

1. **Es-tu** paresseux aujourd'hui! **Suis-je** bête de n'y avoir pas pensé!	Man findet die Inversion außer im Frage- satz im affektischen Ausruf;
2. **Puissiez-vous** réussir! **Vive** le roi! Il doit se taire, **eût-il** cent fois raison.	in gewissen konjunktivischen Wendun- gen, die einen Wunsch, eine Möglich- keit, eine Einräumung ausdrücken;
3. Est-ce ton livre? lui **demandai-je**. Que veux-tu? **dit le roi** au paysan. C'était, **paraît-il**, un petit chat.	in Sätzen, die in einen anderen Satz, oft in die direkte Rede, eingeschoben werden.
4. Il s'est donné de la peine. **Encore n'a-t-il pas fait** ce qu'il fallait. **Peut-être est-il** déjà arrivé. (Peut-être qu'il est déjà arrivé.) **A peine m'a-t-il** regardé. (Il m'a à peine regardé. C'est à peine s'il m'a regardé.) **A peine les enfants furent-ils** sortis, qu'il se mit à pleuvoir. **Aussi rentrèrent-ils** très vite.	Nach einer Reihe von Adverbien, die den Satz beginnen, steht das Pronomen hinter dem Verb, unter Umständen so- gar als Wiederholung eines vorherge- henden substantivischen Subjekts. Dies gilt besonders für: *encore* immerhin *à peine . . . (que)* kaum . . . (so, als) *peut-être* vielleicht *aussi* daher, deshalb

A Nach anderen Adverbien ist die Stellung beliebig: *Sans doute il a raison. — Sans doute a-t-il raison.* Ebenso nach: *au moins, du moins* mindestens, *en vain* vergeblich.

145   **Das Substantiv**

Das Substantiv *(le nom, le substantif)* bezeichnet *(nomme)* **belebte Wesen** *(l'animal, le cheval)*, **Dinge** *(la table, le fer)* und **Begriffe** *(la bonté)*.

Dinge und Lebewesen sind mit den Sinnen erfaßbar, man nennt sie **Konkrete** *(noms concrets)*. Mit den Sinnen nicht Erfaßbares, nur Gedachtes *(le courage, la patience, le calme)* nennt man **Abstrakte** *(noms abstraits)*.

Gattungsnamen *(noms communs)* nennt man solche Substantive, die einen oder mehrere Vertreter einer Gattung oder die ganze Gattung selbst bezeichnen: *Le chien est un animal domestique. Le lait est bon pour les enfants.* Zu den Gattungsnamen gehören auch die Stoffnamen: *le fer, la laine, le métal.*

Eigennamen *(noms propres)* bezeichnen Wesen oder Dinge, die einmalig sind oder einmalig erscheinen: *Paul, Georges; Molière, Racine; les Français, les Anglais; le Rhin, la Seine; Paris, Lyon, les Alpes.*

Sammelnamen *(noms collectifs)* bezeichnen eine Gruppe von Dingen *(un tas de pierres)* oder von Lebewesen *(une foule de gens, un groupe d'enfants; une bande de loups).*

Die **Einzelbezeichnung** *(le nom individuel)* greift aus der Gattung ein Ding oder Wesen heraus: *Le chien de notre voisin est méchant. Cette table est ronde. Mets les fleurs sur la table* (auf einen bestimmten Tisch).

Das Genus der Substantive

146

Das Französische hat zwei Geschlechter: das **Maskulinum** *(le genre masculin)* und das **Femininum** *(le genre féminin)*. Eine neutrale Form gibt es im Französischen nicht. Der neutrale Sinn wird durch das Maskulinum ausgedrückt *(le beau* das Schöne, *le moins* (das Geringste) *qu'on puisse faire)*.

Man unterscheidet das **natürliche Geschlecht** bei Lebewesen *(le père, la mère — le chien, la chienne)* und das **grammatische Geschlecht** bei Dingen und Begriffen *(la table, le livre, le bonheur, la bonté)*. Das grammatische Geschlecht ist im einzelnen meist nicht mehr zu erklären und ist in den verschiedenen Sprachen keineswegs übereinstimmend (z. B. lat. *dens* m der Zahn, frz. *la dent* f — frz. *le soleil, la lune,* dt. *die* Sonne, *der* Mond).

Allgemeingültige Regeln für das Genus oder seine Erkennbarkeit nach Bedeutung, Form, Endung gibt es im Französischen nicht. Man muß sich jedes Wort sofort mit seinem Genus (Artikel als Kennzeichen) einprägen.

I. Das natürliche Geschlecht bei Lebewesen

A. Maskulinum und Femininum gleicher Herkunft

147

1. Das **normale Kennzeichen** für das Femininum ist die Endung *-e.*

un ami	une amie	un Français	une Française
le bourgeois	la bourgeoise	François	Françoise
le cousin	la cousine	Louis	Louise

2. Wörter auf *-n* haben im Femininum *-nne.*

le chien	la chie**nne**	le lion	la lio**nne**
le chrétien	la chrétie**nne**	le paysan	la paysa**nne**

3. Für eine Reihe von **Vornamen** besteht als Femininum nur eine Diminutivform. Andere männliche Vornamen haben keine weibliche Entsprechung.

Georges	Georgette	Paul	Pauline (Paule)
Jacques	Jacqueline	Yves	Yvonne, Yvette
Gaston	—	Roger	—

4. Die meisten Substantive, die auf *-e* enden, haben in Maskulinum und Femininum gleiche Form.

un Belge	une Belge	un patriote	une patriote
un camarade	une camarade	un pianiste	une pianiste
un élève	une élève	un secrétaire	une secrétaire

5. In einer Reihe von Substantiven von gleichem Stamm treten verschiedene, historisch zu erklärende Endungen für Maskulinum und Femininum auf.

un époux Gatte	une épouse	un âne	une ânesse
le fils	la fille	le dindon Puter	la dinde
le loup	la louve	le mulet Maultier	la mule
le veuf Witwer	la veuve	le tigre	la tigresse

A Einige Tiere haben nur eine Form für beide Geschlechter: *le corbeau, le merle* Amsel, *la souris, la puce* Floh usw. Will man das Geschlecht besonders kennzeichnen, so sagt man: *une souris mâle, un corbeau femelle* usw.

148 B. Maskulinum und Femininum verschiedener Herkunft

Einige Substantive bilden die männliche und weibliche Form von verschiedenen Stämmen, z. B. *un homme* (hominem), *une femme* (feminam).

Menschen		**Tiere**	
le frère	la sœur	le bouc	la chèvre
le garçon	la fille	le cerf Hirsch	la biche
un homme	une femme	le coq	la poule
le mari	la femme	l'étalon Hengst	la jument
l'oncle	la tante	le mâle Männchen	la femelle
le parrain Pate	la marraine	le matou (chat)	la chatte
le père	la mère	le taureau Stier	la vache

149 C. Kennzeichnung des Femininums durch besondere Endungen

Endung m f	Beispiele	
1. an — anne	le paysan	la paysanne
	aber: le Persan Perser, la Persane	
on — onne	le baron	la baronne
	le patron Chef	la patronne
ien — ienne	le gardien	la gardienne
	le musicien	la musicienne
2. er — ère	le berger	la bergère
	le boulanger	la boulangère
	le caissier Kassierer	la caissière
	le fermier	la fermière
	un infirmier Krankenpfleger	une infirmière
3. eur — euse	le chanteur	la chanteuse
	le coiffeur	la coiffeuse
	le danseur	la danseuse
	le dompteur	la dompteuse
	le vendeur	la vendeuse

Merke: *la cantatrice* die berühmte Sängerin

4. eur — eresse (selten)	le chasseur le pécheur Sünder le vengeur Rächer	la chasseresse neben la chasseuse la pécheresse la vengeresse

A Die Substantive auf -*eur*, -*euse* und auf -*eur*, -*eresse* sind aus Verbalstämmen gebildet: *danser* — *le danseur* (vgl. § 194).

5. teur — trice	l'acteur Schauspieler l'auditeur (Zu)Hörer le créateur le directeur l'instituteur Volksschullehrer le lecteur le spectateur	l'actrice l'auditrice la créatrice la directrice l'institutrice la lectrice la spectatrice

Merke: *l'empereur — l'impératrice.*

A Es handelt sich bei diesen Substantiven meist um Lehnwörter oder gelehrte Wörter (*mots savants*), die nicht direkt vom Verb abgeleitet sind.

6. e — esse	le comte l'hôte Gast, Gastgeber le maître le nègre le prince le Suisse Schweizer	la comtesse l'hôtesse Gastgeberin, la maîtresse [Stewardess la négresse la princesse la Suissesse

Merke: *le duc — la duchesse.*

A Einige wenige Substantive bilden das Femininum auf -*ine*, z. B. *le héros — l'héroïne, le speaker* [-œːr] Ansager — *la speakerine, le tsar — la tsarine.*

D. Substantive mit männlicher Form für beide Geschlechter 150

1. Bei einer Reihe von ursprünglich nur oder vorwiegend **männlichen Berufsbezeichnungen** hat sich eine besondere Form für das Femininum nicht einbürgern können.

Mme Legrand, **docteur** en médecine. Madame de Sévigné est un des **écrivains** (des **auteurs**) les plus spirituels du XVIIe siècle. J'ai une amie qui est **ingénieur.** Mme Lesage est notre **professeur** de géographie.	**Merke:** *un auteur* *un avocat* *un écrivain* *un ingénieur* *un médecin* *un professeur*	*une **femme** auteur* *une femme avocat* *une femme écrivain* *une femme ingénieur* *une femme médecin* *une femme professeur*

A Formen wie *autoresse, doctoresse* Ärztin, *peintresse* usw. sind familiär. Zuweilen werden sie (wie z. B. *poétesse*) scherzhaft gebraucht.

2. Bei einer Reihe anderer **Substantive ohne Femininum** verwendet man das Maskulinum für beide Geschlechter.

	Merke:	
Qui aurait cru qu'une jeune fille était **l'assassin** du vieillard?	*un assassin*	Mörder(in)
Elle a été nommée **chevalier** de la Légion d'honneur.	*le chevalier*	Ritter
Prenez Mme Dumoulin comme **défenseur.**	*le défenseur*	Verteidiger(in)
Jeanne d'Arc fut **le sauveur** de la France.	*le juge*	Richter(in)
Le successeur de George VI fut Elisabeth II.	*le sauveur*	Retter(in)
Elle sera mon **témoin**, mon **juge.**	*le successeur*	Nachfolger(in)
	le témoin	Zeuge, Zeugin
	le vainqueur	Sieger(in)

Man beachte, daß bei *enfant* sich Artikel und Adjektiv nach dem Geschlecht ändern: *un enfant* ein Junge, *une enfant* ein Mädchen.

151 E. Substantive mit weiblicher Form für beide Geschlechter

Einige Substantive, die ursprünglich einen Begriff oder eine Einrichtung bezeichneten, haben **nur weibliches Geschlecht,** auch wenn sie meist männliche Wesen bezeichnen:

	Merke:	
Lui et moi, nous sommes **de vieilles connaissances.**	*la connaissance*	der, die Bekannte
Cet homme est **une canaille, une crapule.**	*la canaille* *la crapule* }	der Schuft, Lump
L'esprit est souvent **la dupe** du cœur (La Rochefoucauld).	*la dupe*	der, die Betrogene
Les recrues ont été incorporées au premier bataillon.	*la recrue*	der Rekrut
Le prince est **une sentinelle** établie pour garder son Etat (Bossuet).	*la sentinelle*	die Schildwache, der Posten

II. Das grammatische Geschlecht

Nur der Sprachgebrauch entscheidet über das Geschlecht von Pflanzen, Dingen und Begriffen. Feste Regeln, die gestatten, das Geschlecht eines Wortes nach Bedeutung oder Form sicher zu erkennen, gibt es nicht. Im folgenden können nur einige Anhaltspunkte gegeben werden.

152 A. Geschlechtsbestimmung nach dem Sinn

In manchen Fällen gibt der Sinn des Wortes einen Anhaltspunkt für das Geschlecht.

Männlich sind

1. le chêne, le hêtre, le bouleau Birke le saule Weide, le sapin, le lierre Efeu	die Namen der **Bäume** und **Büsche.** **Ausnahmen:** *la vigne* Rebstock, *la ronce* Brombeerstrauch, *une aubépine* Weißdorn;
2. le nord, le sud, l'est, l'ouest, le sud-est, etc.	die **Himmelsrichtungen**;

3. Janvier a été très froid cette année. le beau (mois de) mai On ne travaille pas le dimanche. un été très chaud	die **Jahreszeiten, Monate, Wochentage**;
4. le fer, l'or, le platine, le bronze, le soufre Schwefel	die **Metalle** und die **chemischen Elemente**.

A 1. Die französischen Flußnamen auf *-e* sind meist weiblich: *la Seine, la Garonne, la Loire*; aber: *le Rhône*.

2. Die Ländernamen auf *-e* sind meist weiblich: *la France, la Russie*; aber: *le Mexique*.

3. Für die Städtenamen und Inselnamen läßt sich keine Regel aufstellen. Besonders bei Städtenamen ist der Gebrauch schwankend: *le beau Marseille — Alger la blanche*.

B. Geschlechtsbestimmung nach der Form

In anderen Fällen kann man das Geschlecht an der Form des Wortes, z. B. seiner Endung, erkennen.

1. Wörter auf *-e*   **153**

Die Wörter auf *-e* sind meist **weiblich**. (Die entsprechenden Wörter der Liste sind im Deutschen männlich oder sächlich.)

une alarme	la danse	une étude	la planète
une ancre	la date	la molécule	la rime
la comète	la débâcle	une offre	la valse
la corne Horn	la douzaine	la pédale	la vitamine

Man merke sich aber eine Reihe von Wörtern auf *-e*, die männlich sind:

un atome	le contrôle	le gage	le microbe
un axe	le diocèse	le geste	le rôle
le buste	le domaine	le groupe	le tube
le caprice Laune	le doute	un incendie	un uniforme
le chiffre	un éloge	un intervalle	le vase
le cigare	un épisode	le masque	le vocable

2. Suffixe männlicher Substantive   **154**

Suffix	Beispiele	Sonderfälle
-age	le courage, le visage, le garage	la plage, la cage,
-ège	le manège, le collège	une image, la nage,
-ail	le travail, le portail, le détail	la rage, la page
-al	le cheval, le signal, le capital	(keine Endungen)
-eau	le bureau, le tableau, le rideau	

-ent	le talent, l'argent, un agent	la dent
-et	le billet, le parquet	
-ier	un encrier, le panier, un étrier Steigbügel	
-isme	le romantisme, le pacifisme	
-ment	le logement, un appartement, le firmament	la jument Stute
-on	le coupon, le frisson, le juron, le laideron häßliches Mädchen	
-oir	le miroir, le dortoir, le tiroir	

155 3. Suffixe weiblicher Substantive

Suffix	Beispiele	Sonderfälle
-ade	la promenade, la salade, la ballade	
-aille	la canaille, la bataille, la ferraille Alteisen,	
-aine	une trentaine, une quarantaine [Schrott	le capitaine
-ance	une espérance, l'aisance	
-ence	la concurrence, une essence	
-aison	la livraison Lieferung, la comparaison	
-elle	la tourelle Türmchen, la margelle Brunnenrand	
-esse	la politesse, la rudesse	
-ette	la maisonnette, la chaînette	
-eur	la chaleur, la douleur, la douceur	un honneur, le labeur
-ise	la bêtise, la sottise, une expertise Gutachten	
-son	la chanson, la saison, la maison	le blouson
-çon	la rançon Lösegeld, la leçon	le limaçon Weinbergschnecke
-ion	la religion, la nation, la ration	
-té	la bonté, l'humanité, la charité	le côté, le traité, un été
-tié	une amitié, la pitié, la moitié	

156 C. Substantive mit doppeltem Geschlecht und verschiedener Bedeutung

Maskulinum	Femininum	
1. un aide Gehilfe	une aide Hilfe	Substantive gleicher Her-
le garde Wächter	la garde Wache	kunft, aber in Maskuli-
le manche Stiel	la manche Ärmel	num und Femininum mit
le merci Dank	la merci Gnade	verschiedenerBedeutung.
le mode Art und Weise, Modus, Tonart	la mode Mode	
le pendule Pendel	la pendule Wanduhr	
le vapeur Dampfer	la vapeur Dampf	
le voile Schleier	la voile Segel	
2. un aune Erle	une aune Elle	Gleichlautende Wörter
le livre Buch	la livre Pfund	verschiedener Herkunft.
le mousse Schiffsjunge	la mousse Moos, Schaum	
le page Page	la page Seite	
le poêle Ofen	la poêle Bratpfanne	
le tour Umdrehung, Wanderung, Tour	la tour Turm	
le vase Gefäß, Vase	la vase Schlamm	

104

D. Besonderheiten **157**

1. *amour* ist normalerweise männlich, auch im Plural: *Il a connu deux grands amours dans sa vie.* In dichterischer Sprache ist das Wort zuweilen im Singular, meist im Plural weiblich. Es bedeutet im Plural als Femininum oft *Liebschaften (de folles amours).*

2. *après-midi* ist männlich oder weiblich. Das Femininum scheint sich immer mehr durchzusetzen *(toute l'après-midi),* wahrscheinlich in Analogie zu *toute la journée, matinée, soirée* etc.

3. *auto(mobile)* war früher männlich, ist heute ausschließlich weiblich.

4. *gens* hatte ursprünglich einen weiblichen Singular *la gent* das Volk (bei *La Fontaine: la gent trotte-menu* das Mäusevolk). Heute ist das Wort als Synonym von *les hommes* nur noch im Plural und als Maskulinum üblich.
   Spuren des alten Geschlechts haben sich in einigen vorangehenden Adjektiven mit erkennbarer weiblicher Form bewahrt: *de bonnes, de vieilles, de petites gens.* Daher auch: *Toutes les vieilles gens . . .* Dagegen heißt es *tous les braves gens,* weil in *brave* das Femininum nicht zu erkennen ist.
   Nachgestellte Adjektive haben männliche Form: *des gens laborieux* etc.

5. *Œuvre* ist grundsätzlich weiblich: *une œuvre d'art.* Es ist gelegentlich männlich, wenn es das Gesamtwerk eines Dichters oder Komponisten bezeichnet: *l'œuvre entier de Beethoven.*

Der Plural der Substantive (le pluriel) **158**

Das äußere Zeichen des Plurals im Französischen ist ein *-s,* das an den Singular tritt: *livre — livres.* Da dieses *-s* jedoch nicht mehr hörbar ist, ist es nur noch ein graphisches Zeichen, das für die gesprochene Sprache belanglos ist.

Das **wirklich gültige Zeichen** für den Plural ist der **Artikel** oder das **Possessivpronomen:** sg. *le livre, un livre, mon livre* — pl. *les livres, des livres, mes livres,* ferner das in der **Bindung hörbare -s** vorangehender Adjektive: *de grands efforts.*

Nur bei wenigen Wörtern ist der Plural in seiner vom Singular auch phonetisch abweichenden Form noch hörbar: *cheval — chevaux, travail — travaux* etc.

I. Die Bildung des Plurals mit -s **159**

1. Das normale Zeichen für den Plural ist *-s: le père — les pères, le jour — les jours.*

2. Substantive auf *-s, -x* und *-z* erhalten kein besonderes Pluralzeichen: *le bras — les bras, une croix — des croix, un nez — des nez.*

II. Die Bildung des Plurals mit -x **160**

Endung	Normaler Plural auf -x		Sonderfälle	
-al	le cheval	— les chevaux	le bal	— les **bals**
	le journal	— les journaux	le carnaval	— les **carnavals**
			le festival Festspiel	— les **festivals**
			le régal Festschmaus	— les **régals**
-au	le noyau Kern	— les noyaux	le landau Landauer	— les **landaus**
	le tuyau Röhre	— les tuyaux		

-eau	le manteau la peau le tableau	— les manteaux — les peaux — les tableaux		
-eu	le cheveu le jeu le neveu	— les cheveux — les jeux — les neveux	le pneu Reifen le bleu blaue Farbe	— les **pneus** — les **bleus**
-œu	le vœu Gelübde Wunsch	— les vœux		

161 III. Der Plural der Substantive auf -ail und -ou

Endung	Normaler Plural auf -s		Plurale auf -x	
-ail	le chandail le détail un éventail Fächer le portail le rail Schiene	— les chandails — les détails — les éventails — les portails — les rails	le bail Pachtvertrag le corail Koralle un émail le travail le vitrail Kirchen- fenster	— les **baux** — les **coraux** — les **émaux** — les **travaux** — les **vitraux**
-ou	le clou le cou le fou le sou le trou le voyou Strolch	— les clous — les cous — les fous — les sous — les trous — les voyous	le bijou Kleinod le caillou Steinchen le chou Kohl le genou le hibou Eule le joujou Spielzeug le pou Laus	— les **bijoux** — les **cailloux** — les **choux** — les **genoux** — les **hiboux** — les **joujoux** — les **poux**

Merke:

l'œil   — *les yeux*   **aber:** *les œils-de-bœuf* runde oder ovale Fenster
le ciel — *les cieux*   **aber:** *des ciels de lit* Betthimmel
l'aïeul — *les aïeux* Ahnen   **aber:** *les aïeuls* Großväter (selten; dafür normalerweise *les grands-*
         pères)

Bei *bœuf* und *œuf* verstummt das [f] im Plural und der Vokal wird geschlossen: [ø, bø].

IV. Der Plural zusammengesetzter Substantive (noms composés)

162 A. Zusammengesetzte Substantive ohne Bindestrich

le bonbon le passeport Paß le portefeuille le vaurien Nichtsnutz	— les bonbons — les passeports — les portefeuilles — les vauriens	Zusammengesetzte Substantive, die in einem Wort geschrieben werden, bilden den Plural mit End-*s*;
le bonhomme le gentilhomme madame monsieur	— les bonshommes — les gentilshommes — **mes**dames — **mes**sieurs	in einigen Fällen, in denen die Komposition noch bewußt blieb, mit Pluralzeichen an beiden Kompositionsteilen.

B. Zusammensetzungen mit Bindestrich

163

Nur adjektivische und substantivische Kompositionselemente können ein Pluralzeichen erhalten. Alle anderen (Verben, Adverbien, Präpositionen) bleiben unverändert.

1. le chef-lieu	— les chefs-lieux	**Substantiv + Substantiv**: beide Teile mit Pluralzeichen.
le chou-fleur Blumenkohl	— les choux-fleurs	
un arc-en-ciel Regenbogen	— des arcs-en-ciel	Der zweite Kompositionsteil bleibt unverändert, wenn er im Sinne einer präpositionalen Ergänzung steht.
le chef-d'œuvre Meisterwerk	— les chefs-d'œuvre	
le timbre-poste	— les timbres-poste	
2. la basse-cour Hühnerhof	— les basses-cours	**Adjektiv + Substantiv** oder **Substantiv + Adjektiv**: beide Teile mit Pluralzeichen,
le coffre-fort Geldschrank	— les coffres-forts	
le grand-père	— les grands-pères	
le peau-rouge Rothaut, Indianer	— les peaux-rouges	
la grand-mère	— les grand-mères	außer bei *grand-* + Femininum (doch setzt sich auch die Form *grands-mères* etc. allmählich durch).
la grand-route	— les grand-routes	
3. le dernier-né	— les derniers-nés	**Adjektiv + Adjektiv**: beide Teile mit Pluralzeichen.
le sourd-muet	— les sourds-muets	Ausnahme: *les nouveau-nés*
la sourde-muette	— les sourdes-muettes	
4.a) un abat-jour Lampenschirm	— des abat-jour	**Verb + Objekt**: Die Verbform (erster Teil) bleibt immer unverändert, während Singular und Plural des zweiten Teiles sich nach dem Sinn richten. So hat man nebeneinander:
le brise-glace Eisbrecher	— les brise-glace	
le coupe-papier Brieföffner	— les coupe-papier	
le garde-boue Schutzblech	— les garde-boue	a) in beiden Teilen kein Pluralzeichen;
le perce-neige Schneeglöckchen	— les perce-neige	
le porte-monnaie	— les porte-monnaie	
le porte-plume	— les porte-plume	
b) le cure-dent Zahnstocher	— les cure-dents	b) Pluralzeichen beim Objekt;
le garde-fou Geländer	— les garde-fous	
le tire-bouchon Korkenzieher	— les tire-bouchons	

c) le casse-noisettes — les casse-noisettes le porte-avions — les porte-avions Flugzeugträger	c) Pluralzeichen beim Objekt, auch im Singular.
d) un essuie-main(s) — des essuie-mains	d) In einer Reihe von Fällen schwankt der Gebrauch.
5. le laissez-passer — les laissez-passer Passierschein un on-dit — des on-dit Gerücht un ouï-dire — des ouï-dire Hörensagen le passe-partout — les passe-partout Hauptschlüssel, Wechselrahmen	**Unveränderliche Wortarten wie Verb + Verb, Pronomen + Verb, Verb + Adverb:** kein Pluralzeichen.
6. une arrière-garde — des arrière-gardes le haut-parleur — les haut-parleurs un après-midi — des après-midi(s)	**Adverb** oder **Präposition + Substantiv:** Substantiv im Plural. Bei *après-midi* schwankt der Gebrauch.

A *garde* in Zusammensetzungen wird im Plural verändert, wenn das Kompositum lebende Wesen bezeichnet. Sonst bleibt es unverändert: *Des gardes-barrière* Schrankenwärter — *des garde-boue.*

V. Der Numerus bei Eigennamen

164 A. Eigennamen mit pluralischem Sinn in Singularform

Eigennamen *(noms propres)* bleiben ohne Pluralzeichen

1. **Les Duval** sont des gens tranquilles. Nous dînons ce soir chez **les Martin.**	wenn sie die Mitglieder einer Familie, die gegenwärtige **Familie in ihrer Gesamtheit** bezeichnen;
2. les **Habsbourg**, les **Hohenzollern** les **Borgia**	wenn sie **ausländische Familien**, auch **Herrscherhäuser**, bezeichnen, die in der Form unfranzösisch sind;
3. Les **Racine**, les **Molière**, les **Bossuet** ont illustré le siècle de Louis XIV. Autoren wie...	wenn der Plural nur zur **rhetorischen Hervorhebung** eines Einzelmenschen dient.

165 B. Eigennamen in Pluralform

Eigennamen erhalten das Pluralzeichen, wenn sie bezeichnen:

1. le château des **Condés** le combat des **Horaces** et des **Curiaces** les **Pharaons**, les **Bourbons**, les **Stuarts**	eine gesamte, berühmte oder historische **Familie, Dynastie** etc., sofern die Form eine französische Pluralbildung zuläßt;

2. Ce sont les **Mécènes** qui font les **Virgiles** (E. Henriot). Les **Cicérons** (große Redner) sont rares. Il y a beaucoup de **Don Juans**.	einen **Typ**;
3. les **Dianes** et les **Apollons** de nos musées	ein **Kunstwerk**.

VI. Substantive, die nur oder fast nur im Plural vorkommen   166

les alentours *m*	Umgebung	les épinards *m*	Spinat
les environs *m*		les étrennes *f*	Neujahrsgeschenke
les annales *f*	Annalen	les fiançailles *f*	Verlobung
les appas *m*	Lockungen, Reiz	les fonts baptismaux *m*	Taufbrunnen, -becken
les appointements *m*	das Gehalt	les frais *m*	Unkosten
les archives *f*	Archiv	les funérailles *f*	Leichenfeier
les cisailles *f*	große Zange	les mathématiques *f*	Mathematik
les confins *m*	Grenzgebiet	les mœurs *f*	Sitten
les débris *m*	Trümmer	les obsèques *f*	Leichenbegängnis
les décombres *m*	Schutt	les pourparlers *m*	Besprechungen, Verhandlungen
les dépens *m*	Kosten		
les directives *f*	Richtlinien	les ténèbres *f*	Finsternis
les entrailles *f*	Eingeweide	les vivres *m*	Lebensmittel

A *Les paysans rentrent les blés. Des pluies abondantes. Un village bloqué par les neiges.* Auch Stoffnamen kommen im Plural vor, wo man im Deutschen statt des fehlenden Plurals *das Getreide, Regenfälle, Schneemassen* und dergleichen sagt.

Treten Abstrakte im Plural auf, so werden sie konkretisiert, z. B. *les honneurs* die Ehrungen, Ehrenstellen, *les malheurs* die Unglücksfälle, Schicksalsschläge.

Der Artikel (l'article)   167

Das Französische gehört zu den Sprachen, die den Artikel als Begleiter des Substantivs haben: *la table, une table, des tables.* Das Lateinische hatte keinen Artikel, doch wurde das hinweisende Fürwort in der Form *illum, illam, illos, illas* im Französischen zu dem bestimmten Artikel *le, la, les.* Der ursprünglich hinweisende Charakter des Artikels *(le pain* zunächst *dieses Brot hier)* hat sich in einigen Wendungen erhalten, z. B. *Je le ferai à l'instant* noch in diesem Augenblick.

Im allgemeinen aber hat der Artikel seinen ursprünglich hinweisenden Charakter verloren: *Le lait est blanc* jede Milch.... Er hat dafür eine andere, wichtige Funktion übernommen, die darin besteht, das Substantiv als solches zu kennzeichnen *(bleu* blau, *le bleu* das Blau*)*, vor allem aber, Maskulinum und Femininum erkennen zu lassen *(le nez, la bouche)* und Singular und Plural für das Ohr zu unterscheiden *(le nez, les nez).* Der Artikel gehört damit heute notwendig zum Substantiv. Wo er fehlt, handelt es sich immer um Überreste alter Sprachformen.

Man unterscheidet den **bestimmten Artikel** *(l'article défini: le, la, les)* und den **unbestimmten Artikel** *(l'article indéfini: un, une,* im Plural *des),* ferner den **Teilungsartikel** *(l'article partitif: du vin, de la viande, des œufs),* der eine Besonderheit des Französischen darstellt.

Die Formen *du père, à la mère, des sœurs, aux sœurs* etc. sind keine Genitive oder Dative! Die Deklination des Lateinischen ist im Französischen völlig verlorengegangen (letzte Reste finden sich nur noch vereinzelt in den Pronomen). Der Begriff *Kasus* besteht für das französische Substantiv ebensowenig wie der Begriff *Deklination*.

Die Beziehungen der Substantive werden durch Präpositionen ausgedrückt: *Je prends le livre de mon père. Je donne le livre à mon père.* Freilich entspricht dem deutschen Dativ oft im Französischen *à* + Substantiv, dem Genitiv *de* + Substantiv, aber man darf sich nicht dazu verleiten lassen, darin französische *Kasus* zu sehen. Ein Besitzverhältnis (Genitiv) kann auch durch *à* ausgedrückt werden. Im Altfranzösischen und in der heutigen Volkssprache heißt es oft *le livre à Charles* neben *le livre de Charles.* Man kann also den Begriff Deklination auf das französische Substantiv nicht übertragen, da er der französischen Sprache wesensfremd ist. Französische Grammatiker verwenden ihn nie in Bezug auf ihre Sprache.

Der bestimmte Artikel (l'article défini)

168 I. Die Formen des bestimmten Artikels

	Maskulinum		Femininum	Merke:
Singular	vor Kons.	le jardin le héros	la classe la haie	Vor Vokal und stummem *h* werden *le* und *la* zu *l'* elidiert.
	vor Vok.	l'élève	l'heure	
	Il vient **du** jardin. Il va **au** jardin.			$de + le > du$ $à + le > au$
Plural		les jardins les héros les élèves	les classes les haies les heures	Vor Vokal und stummem *h* wird *les* gebunden: [lezelɛ:v], [lezœ:r].
	Il parle **des** élèves. Il parle **aux** élèves.		la rentrée **des** classes **aux** heures indiquées	$de + les > des$ $à + les > aux$ Bindung vor Vokal und stummem *h*.

169 II. Die hinweisende Funktion des bestimmten Artikels

1. Prenez l'eau de **la** source aus der Quelle (da).
    aber: de l'eau de source Quellwasser
 Je prendrai **la** voiture unseren, meinen Wagen.
    aber: je prends un taxi.
 Il dit cela avec **le** sourire mit dem bekannten Lächeln.
 s'habiller à **la** française auf (die bekannte) französische Art
	Der bestimmte Artikel verweist auf etwas Bekanntes oder vorher Erwähntes.

2. Il s'est cassé **le** bras. J'ai mal à **la** tête. porter **la** tête haute avoir **les** cheveux blonds, **les** yeux bleus, l'oreille fine	Daher steht er auch bei Körperteilen, wenn über die Zugehörigkeit keine Zweifel bestehen (vgl. § 262,3).

3. **le beau** Paris **le petit** Pierre les vins de **la France méridionale** **aber:** les vins de France	Der bestimmte Artikel weist auf ein Substantiv hin, das näher bestimmt ist.
4. Il ne faut pas parler de **la sorte** auf diese Weise **Le** monstre! **L'**ingrat! Dieses . . . dieser Oh! **le** beau papillon! Was für ein . . . Approchez, **les** enfants! (Ihr) Kinder (da)	In einigen Wendungen hat der bestimmte Artikel noch den Charakter eines hinweisenden Pronomens, besonders im Ausruf und im Anruf.

A *Je voudrais des asperges. Combien le kilo? — Le beurre coûte 420 francs la livre.* Der bestimmte Artikel kann auch distributiven Sinn haben. Er bedeutet dann *jeder, jedes einzelne* (Kilo), *pro* (Pfund).

III. Der Gebrauch des bestimmten Artikels

A. Personennamen
170

1. **Charles** est né en avril. **Napoléon** mourut en 1821 après une pénible captivité. **Stendhal** s'appelait en vérité **Henri Beyle.**	Personennamen stehen ohne Artikel, wenn sie eine einzelne Person bezeichnen.
2. **Les Duval** sont des gens tranquilles. **Les Bourbons** arrivèrent au trône avec Henri IV.	Im Plural stehen Personennamen mit Artikel, wenn sie die gesamte Familie bezeichnen. (Vgl. § 164.)

3. **le** Racine **des »Plaideurs«**
le comte Roland
le maréchal Lyautey
le professeur Fouché
le docteur Fabien
le père Goriot
   aber: sainte Catherine
       maître Pathelin
	Personennamen im Singular stehen mit Artikel, wenn sie näher bestimmt sind, besonders durch Titel.
	
	Bei *saint, maître, monsieur* und *madame* steht kein Artikel.

4. La Fontaine La Rochefoucauld La Bruyère	In einigen Fällen gehört der Artikel zum Namen.

B. Ortsnamen
171

1. **Paris** est la capitale de la France. **aber:** le Paris du XVIIᵉ siècle	Ortsnamen stehen ohne Artikel, wenn sie nicht näher bestimmt sind.
2. **le** Caire, **la** Haye, **le** Havre, **la** Rochelle Je viens **du** Havre; je vais **au** Caire.	Bei einigen Städten gehört der Artikel zum Namen.

172 C. Ländernamen

1. a) **la** France, **la** Belgique, **la** Russie **le** Portugal, **le** Danemark, **le** Périgord **la** Normandie, **la** Bourgogne **la** Corse, **la** Sicile, **la** Sardaigne	Länder- und Provinznamen stehen mit Artikel. Hierzu rechnen auch eine Anzahl größerer europäischer Inseln.
b) Madagascar, Bornéo, l'île de Malte, l'île d'Elbe	Bei anderen fehlt der Artikel.
2. aller **en France** voyager **en Italie** Il est actuellement **en Grande-Bretagne.**	Nach der Präposition *en* fehlt der Artikel bei weiblichen Länder- und Provinznamen.
3. Il vit **au** Brésil, **au** Canada, **au** Mexique, **au** Japon. Il vient **du** Brésil, **du** Canada.	Bei männlichen Ländernamen steht nach allen Präpositionen der Artikel. *en le* wurde dabei zu *au.*
4. a) venir **de** France, **d'**Allemagne, **d'**Italie, **de** Chine les rois **d'**Angleterre, **de** France l'ambassadeur **de** France au Portugal le fromage **de** Hollande *les vins **de** France	Der Artikel fehlt, wenn *de* + Ländername Herkunft, Titel, typisches Erzeugnis ausdrückt oder adjektivischen Charakter hat (vgl. deutsch: *die französischen Könige, die französischen Weine* etc.).
b) les possessions **de la** France en Afrique les habitants **de l'**Allemagne les montagnes **de la** Suisse la géographie **de la** France	Der Artikel steht, wenn *de* + Ländername ein Besitz- oder Zugehörigkeitsverhältnis ausdrückt.

A Man unterscheidet also: *les guerres d'Italie* die Italienfeldzüge und *les guerres de l'Italie* die Kriege, die Italien geführt hat.

173 D. Flußnamen, Meeresnamen, Gebirgsnamen

1. **la** Seine, **le** Rhône, **le** Rhin Francfort-sur-le-Main **la** Manche, **le** Pacifique, **la** Méditerranée **les** Alpes, **le** Massif Central	Fluß-, Meeres- und Gebirgsnamen stehen mit Artikel.
2. Châlons-**sur-Marne**, Boulogne-**sur-Seine** **L'eau de Seine** n'est pas potable. **La rue de Seine** se trouve dans le VIᵉ.	In Zusammensetzungen und einigen Verbindungen hat sich alter Gebrauch ohne Artikel bewahrt.

174 E. Himmelsrichtungen

Les explorateurs se dirigèrent vers **l'est.** **le** nord, **l'**ouest, **le** midi de la France (le Midi) Corbeil est **au sud** de Paris. **la** France **du Nord** le vent **du sud, du nord** **aber:** le vent **d'est, d'ouest**	Himmelsrichtungen stehen mit dem bestimmten Artikel.

F. Jahreszeiten, Monate, Wochentage, Tageszeiten, Feste **175**

1. a) J'aime surtout **le printemps**, mais d'autres préfèrent **l'automne**. l'hiver, l'été	**Jahreszeiten** stehen mit Artikel.
b) Il reviendra **en automne**. en hiver, en été **aber: au printemps**	Nach *en* stehen die Jahreszeiten ohne Artikel.
2. **Janvier** est le mois le plus froid de l'année. **(meist:** le mois de janvier, d'août etc.**).** le soleil de **mars** la révolution de **juillet**	Die **Monatsnamen** stehen ohne Artikel.
3. a) La semaine est une période de sept jours, **du** dimanche **au** samedi inclusivement. Je ne travaille pas **le** dimanche sonntags. Il vient nous voir tous **les** dimanches. **le lundi, 5 mars** le mardi **de la semaine prochaine**	Die **Wochentage** stehen mit dem Artikel, wenn sie die regelmäßige Wiederkehr des Tages bezeichnen (nicht hinweisend), oder wenn sie durch Beifügung näher bestimmt sind (hinweisend).
b) Je l'ai vu **lundi** am Montag, Montag, **lundi dernier** Je le reverrai **mardi prochain, (de) mercredi en huit, jeudi en quinze.** Je ne peux pas venir avant **samedi.**	Sie stehen jedoch ohne Artikel, wenn der letzte oder der nächste Wochentag dieses Namens gemeint ist.
4. a) Il s'est levé avant **le jour.** Il est cinq heures **du matin.** Je ne travaille pas **le soir.** **La nuit** tombait.	Die **Tageszeiten** stehen mit dem Artikel.
b) **Midi** vient de sonner. la messe de **minuit**	*midi* und *minuit* stehen gewöhnlich ohne Artikel.
5. a) **la** Pentecôte, **la** Toussaint **la** Saint-Michel, **la** Saint-Jean	Die **kirchlichen Feste** stehen mit dem weiblichen Artikel. Bei *la Saint-Michel* etc. hieß es ursprünglich *la fête Saint-Michel* etc.
b) Il reviendra à **Pâques** ou à la Trinité. **Pâques** est une fête mobile. un cadeau de **Noël**	*Pâques* Osterfest steht immer, *Noël* Weihnachten meist ohne Artikel.

G. Gattungsnamen, Abstrakte, Stoffnamen **176**

1. **Le chien** est un ami fidèle. **Les chiens** sont des amis fidèles. **Les** vrais **amis** sont rares. **Les murs** ont des oreilles.	**Gattungsnamen** haben den bestimmten Artikel sowohl im Singular wie im Plural (im Deutschen dagegen im Plural oft keinen Artikel).

2. **La force** prime **le droit.** Gewalt geht vor Recht. Ce qu'il faut à notre malade, c'est **le silence, le repos** absolu, **l'absence** de toute émotion.	**Abstrakte** stehen mit dem Artikel.
3. **L'or** est plus précieux que **l'argent.** **Le cuivre** fut le premier métal employé par l'homme.	**Stoffnamen** stehen mit dem Artikel.

177 H. Gallizismen mit bestimmtem Artikel

Il a les cheveux bruns. Ils marchaient les yeux fermés. Je n'ai pas eu le temps de l'avertir. Soyez le bienvenu herzlich willkommen. souhaiter la bienvenue, le bonjour à qn Je n'ai pas le sou keinen Heller. Il garda le silence.	faire la paix Frieden schließen demander l'aumône betteln appeler au secours Hilfe rufen crier au feu, au voleur Il est arrivé le premier, le dernier. Le vase est rempli aux trois quarts. vers (sur) les six heures

178 Der unbestimmte Artikel (l'article indéfini)

Der unbestimmte Artikel *(un, une)* ist aus dem lateinischen Zahlwort *(unum, unam)* hervorgegangen und hat auch zum Teil noch den Charakter eines Zahlwortes: *Ils ont un enfant* ein Kind, nicht zwei oder mehr.

Die heraushebende Bedeutung des lateinischen *unus vir* ein einziger Mann hat der französische unbestimmte Artikel fast völlig verloren. In dem Satz *Un homme est venu* dient er nur noch dazu, ein noch unbestimmtes Einzelwesen aus einem Gattungsbegriff herauszuheben.

In dem Satz schließlich *Venez un dimanche* an einem beliebigen, irgendeinem Sonntag sieht man deutlich, daß der unbestimmte Artikel wirklich etwas *Unbestimmtes* hat.

Der Gebrauch ist im allgemeinen wie im Deutschen. Abweichend vom Deutschen steht der unbestimmte Artikel bei substantivischen Attributen, die von einem Adjektiv begleitet sind: *une femme d'une grande beauté, d'une beauté ravissante* von großer, entzückender Schönheit.

Daneben gibt es aber auch, wie im Deutschen, *un homme de haute taille.*

Merke besonders:

1. un ami — des amis	Der **Plural** des unbestimmten Artikels, der ja als ursprüngliches Zahlwort der Einheit keinen Plural haben kann, wird durch den Teilungsartikel ausgedrückt.
2. Il a **un** frère. — Il n'a **pas de** frère. Il a encore **une** sœur. — Il n'a **plus de** sœur.	Die **Verneinung** des unbestimmten Artikels geschieht durch *pas de, point de* etc.

3. **C'est un** peintre. — Il est peintre. **C'est une** Anglaise. — Elle est Anglaise.	Bei **Berufs-** und **Nationalitätsbe-** **zeichnungen** steht bei *être* nur dann der unbestimmte Artikel, wenn das Subjekt *ce* ist.
4. Il a **un** talent! Il est d'**une** insolence! En voilà **des** manières! Das sind vielleicht Manieren!	In **Ausrufen** wird der unbestimmte Artikel in Singular und Plural zu- weilen emphatisch zum Ausdruck der Bewunderung oder der Mißbilligung gebraucht.

A *Je n'ai pas une minute à perdre* keine einzige Minute. — *Le ciel était bleu. Pas un nuage, pas un souffle d'air* nicht eine einzige Wolke, kein Windhauch regte sich. In Sätzen dieser Art hat *un*, *une* die alte, starke Bedeutung des Lateinischen bewahrt.

Der Teilungsartikel (l'article partitif) **179**

		Singular		Plural	
Zählbare **Dinge**	gezählt:	un œuf une pomme une maison		gezählt:	deux œufs trois pommes cinq maisons
	bestimmt:	l'œuf la pomme la maison		bestimmt:	les œufs les pommes les maisons
				unbestimmte Anzahl (nicht gezählt):	des œufs des pommes des maisons
Nicht **zählbare,** **nur** **meßbare** **Dinge**	bestimmt:	le lait la viande l'eau		———	
	unbestimmte Menge (nicht gemessen):	du lait de la viande de l'eau		———	
	gemessene Menge:	deux litres de lait trois kilos de viande une bouteille d'eau		———	

Es gibt Dinge, die zählbar sind: *un œuf, trois pommes, cinq maisons*. Will ich eine bestimmte, vorhandene Anzahl dieser Dinge bezeichnen, so sage ich im Deutschen: *Geben Sie mir die Eier* (= die Eier da), *den Apfel*, und ebenso im Französischen: *Donnez-moi les œufs* (= les œufs que voilà), *la pomme*.

Will ich jedoch nur eine unbestimmte Anzahl dieser Dinge bezeichnen, so sage ich im Deutschen: *Geben Sie mir Eier, Äpfel*. Das Fehlen des Artikels besagt, daß ich mehrere dieser Dinge meine, ohne die genaue Anzahl anzugeben. Im Französischen sagt man in diesem Sinne: *Donnez-moi des pommes*. Ursprünglich bedeutete das: *von den Äpfeln, die es gibt* oder *die da liegen*. Daher der Name *Teilungsartikel*, der einen Teil des Vorhandenen bezeichnet.

Diese ursprünglich hinweisende Bedeutung von *des pommes* etc. ist jedoch nicht mehr bewußt. In *Donnez-moi des pommes* ist *des pommes* heute nur noch der Plural zu *une pomme. des* + Substantiv gibt also eine **unbestimmte Anzahl zählbarer Dinge** an.

Daneben gibt es Dinge, die nicht zählbar sind: *le lait, la viande, l'eau.* Sie sind nur meßbar und haben als Stoffnamen keinen Plural. Spreche ich von einer unbestimmten Menge dieser Dinge, so sage ich im Deutschen ohne Artikel: *Geben Sie mir Milch, Fleisch, Wasser* etc. Auch hier steht im Französischen der Teilungsartikel, und zwar im Singular: *Donnez-moi du lait, de la viande, de l'eau.*

du, de l', de la + Substantiv gibt also eine **unbestimmte Menge nicht zählbarer Dinge** an. Es gibt hierzu keinen Plural.

Gebe ich eine gemessene Menge an, so entspricht dem deutschen *zwei Liter Milch* im Französischen *deux litres de lait.* Nach einer Maß- oder Mengenangabe steht also nur *de* ohne Artikel.

A Formen wie *des vins, des blés, des neiges, des pluies* etc., die man gelegentlich antrifft, sind nicht Plurale des Stoffnamens, sondern bezeichnen verschiedene Sorten oder Erscheinungsarten des gleichen Stoffes: *des vins* Weine (= Weinsorten), *des blés* Getreidearten, *des neiges* Schneemassen, *des pluies* Regenfälle u. dgl.

180 I. Die Formen des Teilungsartikels

	Maskulinum	**Femininum**
Singular	du lait de l'argent	de la bière de l'eau
Plural	des œufs	des pommes

II. Der Gebrauch des Teilungsartikels

181 A. Bei unbestimmten Mengen und bei Abstrakten

1. A la crémerie vous pouvez acheter **du lait, de la** crème, **du** beurre, **des** œufs et **du** fromage. Il est resté **du pain** sur la table. Il est tombé **de la neige.**	Der Teilungsartikel dient zur Bezeichnung einer unbestimmten Menge nicht zählbarer Dinge im Singular und zählbarer Dinge im Plural.
2. C'est **de la folie!** Ce reproche me fait **de la peine.** Vous avez vraiment montré **du courage.** Nous avons écouté **du Mozart.**	Der Teilungsartikel hat sich auf Begriffe (Abstrakte) ausgedehnt und sogar auf Personennamen, wenn sie für die Werke eines Künstlers stehen.
3. Il ne travaille que **pour de l'argent.** Ecrivez **sur du papier** blanc. Pendant les vacances, j'ai logé **chez des paysans.**	Der Teilungsartikel steht auch nach Präpositionen.

A Der Teilungsartikel steht jedoch nicht nach *sans, de* und *en: Un repas sans viande. Il se nourrit de viande. Etre en bonnes mains.*

B. Nach Mengenangaben **182**

Nach Mengenangaben steht *de;* darauf folgt das Substantiv ohne Artikel. Solche Mengenangaben sind:

1. **Combien d'élèves avez-vous?** **(Combien** avez-vous **d'élèves?)** C'est vraiment **peu de** chose. Il a beaucoup **plus d'**argent que moi. Vous avez fait **trop de** fautes, **moins de** fautes, **plus** de fautes, **autant de** fautes que votre voisin.	**Adverbien**, z. B. *beaucoup, plus, peu, combien, assez, trop, tant, autant;*
2. Donnez-moi **quelque chose** d'autre. **Que de** gens dans la rue! **Quoi de** nouveau? Was gibt es Neues?	die Wörter *quelque chose, que* und *quoi;*
3. **Une foule de** questions se posent. Je voudrais **une douzaine d'œufs et une livre de** beurre.	**Substantive**, z. B. *une foule, un groupe, une multitude, une quantité, un kilo, un verre.*

A 1. Ist das Substantiv nach der Mengenangabe näher bestimmt, so steht *de* mit dem Artikel: *Donnez-moi trois mètres du drap que vous m'avez vendu la dernière fois.*

2. Nach *la plupart* die Mehrzahl, die meisten und *bien* sehr viel(e), steht *de* mit dem Artikel: *La plupart des invités étaient déjà arrivés. Cela m'a fait bien de la peine. Vous semblez connaître bien des gens.* Doch sagt man immer *bien d'autres* sehr viele andere, *bien d'autres choses.*

3. Vor anderen Adjektiven als *autre,* die vor pluralischem Substantiv stehen, steht in heutiger Sprache nach *bien* stets *des: Il y a bien des vieilles maisons dans ce village. On dit que vous avez fait bien des mauvais livres* (J.-J. Rousseau). *J'ai pris bien des petits verres* (G. Flaubert).

C. In negativen Sätzen **183**

1. Je n'ai **pas d'**argent, **plus d'**argent. Vous n'avez **pas** fait **de** fautes. Il n'a jamais eu **de** succès. Il est parti **sans** donner **de** raison. Entrez **sans** faire **de** bruit!	In **negativen** Sätzen steht nach *pas, point, plus* (Mengenangaben) *de* **ohne Artikel.** Von da hat sich dieser Gebrauch auch auf *sans* und *jamais* + Verb ausgedehnt.
2. N'avez-vous pas **des amis** pour vous aider? Sie haben doch Freunde! Je n'ai pas **de l'argent** pour le gaspiller. Ich habe Geld, aber nicht, um es zu vergeuden. Il ne peut pas parler sans faire **des fautes.** Er macht immer Fehler, wenn er spricht.	Ist der Sinn des verneinten Satzes **positiv,** so steht der **volle Teilungsartikel.**
3. Les vacances de Pâques **ne sont pas des** vacances; elles sont trop courtes.	Auf negatives *être* folgt immer der volle Teilungsartikel.

A Wenn sich die Negation (hier *pas* oder *jamais*) nicht auf das Objekt, sondern auf das Verb bezieht, steht in negativen Sätzen gewöhnlich der Teilungsartikel: *On ne l'a jamais vu donner de l'argent à son fils. Je n'ai pas voulu vous faire de la peine.*

184 D. Bei Substantiv mit vorangehendem Adjektiv

1. Nous avons mangé **de la bonne soupe** et bu **du bon vin.** Il ne faut pas se faire **du mauvais sang** sich ärgern. C'est **du très bon travail** (A. Gide). Vous avez fait **de la bonne besogne** (Dictionnaire de l'Académie).	Im **Singular** steht in der heutigen Sprache bei vorangehendem Adjektiv der Teilungsartikel.
2. Je buvais de bonne bière (P. Benoit). jouer de bonne musique (G. Duhamel). C'est de bien mauvais latin (A. Hermant).	Im Singular steht bei vorangehendem Adjektiv in veralteter oder preziöser Sprache *de* ohne Artikel.
3. L'armée a subi **de grandes pertes.** Nous avons mangé **de bons fruits** et d'ex-cellents gâteaux.	Im **Plural** steht bei vorangehendem Adjektiv in guter Sprache nur *de*.
4. avoir du **bon sens,** de la **bonne humeur,** de la **mauvaise humeur,** de la **bonne volonté** dire des **bons mots** geistreiche Bemerkungen manger des **petits pains,** des **petits pois** des **jeunes gens,** des **jeunes filles**	Wenn das vorangehende Adjektiv mit dem Substantiv zu einem festen Begriff verschmolzen ist (also eine Einheit bildet), so steht im Singular und Plural der Teilungsartikel.

A 1. In der Umgangssprache hört man oft *des bons fruits, des petites choses* etc. Dieser Gebrauch dringt auch in die Literatur ein, ist aber noch nicht nachzuahmen.

2. Steht das Adjektiv nach dem Substantiv, so gelten die Regeln aus § 181 ff.

3. Unbestimmte Zahladverbien stehen ohne *de*: *Certains, différents, divers, plusieurs, quelques auteurs ont traité ce sujet. Il y a certaines odeurs pour lesquelles on éprouve de la répugnance. Diffé-rentes personnes me l'ont assuré. J'en ai parlé à diverses personnes. Il me l'a demandé à plusieurs reprises* mehrere Male. *Quelques autres le pensent aussi.*

Man findet zwar gelegentlich *de certains auteurs* etc., doch ist dies ein Zeichen veralteter oder gesuchter Ausdrucksweise.

185 Die Wiederholung des Artikels

1. **Les** professeurs et **les** élèves de notre école s'étaient réunis. la Querelle **des** Anciens et **des** Modernes	Bei einer Reihung von Substantiven wird der Artikel vor jedem Substantiv wiederholt.
2. les **frères et sœurs** Geschwister l'administration des **ponts et chaussées** Straßenbauamt les **us et coutumes** d'un pays Sitten und Gebräuche un **collègue et ami** de mon père ein befreundeter Kollege	Der Artikel wird nicht wiederholt, wenn mehrere Substantive zusammen eine Einheit bilden oder das zweite Substantiv eine Ergänzung (Erklärung) zum ersten bildet.

3. a) **les** bons et **les** mauvais **démons**
   la vraie et **la** fausse **éloquence**
   les guerres **du** douzième et **du** treizième
   siècle
 	
   l'Ancien et le Nouveau **Testament**
	Stehen vor den Substantiven Adjektive, so wird der Artikel wiederholt, wenn die Adjektive verschiedene Wesen oder Dinge näher bezeichnen, die durch ein einziges Substantiv ausgedrückt sind, z. B. *die guten (Dämonen) und die bösen Dämonen.*

b) **une** grande et belle **ville**
   un sage et utile **conseil**
   Ce sont **de** braves et honnêtes **gens.**
	Der Artikel wird nicht wiederholt, wenn die Adjektive ein und dasselbe Wesen oder Ding näher beschreiben.

Die Auslassung des Artikels

Der Artikel steht nicht **186**

1. Il **est poète, peintre, commerçant, juge,**
   etc.
 	
   être **élu député,** nommé général
   M. Duval **est professeur** à mon lycée.
   Christophe Colomb **était Italien** de naissance.
	bei Substantiven, die als prädikative Ergänzung stehen.
	Beachte den Unterschied:
	Il est peintre er ist Maler (von Beruf) .—
	Mais tu es un peintre! Du kannst ja malen!;

2. un tronc d'arbre   Baumstamm
   un rayon de soleil   Sonnenstrahl
   le moulin à vent   Windmühle
   un complet fait sur mesure   Maßanzug
   un chapeau de paille   Strohhut
   un bas de soie   Seidenstrumpf
   un conseil d'ami   Freundesrat
	zwischen zwei Substantiven, die durch eine Präposition verbunden und zu einem Begriff verschmolzen sind.
	Beachte den Unterschied:
	un conseil d'ami — le conseil d'un ami;

3. Vieillards, hommes, enfants, tous voulaient me voir (Montesquieu).	in lebhafter Aufzählung;

4. M. Duval, **professeur** à mon lycée, habite rue Claude Bernard.
   Louis XIV, **roi** de France et de Navarre
   Jeanne d'Arc naquit à Domremy, **petit village** de Lorraine.
	bei Appositionen, besonders wenn es sich um Titel handelt.

A Hebt die Apposition etwas Bekanntes hervor, so steht der Artikel: *Tartarin, l'intrépide chasseur.*
La Marseillaise, l'hymne national des Français.

Der Artikel fehlt ferner **187**

1. in einer Reihe von **Sprichwörtern** und **Redewendungen,** z. B.

Pauvreté n'est pas vice. Noblesse oblige. Ventre affamé n'a point d'oreilles. Contentement passe richesse.	Il gèle à pierre fendre (très fort). Il écouta sans mot dire. blanc comme neige croire qc dur comme fer

2. bei einigen **Substantiven, die durch *et* fest miteinander verbunden sind,** z. B.

travailler nuit et jour remuer ciel et terre alle Hebel in Bewegung setzen Grands et petits étaient sur pied.	promettre monts et merveilles goldene Berge versprechen aller par monts et par vaux über Berg und Tal

3. in einer großen Zahl von **Wendungen, in denen Verb und Objekt eine feste Verbindung bilden** (besonders bei *avoir, faire, prendre, perdre, rendre*)

Merke:

avoir faim avoir soif avoir chaud avoir froid avoir besoin de qc avoir envie de faire qc avoir peur avoir honte avoir pitié avoir raison avoir tort avoir bonne mine avoir mauvaise mine prendre femme (se marier) prendre patience sich in Geduld fassen prendre feu Feuer fangen prendre garde sich hüten prendre fin (finir) prendre possession de qc von etw. Besitz ergreifen demander raison demander compte demander pardon donner tort à qn donner ordre de faire qc	faire peur faire pitié faire tort à qn faire plaisir à qn faire preuve de courage faire fortune faire part à qn de qc mitteilen faire attention faire défaut fehlen vous faites erreur Sie irren rendre compte Rechenschaft ablegen rendre justice rendre témoignage rendre service perdre courage perdre haleine Atem perdre patience perdre connaissance porter bonheur Glück bringen porter malheur prêter serment einen Eid leisten trouver moyen de faire qc

A 1. Diese Verbindung ist so eng, daß auch in der Negation und nach Mengenangaben kein partitives *de* eintritt: *je n'ai pas faim, je n'ai plus faim; j'avais trop peur.*

2. In einer Reihe anderer, ganz ähnlicher Wendungen tritt jedoch der Artikel auf. So hat man nebeneinander: *avoir bon espoir* aber *avoir de l'espoir, de l'espérance, perdre courage* aber *avoir du courage, avoir coutume de* aber *avoir l'habitude de, perdre haleine* aber *perdre le souffle, faire silence* aber *garder le silence.*

4. in festen **Verbindungen mit Präpositionen,** z. B.

aller à cheval, à pied se mettre à table sortir de table changer d'avis regarder avec envie accepter avec plaisir	rentrer sous terre se tirer d'affaire tomber à genoux tomber par terre être en bonnes mains Entre voisins, on devrait s'entendre.

Das Adjektiv (l'adjectif qualificatif)

Das Adjektiv gehört eng zum Substantiv; es drückt eine Eigenschaft aus *(une jolie fille)*.
Im Gebrauch unterscheidet man:

1. Das **attributive Adjektiv** *(l'adjectif épithète)*. Dieses ist direkt mit einem Substantiv verbunden: *de belles fleurs, un enfant intelligent*.
2. Das **prädikative Adjektiv** *(l'adjectif attribut)*. Dieses wird durch ein Verb, meist *être* (die sogenannte *Kopula*, d. h. Verbindung), mit dem Substantiv in Verbindung gebracht: *Cette fleur est belle. L'enfant semble intelligent. Il sortit furieux.*

Es ist zu beachten, daß die französischen Bezeichnungen den deutschen zwar dem Sinne nach entsprechen, ihnen in der Form aber zu widersprechen scheinen. Dies gilt vor allem für das deutsche *attributiv* und das französische *attribut*. Frz. *attribut* entspricht dem dt. *Prädikatsnomen*. So erklären sich die unterschiedlichen Bezeichnungen in den beiden Sprachen.

Genus und Numerus

I. Das Adjektiv und sein Beziehungswort

1. Un **grand** arbre. Cet arbre **est grand.** De **grands** arbres. Ces arbres **sont grands.** Une **grande** ville. Cette ville **est grande.** De **grandes** villes. Ces villes **sont grandes.**	Das Adjektiv hat für **Femininum** und **Plural** besondere **Endungen.** Es richtet sich in **Geschlecht** und **Zahl** nach seinem Beziehungswort und wird **attributiv und prädikativ verändert** (im Dt. nur attributiv!).
2. un livre et un **cahier neufs** une jupe et une **jaquette neuves** un homme d'une **honnêteté,** d'une **loyauté parfaites** (H. Bernstein).	Bezieht sich ein Adjektiv auf **mehrere Substantive gleichen Geschlechts,** so tritt es in den **Plural** und richtet sich nach dem **gemeinsamen Geschlecht** der Substantive.
3. une robe et un **chapeau verts** La mer et le ciel **étaient bleus.** Ta **tombe** et ton berceau sont **couverts** d'un nuage (A. de Lamartine). Avec une **gaîté** et un **accent gascons** (Stendhal).	Bezieht sich ein Adjektiv auf **mehrere Substantive verschiedenen Geschlechts,** so steht das Adjektiv im **Maskulinum Plural.** Das männliche Substantiv soll dabei dem Adjektiv am nächsten stehen.
4. les **langues allemande** et **française** les **armées russe** et **japonaise** dafür meist: la **langue allemande** et la **langue française** l'**armée russe** et l'**armée japonaise**	Stehen bei einem Substantiv im Plural mehrere Adjektive, so können diese im Singular stehen, wenn jedes sich auf ein einziges der im substantivischen Plural enthaltenen Dinge bezieht. Sie nehmen darum nur das Geschlecht des Substantivs an.

Besonderheiten:

1. *Des rubans orange (couleur d'orange), une robe lilas (couleur de lilas* Flieder), *des gants paille* strohfarben. Wird das aus einem Substantiv hervorgegangene Adjektiv noch als Substantiv empfunden, so bleibt es unverändert.
2. *Une robe gris clair (d'un gris clair), bleu foncé, bleu ciel.* Zusammengesetzte Farbadjektive werden nicht verändert.

3. *Une femme sourde-muette* taubstumm, *des paroles aigres-douces* bittersüß, süßsauer. Aus zwei Adjektiven zusammengesetzte Adjektive werden verändert, wenn jedes Adjektiv das Substantiv näher bestimmt, z. B. *sourd-muet* = taub und gleichzeitig stumm.

4. *Une personne haut placée, une brebis mort-née, une fille nouveau-née.* Hat von zwei Adjektiven eines adverbialen Charakter, so wird dieses nicht verändert. Nur das eigentliche Adjektiv wird verändert. Ausnahmen:

a) *nouveau* + Part. Perf. außer *né, e,* z. B. *des nouveaux mariés.*

b) *grand, large, frais, premier, dernier* + Part. Perf., z. B. *des fenêtres grandes (larges) ouvertes, une rose fraîche cueillie, les premiers-nés, les derniers-venus.*

5. Die Adjektive *angora, chic, kaki* bleiben meist unverändert: *des chats angora, les gens chic, des uniformes kaki.* — *coûter cher* etc. vgl. § 224.

190 II. Die Bildung des Femininums

Das normale Kennzeichen des Femininums ist *-e: joli — jolie, grand — grande, plein — pleine, demi — demie.*

Adjektive auf *-e* haben keine besondere Form für das Femininum: *jeune — jeune, tranquille — tranquille, brave — brave, triste — triste.*

Bei *grand* hat sich in festen Verbindungen (mit Bindestrich, früher mit Apostroph) ein altes Femininum ohne *-e* erhalten: *grand-mère, grand-route, grand-messe, pas grand-chose* etc.

Bei *demi* halb und *nu* nackt tritt im Femininum kein *-e* ein, wenn sie durch Bindestrich mit dem folgenden Substantiv verbunden sind: *une demi-heure,* aber: *une heure et demie; nu-tête,* aber: *aller tête nue.* **Merke:** *la mi-juin* etc.

191 A. Durch Verdoppelung des Endkonsonanten

Endung m	f	Beispiele		Ausnahmen und Bemerkungen
el	— elle	cruel	— cruelle	**Ebenso:** *nul — nulle*
		mortel	— mortelle	
eil	— eille	pareil	— pareille	
		vermeil	— vermeille hochrot	
en	— enne	moyen	— moyenne	[ɛ̃] wird entnasaliert
		chrétien	— chrétienne	
on	— onne	bon	— bonne	[ɔ̃] wird entnasaliert
		mignon	— mignonne niedlich	
et	— ette	muet [-ɛ]	— muette Stumm	**Aber:** *complet — complète*
		net [nɛt]	— nette klar, deutlich	*discret — discrète*
		coquet	— coquette eitel, nett	*inquiet — inquiète*
				secret — secrète

192 B. Ohne Verdoppelung des Endkonsonanten

ot	— ote	idiot [-o]	— idiote [-ɔt]	**Aber:** *sot — sotte*
		dévot [-o]	— dévote [-ɔt] fromm	*vieillot — vieillotte*
		bigot [-o]	— bigote [-ɔt] frömmelnd	ältlich
il	— ile	vil	— vile niedrig, gemein villain	**Aber:** *gentil* [-ti]— *gentille* [-tij]
		civil	— civile	

an — ane	persan	— persane persisch	[ã] wird entnasaliert
			Aber: *paysan — paysanne*
s — se	gris	— grise [-z]	**Aber:** *bas — basse*
	français	— française [-z]	*gras — grasse*
	courtois	— courtoise [-z]	*gros — grosse* [-o:s]
	confus	— confuse [-z]	*las — lasse*
	compris	— comprise [-z]	*épais — épaisse* dick
	concis	— concise [-z]	*frais — fraîche* frisch
	divers	— diverse [-s]	*exprès — expresse* ausdrücklich
in — ine	divin	— divine	**Aber:** *malin — maligne* bösartig
	fin	— fine	
	argentin	— argentine	*bénin — bénigne* gutartig
	enclin	— encline geneigt	
ain — aine	certain	— certaine	[ɛ̃] wird entnasaliert
ein — eine	serein	— sereine heiter	
un — une	un	— une	[œ̃] wird entnasaliert
	brun	— brune	

C. Mit Veränderung des Endvokals oder des Endkonsonanten
193

er — ère	léger [-e]	— légère [-ɛ:r]	**Beachte:** *cher* [ʃɛ:r] — *chère*
	entier [-e]	— entière [-ɛ:r]	*fier* [fje:r] — *fière*
f — ve	vif	— vive lebhaft	**Aber:** *bref — brève*
	neuf	— neuve	
	actif	— active	
c — que	caduc	— caduque baufällig, hin-	**Aber:** *grec — grecque*
	public	— publique [fällig	*blanc — blanche*
	turc	— turque	*franc — franche* freimütig, offen
	franc	— franque fränkisch	
			sec — sèche
x — se	heureux	— heureuse	**Aber:** *doux — douce*
	joyeux	— joyeuse	*faux — fausse*
	peureux	— peureuse ängstlich	*roux — rousse* rothaarig
	jaloux	— jalouse	

D. Adjektive auf -eur und -teur
194

1. eur — eure	antérieur	— antérieure früher (als)	So Adjektive, die aus **lateinischen**
	extérieur	— extérieure äußerer	**Komparativen** gebildet sind.
	inférieur	— inférieure geringerer	
	intérieur	— intérieure innerer	
	majeur	— majeure größer, mündig	
	meilleur	— meilleure [dig	
	mineur	— mineure kleiner, unmün-	
	postérieur	— postérieure später (als)	
	supérieur	— supérieure überlegen	

2. eur — euse	menteur — **menteuse** lügnerisch trompeur — **trompeuse** täuschend querelleur — **querelleuse** streitsüchtig rieur — **rieuse** lachend boudeur — **boudeuse** schmollend moqueur — **moqueuse** spöttisch	So Adjektive, die **von Verben ab-geleitet** sind *(mentir — menteur, tromper — trompeur).* **Aber:** *pêcheur — pécheresse* sündhaft *vengeur — vengeresse* rächend
3. teur — trice	consolateur — **consolatrice** tröstend destructeur — **destructrice** zerstörerisch moteur — **motrice** antreibend	So Adjektive, die auch **als Substantive** auftreten und die gelehrte Wörter *(mots savants)* sind. **Aber:** *enchanteur —* *enchanteresse* bezaubernd

Merke außerdem:
    long — *longue*
    aigu — *aiguë* [egy] spitz
    ambigu — *ambiguë* [-gy] zweideutig
    favori — *favorite* Lieblings-
    hébreu — *une femme juive* (Personen) hebräisch
    — *la langue hébraïque* (Sachen)

Vgl. die Femininbildung der Substantive, § 149.

195   III. Adjektive mit zwei Formen für das Maskulinum

Bei einigen Adjektiven hat sich eine **alte männliche Form** auf *-l* erhalten vor Substantiven, die mit Vokal oder stummem *h* beginnen. Das Femininum wird aus dieser alten Form durch Verdoppelung des Endkonsonanten gebildet.

	Maskulinum		**Femininum**
beau	un beau livre	un **bel** enfant	une **belle** fleur
nouveau	un nouveau livre	un **nouvel** effort	une **nouvelle** leçon
fou	un fou rire	un **fol** espoir	une **folle** idée
vieux	un vieux monsieur	un **vieil** ami	une **vieille** dame

A Die Formen *bel, nouvel* etc. können auch vor *et* gebraucht werden, wenn ein zweites Adjektiv zum vokalisch anlautendem Substantiv tritt: *un bel et charmant enfant* oder *un beau et charmant enfant.* Bei Nachstellung jedoch nur: *un enfant beau et charmant.*

196   IV. Die Pluralbildung

1. Für die Bildung des Plurals der Adjektive gelten dieselben Regeln wie für die Pluralbildung der Substantive (vgl. § 158 ff.).

un petit garçon deux **petits** garçons	un gros souci de **gros** soucis	un homme heureux des hommes **heureux**	un beau livre de **beaux** livres
la petite maison les **petites** maisons	une grosse valise de **grosses** valises	une femme heureuse des femmes **heureuses**	une belle fleur de **belles** fleurs

Merke:

1. Adjektive auf *-s* und *-x* bleiben im Plural Maskulinum unverändert.
2. Adjektive auf *-eau* bilden den Plural Maskulinum auf *-x* (*beau, nouveau, jumeau* Zwillings-, etc.), ebenso *hébreu.*

2. Die Adjektive auf *-al* haben im Plural meist *-aux*. Einige haben *-als*.

1. al — aux amical loyal	des conseils **amicaux** des hommes **loyaux**	
2. al — als nur in **bancal** **banal** **fatal** **final** **naval**		des chevaux **bancals** krummbeinig des événements **fatals** les sons **finals** des combats **navals**

A 1. Bei einer Reihe von Adjektiven auf *-al* schwankt der Gebrauch. So haben *frugal, glacial, idéal, jovial, matinal, pascal* österlich, *pluvial* Regen ... den Plural auf *-als* oder *-aux*.
Bei anderen Adjektiven auf *-al* wird die Pluralform gemieden, so bei *automnal* herbstlich, *diamétral, instrumental, magistral* u. a.

2. Die Adjektive *fou, mou, bleu* haben im Plural ein *-s*.

Die Steigerung des Adjektivs

(les degrés des adjectifs)

I. Die Steigerung mit plus und moins   **197**

Positiv	grand, e groß			
Komparativ	plus grand, e größer		**moins** grand, e weniger groß	
Superlativ	**le plus** grand **la plus** grande	am größten; der, die, das größte	**le moins** grand **la moins** grande	am wenigsten groß; der, die, das am wenigsten große

A Für die französischen Grammatiker ist *moins grand* ebenso eine Steigerung wie *plus grand*. Sie stellen also dem *comparatif de supériorité* einen *comparatif d'infériorité* gegenüber.

1. C'est un **grand** arbre. Cet arbre est **plus grand**. Cet arbre est **le plus grand** de tous. Cette maison est **la plus grande de** toutes. Ces fleurs sont **les plus belles** de toutes. C'est **mon plus fidèle** ami, **ma plus fidèle** amie. C'est **mon ami le plus fidèle, mon amie la plus fidèle.**	Bei der Steigerung der Adjektive wird der **Komparativ** (*le comparatif*) durch Vorsetzung von *plus* gebildet, der **Superlativ** (*le superlatif*) durch Vorsetzen des bestimmten Artikels oder eines Fürwortes vor den Komparativ. Steht bei einem Substantiv mit Possessivpronomen der Superlativ nach, so muß er mit bestimmtem Artikel stehen.

A Unterscheide: *C'est hier qu'elle a été le plus malade* am kränksten; *aujourd'hui elle va déjà un peu mieux.* — *Elle est la plus malade de toutes* die Kränkste.

2. Cela m'a fait **le plus grand plaisir** (= un très grand plaisir, un énorme plaisir). C'est tout ce qu'il y a de **plus simple.** C'est on ne peut **plus simple** (= c'est extrêmement simple).	Der **Superlativ** kann, ohne Beziehung auf einen Vergleichsgegenstand, einen **höchsten Grad** ausdrücken. Man nennt diese Form *superlatif absolu.*
3. Paul est **plus âgé que** son frère. Pierre est **moins âgé que** son frère.	Im **Vergleichssatz** steht nach dem Komparativ *que* als. (Zu *aussi ... que* vgl. § 233.)

198 II. Die Steigerung ohne plus

Aus dem Lateinischen haben sich folgende Steigerungsformen erhalten:

	bon bonne		**meilleur** meilleure	le meilleur la meilleure
	mauvais mauvaise	schlimm, schädlich	**pire** pire	le pire la pire
aber:	mauvais mauvaise	schlecht	plus mauvais plus mauvaise	le plus mauvais la plus mauvaise
	petit petite	gering, wenig bedeutend	**moindre** moindre	le moindre la moindre
aber:	petit petite	klein	plus petit plus petite	le plus petit la plus petite

Unterscheide also:

C'est **le plus mauvais** (der schlechteste) café que j'aie jamais bu. Votre maison est **la plus petite** (das kleinste) de toute la rue.	Le café est **pire** (schädlicher, schlimmer) pour la santé que le thé. C'est **le moindre** de mes soucis meine geringste Sorge.

A Zu *pire, meilleur* und *moindre* gibt es neutrale Formen: *C'est pis encore. En mettant les choses au pis* schlimmstenfalls. *Tant pis* um so schlimmer! *Tant mieux* um so besser! *C'est le mieux* (das Beste) *qu'on puisse faire. C'est bien le moins* (das Geringste) *qu'on puisse demander.*

199   Die Stellung des attributiven Adjektivs

Das attributive Adjektiv kann im Frz. vor und hinter dem Substantiv stehen.

Auch für das Adjektiv gilt die allgemeine Regel über die französische Wortstellung, wonach das Wesentliche am Ende steht (vgl. § 128). In dem Satz *Nommez-moi quelques célèbres historiens* liegt auf *historiens* ein Bedeutungsakzent: *Nennen Sie mir einige berühmte Historiker (und nicht etwa Germanisten).* Sage ich dagegen *Nommez-moi quelques historiens célèbres,* so will ich betonen, daß ich nicht irgendwelche, sondern nur berühmte Historiker genannt haben möchte.

Dagegen kann in dem Satz *Nommez-moi quelques grands historiens* das Adjektiv *grand* nicht nachgestellt werden, auch wenn man *grand* betonen möchte. Man kann allenfalls sagen *quelques historiens très grands,* aber *grand* allein kann nicht unmittelbar hinter *historiens* treten. Neben dem **Prinzip von der Stellung des Wesentlichen am Ende** stehen nämlich im Französischen gleichwertig

1. das **Prinzip der Harmonie des Satzes** (Satzrhythmus): das einsilbige Wort geht gern dem zwei- und mehrsilbigen voraus; und

2. das **Prinzip der traditionellen Stellung bestimmter Adjektive.** Es gibt Adjektive, die traditionsgemäß immer vorangestellt werden.

Über die Stellung des Adjektivs lassen sich nur wenige Regeln aufstellen. Das Problem greift über das Gebiet der Grammatik *(was ist sprachlich richtig?)* hinaus in das der Stilistik *(was ist gut, was ist besser?)*.

I. Nachstellung   **200**

Die meisten Adjektive haben ihrem Wesen nach unterscheidenden Charakter und stehen daher nach dem Substantiv.
Immer nach dem Substantiv stehen daher folgende Gruppen:

1. une robe **bleue, blanche, rouge, verte** une table **ronde, ovale, carrée, neuve** la main **gauche, droite** un enfant **malade, sain, laid, sale** un vent **sec, humide, chaud, froid** .	Adjektive, die mit den **Sinnen wahrnehmbare Eigenschaften** (z. B. Farben) und **körperliche Eigenschaften** bezeichnen;

A 1. *Une noire ingratitude, de noirs chagrins, faire grise mine à qn* jdn. finster anblicken. Bildlich oder affektisch gebrauchte Farbadjektive stehen vor.

2. Farbadjektive stehen auch dann vor dem Substantiv, wenn sie eine selbstverständliche Eigenschaft ausdrücken: *le bleu ciel d'Italie, la verte Normandie.* Es handelt sich dabei um viel gebrauchte, fast abgegriffene Ausdrücke.

2. la langue **française, allemande** la religion **protestante, catholique** un député **socialiste** la famille **royale**	Adjektive, die **Nationalität, Konfession, Stand, politische Zugehörigkeit** und Ähnliches bezeichnen;
3. un vêtement **usé** un malheur **imprévu** une voix **tonnante**	**Partizipien** und **Verbaladjektive**;

A Wendungen wie *un étonnant succès, l'actuel ministre* gehören der Journalistensprache an.

4. un cœur **sensible** un vers **harmonieux** une voix **agréable**	meistens die **mehrsilbigen Adjektive,** die sich auf einsilbige Substantive beziehen;
5. un jardin **grand comme la main** une rivière **large de 200 mètres**	Adjektive, die durch eine **Beifügung ergänzt** werden.

201 II. Voranstellung

Nur eine beschränkte Anzahl von Adjektiven stehen fast immer vor dem Substantiv.

1. a) un **grand** arbre, un **grand** succès le **petit** Charles, une **petite** erreur un **beau** rêve, un **bel** homme un **mauvais** rêve, une **mauvaise** route un **saint** homme	**Vorangestellt** werden *grand* und *petit*, *beau* und *mauvais*, *saint;*
b) une **forte** (grande) somme une **riche** (grande) moisson de **menus** (petits) objets de **méchants** (mauvais) vers	Adjektive wie *fort, riche, menu, méchant,* *triste* u. a. werden ebenfalls vorangestellt, wenn sie die Bedeutung der obigen Adjektive haben.

A Werden *fort, riche, méchant* usw. in ihrer ursprünglichen Bedeutung gebraucht, so stehen sie nach: *un homme fort, un homme riche, un chien méchant.*

2. un **bon** repas un **long** voyage un **bref** épisode un **cher** ami une **grosse** pierre une **belle** femme une **jolie** fille un **vieux** monsieur	**Meist vor dem Substantiv** stehen kurze Adjektive wie: *beau, bon* *cher* lieb, *gros* *haut, jeune* *joli, vieux.*
3. Cela m'a fait un **énorme** plaisir. C'était un **affreux** spectacle. Nous étions en **joyeuse** compagnie. Une **insurmontable** méfiance donne à son visage une impression dure (G. Bernanos). Elle reçoit en plein visage la **féroce** gifle des branches humides (G. Bernanos).	Wenn Adjektive **affektisch,** d. h. gefühlsbetont und nicht verstandesbetont (unterscheidend) gebraucht werden, stellt man sie gern vor. Das Adjektiv erhält in dieser ungewöhnlichen Stellung eine besondere Ausdruckskraft.

202 III. Adjektive mit wechselnder Bedeutung

vorangestellt		nachgestellt	
Notre lycée se trouve dans un **ancien château**.	ehemalig	C'est un **château ancien**, qui date du XIIe siècle.	sehr alt
Les Duval sont de **braves gens**.	ordentlich	Un **homme brave** affronte tous les dangers.	tapfer
le **dernier mois** de l'année	letzter	Je l'ai vu le **mois dernier**.	vorig
Donnez-moi un **nouveau livre**.	ein anderer	liste de **livres nouveaux**	neu
Le **pauvre Pierre!** Il a perdu sa femme.	bedauerns- wert	L'Islande est un **pays pauvre**.	arm (ohne Reichtümer)
Un seul poulet pour tous? Ce sera un **maigre repas!**	dürftig	Je voudrais de la **viande maigre**.	mager (ohne Fett)
C'est une **triste consolation**.	unzureichend	J'aime la **musique triste**.	traurig
C'est une **méchante affaire**.	unangenehm	Attention! **Chien méchant!**	bösartig, bissig

IV. Substantiv mit zwei Adjektiven　　**203**

1. une **grande et belle** femme une femme **grande et belle** un **grand et rare** plaisir un plaisir **grand et rare**	Können beide Adjektive, einzeln ge- braucht, vor dem Substantiv stehen, so stehen sie zusammen vor oder nach dem Substantiv.
2. un **petit** homme **maigre** un homme **petit et maigre** un **gros** chat **noir** un chat **gros et noir**	Können nicht beide Adjektive einzeln vor dem Substantiv stehen, so wird entweder eines vor und eines nachgestellt oder beide werden, mit *et* verbunden, nachgestellt.

Das Adjektiv und seine Ergänzung　　**204**

être **bon pour les pauvres** Il est **bon envers tout le monde.** Je suis **fier de mon succès.** Pourquoi es-tu si **froid avec tes amis?** Sois **fidèle à tes engagements!** Je suis **content de vous voir.**	Adjektive können substantivische Ergän- zungen mit verschiedenen Präpositionen (meist *de* oder *à*) bei sich haben. Die Ergänzung kann auch ein Infinitiv sein (vgl. § 87).

Merke:

affligé de	betrübt über	haut de (3 mètres)	(3 m) hoch
âgé de (20 ans)	(20 Jahre) alt	heureux de	glücklich über
agréable à	angenehm für	indifférent à	gleichgültig gegen
attentif à	aufmerksam bei, für	ingrat envers	undankbar gegen
bon pour, envers, à	gut für, gegen	long de (2 mètres)	(2 m) lang
charmé de		nuisible à	schädlich für
enchanté de	entzückt über	pauvre en	arm an
ravi de		plein de	voll von
capable de	fähig zu	prêt à	bereit zu
comparable à	vergleichbar mit	prompt à	rasch bereit zu
conforme à	entsprechend	propre à	geeignet für
content de	zufrieden mit	riche en	reich an
contraire à	entgegengesetzt	sensible à	empfindlich gegen,
disposé à	geneigt zu		empfänglich für
égal à	gleich	sévère pour	streng gegen
fidèle à	treu	soucieux de	besorgt um
fier de	stolz auf	sûr de qc	einer Sache sicher
froid avec	kalt gegen	triste de	traurig über
habile à, en	geschickt bei, zu, in	utile à	nützlich für

A 1. *Il est heureux au jeu, en affaires* hat Glück im Spiel, Geschäftsleben. — *Je suis heureux d'apprendre qu'elle est arrivée.* — *Elle est bonne pour les pauvres, aux méchants, envers tous.* — *Il est fort en géographie, aux cartes* im Kartenspielen. Manche Adjektive wechseln die Präposition je nach dem hinzutretenden Ergänzungswort.

2. *Je suis content et fier de mon succès.* Mehrere Adjektive mit gleicher Konstruktion können eine gemeinsame Ergänzung haben. — *Je suis contente de vous voir et prête à vous recevoir.* — *Il n'est pas bon pour sa sœur, il est plutôt froid avec elle.* Bei mehreren Adjektiven mit verschiedener Konstruktion muß jedes eine Ergänzung nach der eigenen Konstruktion haben.

Das Zahlwort (l'adjectif numéral)

Die Zahlwörter geben die genaue **Zahl** oder **Reihenfolge** von lebenden Wesen oder Dingen an. Man unterscheidet:

1. **Grundzahlen** *(adjectifs numéraux cardinaux): deux, cinq* etc.
2. **Ordnungszahlen** *(adjectifs numéraux ordinaux): le premier, le dixième* etc.
3. **Bruchzahlen** *(nombres fractionnaires): un demi, un tiers* etc.
4. **Sammelzahlen** *(nombres collectifs): une paire, une douzaine* etc.
5. **Vervielfältigungszahlen** *(mots multiplicatifs): double* doppelt, *triple* etc.

Die Zahlwörter sind also zum Teil **Adjektive** *(un, vingt, premier, -ère)*, zum Teil **Substantive** *(un million, une douzaine, un tiers)*.

Dennoch bezeichnet die französische Grammatik alle Zahlwörter als *adjectifs numéraux.*

I. Die Grundzahlen (adjectifs numéraux cardinaux)

206 A. Die Grundzahlen von 1 bis 60

0 zéro [zero]	9 neuf [nœf]	18 dix-huit [dizɥit]
1 un [œ̃], une [yn]	10 dix [dis]	19 dix-neuf [diznœf]
2 deux [dø]	11 onze [õːs]	20 vingt [vɛ̃]
3 trois [trwɑ]	12 douze [duːz]	21 vingt et un [vɛ̃teœ̃]
4 quatre [kat(r)]	13 treize [trɛːz]	22 vingt-deux [vɛ̃tdø]
5 cinq [sɛ̃k]	14 quatorze [katɔrz]	30 trente [trɑ̃t]
6 six [sis]	15 quinze [kɛ̃ːz]	40 quarante [karɑ̃t]
7 sept [sɛt]	16 seize [sɛːz]	50 cinquante [sɛ̃kɑ̃t]
8 huit [ɥit]	17 dix-sept [dissɛt]	60 soixante [swasɑ̃t]

Merke:

1. *zéro* ist ein Substantiv und bekommt daher im Plural ein *-s: deux zéros.*
2. *un* bleibt unverändert in Ausdrücken wie *page un, scène un.*
3. Zehner und Einer verbindet ein Bindestrich, außer wenn *et* dazwischen steht.
4. Beachte: *vingt et un garçons — vingt et une jeunes filles.*

Besonderheiten der Aussprache

Ein Substantiv folgt nicht unmittelbar	cinq [sɛ̃k]	six [sis]	huit [ɥit]	dix [dis]
Ein Substantiv folgt unmittelbar	cinq livres [sɛ̃liːvr]	six livres [siliːvr]	huit livres [ɥiliːvr]	dix livres [diliːvr]
	cinq ans [sɛ̃kɑ̃]	six ans [sizɑ̃]	huit ans [ɥitɑ̃]	dix ans [dizɑ̃]

Merke:

1. *quatre* wird in der Umgangssprache vor Konsonant [kat] gesprochen: *quatre francs* [katfrɑ̃].
2. Die Endkonsonanten von *sept* und *neuf* werden immer gesprochen. Vor *ans* und *heures* wird das stimmlose [f] von *neuf* in stimmhaftes [v] umgewandelt: [nœvœːr].
3. Vor *huit* und *onze* wird nicht gebunden: *les onze livres* [leõːzliːvr].
4. Vor Zahlen steht kein Apostroph: *le un* die Eins, *la moitié de huit, le onze mai.*
5. Vor Monatsnamen, die mit Konsonant beginnen, wurde früher in den Zahlen von *cinq* bis *dix* der Endkonsonant gesprochen, z. B. *le six* [sis] *mai.* Heute sagt man gewöhnlich *le six* [si] *mai, le huit* [ɥi] *janvier, le dix* [di] *décembre* etc.

B. Die Grundzahlen über 60 — **207**

60 soixante	90 quatre-vingt-dix	1.000 mille [mil]
70 soixante-dix	91 quatre-vingt-onze	1.001 mille un
71 soixante et onze	92 quatre-vingt-douze	2.000 deux mille
72 soixante-douze	97 quatre-vingt-dix-sept	2.020 deux mille vingt
77 soixante-dix-sept	99 quatre-vingt-dix-neuf	1.000.000 un million [miljõ]
79 soixante-dix-neuf	100 cent [sã]	2.000.340 deux millions trois cent
80 quatre-vingts	101 cent un [sãœ̃]	quarante
81 quatre-vingt-un	110 cent dix	3.450.464 trois millions quatre cent
82 quatre-vingt-deux	200 deux cents	cinquante mille quatre cent
83 quatre-vingt-trois	1.800 dix-huit cents	soixante-quatre

Merke:

1. *quatre-vingts* verliert das *-s*, wenn eine weitere Zahl folgt: *quatre-vingt-cinq.*
2. *deux cents, trois cents* etc. verlieren ebenfalls das *-s*, wenn eine weitere Zahl folgt, und bei Jahreszahlen: 210 = *deux cent dix, en 1800* = *en dix-huit cent.*
3. *mille* hat nie ein *-s.* — In Jahreszahlen steht die Form *mil: en mil neuf cent quatorze.*
4. Für das 18., 19. und 20. Jahrhundert sagt man im Französischen *dix-sept cent* und *mil sept cent, dis-huit cent* und *mil huit cent, dix-neuf cent* und *mil neuf cent.* Für die übrigen Jahrhunderte gelten die Formen *treize cent, quatorze cent* etc., bis *seize cent.*
5. *million* ist ein Substantiv *m.* Es hat daher im Plural immer ein *-s.* Vor folgendem Substantiv steht *de: deux millions d'habitants.*
6. Beachte folgende Unterschiede: dt. Milliarde = *le milliard* oder *le billion*; dt. Billion = *le trillion.*
7. Beachte die Punktmarkierung bei Zahlen ab tausend: *1.000—20.573—127.583* usw.

II. Die Ordnungszahlen (adjectifs numéraux ordinaux) — **208**

1er	le premier [prəmje]	16e	le, la seizième
1re	la première [prəmjɛːr]	17e	le, la dix-septième
2me	le, la deuxième	18e	le, la dix-huitième
2nd(e)	le second, la seconde	19e	le, la dix-neuvième
3e	le, la troisième [trwazjɛm]	20e	le, la vingtième
4e	le, la quatrième	21e	le, la vingt et unième [-ynjɛm]
5e	le, la cinquième	22e	le, la vingt-deuxième
6e	le, la sixième [sizjɛm]	23e	le, la vingt-troisième
7e	le, la septième [sɛtjɛm]	30e	le, la trentième
8e	le, la huitième	40e	le, la quarantième
9e	le, la neuvième	50e	le, la cinquantième
10e	le, la dixième [dizjɛm]	60e	le, la soixantième
11e	le, la onzième	70e	le, la soixante-dixième
12e	le, la douzième	80e	le, la quatre-vingtième
13e	le, la treizième	90e	le, la quatre-vingt-dixième
14e	le, la quatorzième	100e	le, la centième
15e	le, la quinzième	200e	le, la deux-centième
		1.000e	le, la millième [miljɛm]

Merke:

1. Die Aussprache von *premier* vor Vokal: *le premier étage* [lə prəmjɛretaːʒ].
2. Die Aussprache von *second, seconde:*
   Nach Vokal spricht man [zgõ], [zgõd]: *la seconde fois* [la zgõd fwa].
   Nach Konsonant spricht man [səgõ], [səgõd]: *une seconde fois* [ynsəgõd fwa].

131

209 Zum Gebrauch der Ordnungszahlen

1. le premier, le **deuxième**, le troisième volume d'un ouvrage prendre un billet de **deuxième** (seconde) classe, un billet de **seconde** Il habite au deuxième (au second) étage, au **second**.	Man gebraucht *deuxième*, wenn man an eine **Reihe** denkt, wenn also *troisième* etc. folgen kann. *second* ist **immer möglich** und gilt als eleganter.
2. Il s'est marié **en secondes noces** in zweiter Ehe. le **second Empire** en premier lieu an erster Stelle **en second lieu** L'habitude est une **seconde nature.**	Nur *second* wird gebraucht in einer Reihe **fester Wendungen,** vor allem in übertragenem Sinne. Die Abkürzung für *second* ist *2nd*, für *deuxième 2me* oder *2e*.
3. a) Napoléon Ier (premier) le 1er janvier le 1er du mois	Bei **Regentennamen** und beim **Datum** steht nur für 1 die Ordnungszahl.
b) Napoléon III (trois) naquit à Paris en 1808. le deux, le trois, le 15 janvier	Sonst steht die **Grundzahl** (und zwar ohne Punkt!).

A Man sagt entweder *le deuxième (second) acte, chapitre* etc. oder *acte deux, chapitre cinq* etc.

210 **III. Die Bruchzahlen** (les nombres fractionnaires)

ein Ganzes	un entier [ãtje]	$^1/_6$	un sixième
$^1/_2$	un demi	$^3/_7$	trois septièmes
$^1/_3$	un tiers [tjɛːr]	$^9/_{10}$	neuf dixièmes
$^1/_4$	un quart [kaːr]	$1^2/_5$	une unité deux cinquièmes
$^3/_4$	trois quarts	$2^3/_7$	deux unités trois septièmes
$^1/_5$	un cinquième	$3,5$	trois virgule cinq

Merke:

$2^1/_4$ Std.	*deux heures un quart*	**aber:** 2.15 h = 2 h 15 =	*deux heures et quart*
$1^1/_2$ km	*un km et demi*	(oder amtlich *deux heures quinze*).	
$^1/_4$ Jahr	*trois mois*	$^3/_4$ Jahr	*neuf mois*
$^1/_2$ Jahr	*six mois*	$1^1/_2$ Jahr	*un an et demi* oder *dix-huit mois*.

211 Die Stunden der Uhr (les heures d'horloge)

Quelle heure est-il?	Il est une heure. Il est deux heures. Il est exactement deux heures, } genau 2 Uhr deux heures précises. Deux heures viennent de sonner. Il va être (geht auf) deux heures.
Quand viendrez-vous?	A deux heures. Vers (les) deux heures gegen 2 Uhr. A deux heures environ etwa um 2 Uhr.

2.05 h deux heures cinq (2 h 05) 2.15 h deux heures et quart (2 h 15) 2.30 h deux heures et demie (2 h 30)	2.45 h trois heures moins le quart (2 h 45) 2.55 h trois heures moins cinq (2 h 55) 3.00 h trois heures (3 h 00)
12 Uhr mittags midi midi et quart midi et demi	12 Uhr nachts minuit minuit et quart minuit et demi
8.00 h huit heures (du matin)	20.00 h huit heures du soir (amtlich: vingt heures)

A *douze heures* bedeutet *12 Stunden!*

IV. Sammelzahlen (nombres collectifs) 212

une paire de chaussures	*une paire*	ein Paar
une dizaine d'années	*une dizaine*	etwa zehn
une douzaine d'œufs	*une douzaine*	ein Dutzend
une vingtaine de personnes	*une vingtaine*	etwa zwanzig
une trentaine de pages	*une trentaine*	etwa dreißig
des centaines de gens	etc.	
un millier d'aiguilles	*un millier*	etwa tausend

A 1. Die Sammelzahlen sind Substantive. Die gezählten Gegenstände werden mit *de* angeschlossen (vgl. *un million d'habitants*).

2. Beachte auch folgende Verwendung der Sammelzahlen: *Il a atteint la trentaine* ist dreißig Jahre alt geworden, *il a dépassé la quarantaine, la cinquantaine* etc. ist über ... Jahre alt. — Die adjektivischen und substantivischen Zahlwörter auf *-aire* geben das Lebensalter an: *un (homme) quadragénaire* [kwa-] ein Vierziger, *quinquagénaire* [kɥēkwa-], *sexagénaire, septuagénaire, octogénaire, nonagénaire, centenaire.*

V. Vervielfältigungszahlen (mots multiplicatifs) 213

un mot **simple** et un mot composé	*simple*	einfach
un mot à **double** sens	*double*	doppelt
Six est **le double** de trois.	*le double*	das Doppelte
Neuf est **le triple** de trois.	*triple*	dreifach
Je vous rendrai ce service au **centuple.**	*centuple*	hundertfach

A Wörter wie *quadruple* vierfach, *quintuple* fünffach etc. sind selten. Man sagt *quatre fois autant, cinq fois autant* etc.
Doppelt so groß (wie) etc. heißt *deux fois plus grand (que), trois fois plus grand (que)*, etc.

VI. Zahladverbien (adverbes numéraux) 214

Aus den Ordnungszahlen können Adverbien gebildet werden: *premièrement* erstens, *deuxièmement* zweitens, *troisièmement* drittens usw. Sie werden bei Aufzählungen gebraucht.

Man hört auch *primo (1°), secundo* [səgõdo] *(2°)* und *tertio* [tɛrsjo] *(3°)*, für die ersten drei Zahladverbien. Volkstümlicher ist:

d'abord und *en premier lieu* für *premièrement,*
ensuite oder *en second lieu* für *deuxièmement, enfin* für *troisièmement.*

In dem Satz *Paul est un bon élève* bezieht sich *bon* als Adjektiv auf das zugehörige Substantiv und drückt eine Eigenschaft aus. Sage ich dagegen *Paul a bien travaillé*, so bezieht sich das Wort *bien* auf das Verb, das es näher bestimmt, indem es die Art und Weise der Tätigkeit angibt. *Bien* ist Adverb (lat. *ad verbum* zum Verb) oder Umstandswort. Auch in dem Satz *Les élèves ont bien travaillé* behält *bien* seine Form bei. Das Adverb ist **unveränderlich.**

Das Adverb bestimmt nicht nur das Verb näher, sondern auch Adjektive *(un homme bien pauvre)* und sogar das Adverb selbst *(on le voit bien rarement).*

Dem **Sinne** nach unterscheidet man:

1. **Adverbien der Art und Weise** *(adverbes de manière): bien, mal, rapidement, rarement* etc.

2. **Adverbien der Menge und des Grades** *(adverbes de quantité et d'intensité): assez, peu, beaucoup, trop, très* etc.

3. **Zeitadverbien** *(adverbes de temps): hier, demain, autrefois, bientôt* etc.

4. **Ortsadverbien** *(adverbes de lieu): où?, ici, partout, ailleurs* etc.

5. **Adverbien der Meinung**: der Bejahung, der Verneinung, des Zweifels, der Frage *(adverbes d'opinion: d'affirmation, de négation, de doute, d'interrogation): oui, certainement, non, ne . . . pas, peut-être, comment?, pourquoi?* etc.

Der **Form** nach unterscheidet man:

1. **Ursprüngliche Adverbien** *(adverbes primitifs)*, d. h. solche, die entweder als Adverbien aus dem Lateinischen übernommen wurden *(bien, mal, hier, quand* etc.), oder solche, die zwar nicht direkt als Adverbien aus dem Lateinischen stammen, aber im Französischen zu Adverbien wurden *(bientôt, jamais, davantage, autrefois* etc.).

2. **Von Adjektiven abgeleitete Adverbien** *(adverbes dérivés d'adjectifs)* wie *heureusement, rarement, doucement.* Diese sind durch Anfügung der Silbe *-ment* (ursprünglich der Ablativ von *mens, mentis* f mit der Bedeutung *in dem Sinne, in der Weise)* an die weibliche Form des Adjektivs entstanden. Sie sind auch heute noch fast ausschließlich Adverbien der Art und Weise.

Die Formen des Adverbs

216   **I. Die Bildung der abgeleiteten Adverbien**

1. clair, **claire** doux, **douce** rare, **rare**	— clairement — doucement — rarement	Das Adverb wird gebildet, indem man die Endung *-ment* an die **weibliche Form des Adjektivs** setzt.
2. a) **vrai**, vraie **poli**, polie **résolu**, résolue entschlossen	— vraiment — poliment — résolument	Bei den meisten Adjektiven, die auf **betonten Vokal** enden, wird das Adverb ohne das stumme *-e* geschrieben.
b) gai, **gaie** assidu, **assidue** dû, **due**	— gaiement (gaîment) — assidûment emsig — dûment gebührend	In einigen Fällen bleibt das *-e* in der Schrift *(gaiement)* oder sein Ausfall wird durch *accent circonflexe* angezeigt.

Merke: *gentil* [-ti], *(gentille) — gentiment.*

A Zu *grave* gibt es das Adverb *grièvement* nur in *grièvement blessé*; sonst heißt das Adverb immer *gravement.*

3. constant abondant prudent négligent	— constamment — abondamment — prudemment [prydamã] — négligemment [negliʒamã]	Die meisten Adjektive auf -*ant* haben Adverbien auf -*amment*, die Adjektive auf -*ent* haben Adverbien auf -*emment* [amã]. (Es handelt sich bei diesen Adjektiven um Partizipien, die im Lat. und Altfranzösischen für Maskulinum und Femininum nur eine Endung hatten.)

Merke: *présent, présente* — *présentement* gegenwärtig
véhément, véhémente — *véhémentement* heftig
lent, lente — *lentement* langsam

4. assuré, assurée aveuglé, aveuglée décidé, décidée	— assurément — aveuglément — décidément	Einige Adverbien sind von **Partizipien** auf -*é(e)* abgeleitet und haben daher -*ément*.

Einige andere haben ebenfalls -*ément*, ohne auf ein Partizip zurückzugehen, z. B.

commodément	bequem	expressément	ausdrücklich
communément	gemeinhin, gewöhnlich	impunément	ungestraft
conformément	entsprechend	obscurément	dunkel
confusément	verworren	précisément	genau entsprechend
énormément	äußerst, gewaltig	profondément	tief

II. Die Adverbien bien, mal, vite   **217**

C'est un **bon** élève: il travaille **bien**. C'est un **mauvais** élève; il travaille **mal**. C'est une voiture très **rapide**; elle roule très **vite** (rapidement).	Das Adverb zu *bon* ist *bien*, zu *mauvais: mal*, zu *rapide: vite* oder *rapidement*.

Die Steigerung des Adverbs

I. Die Steigerung mit plus und moins   **218**

Jean répond poliment. Pierre répond **plus** (moins) **poliment**. Paul répond **le plus** (le moins) **poliment**. Tous répondent **le plus** (le moins) **poliment** possible.	Das Adverb wird, wie das Adjektiv, durch *plus (moins)* und *le plus (le moins)* gesteigert.

II. Die Steigerung ohne plus   **219**

Wie beim Adjektiv haben sich auch beim Adverb einige Steigerungsformen aus dem Lateinischen erhalten, und zwar:

bien	gut	mal	schlimm	peu	wenig	beaucoup	viel
mieux	besser	pis	schlimmer	moins	weniger	plus	mehr
le mieux	am besten	le pis	am schlimmsten	le moins	am wenigsten	le plus	am meisten

135

Beachte:

1. Jean travaille **bien**. Paul travaille **mieux**. Pierre travaille **le mieux**.	*bien* wird nur mit *mieux* und *le mieux* gesteigert;
2. Nous avons été **mal accueillis**. Le malade va **plus mal** depuis quelques jours. Tu parles **plus mal** que ton frère. Ton travail est **le plus mal** écrit de tous.	*mal* schlecht steigert mit *plus, le plus;*
3. Il a **fait pis que cela** et **fera pis** encore. Er hat Schlimmeres als das getan ... Les choses vont **de mal en pis**. Es wird immer schlimmer. Il n'y a plus de beurre? **Tant pis,** on prendra de la margarine. Dann nehmen wir eben (notgedrungen) Margarine.	*pis* schlimmer hat sich in einer Reihe fester Wendungen erhalten (vgl. auch § 198).

A *bien* und *mieux* haben zuweilen adjektivische Funktion, bleiben aber unverändert: *Je suis très bien dans ce fauteuil* ich sitze sehr bequem in diesem Sessel. *Un monsieur très bien* (= *très distingué*) ein sehr vornehmer, feiner Herr. *Les Duval sont des gens bien* sind feine Leute. *Le malade est mieux* dem Kranken geht es besser.

220 III. plus (moins) que und plus (moins) de

1. Je dépense **plus que toi** (= que tu ne dépenses). Londres a **plus** d'habitants **que Paris** (= que n'en a Paris). Tu travailles **moins que ton frère** (= moins que travaille ton frère).	Nach *plus* mehr oder *moins* weniger steht *que* als, wenn ein **Vergleich** vorliegt. Der Satzteil mit *que* kann zu einem Satz ergänzt werden.
2. Il est déjà **plus de huit heures**. Le fermier avait vendu **plus de la moitié** de ses terres. **Moins de deux mois** s'étaient écoulés vergangen.	Nach *plus* und *moins* steht *de*, wenn es sich um eine **Mengenangabe** handelt (dt. oft *über*). Die Vervollständigung zum Satz ist nicht möglich.

A 1. *plus ... plus* etc. entspricht dem dt. *je ... desto: Plus on lui donne, plus il demande. Plus il souffre, moins il se plaint. Moins on travaille, moins on gagne d'argent.*

2. *davantage* bedeutet ebenfalls *mehr*. Es steht meist am Satzende und hat in guter Sprache selten *que* nach sich: *Je n'en dirai pas davantage (plus). J'aurais voulu faire davantage (plus) pour vous. Vous promettez beaucoup et donnez davantage* (Corneille). *Gardes, obéissez sans tarder davantage* (Racine). — Mit folgendem *que: Rien ne flatte les gens davantage que l'intérêt que l'on prend, ou semble prendre, à leurs propos* (A. Gide).

3. Bei *à demi, à moitié, aux trois quarts* etc. sind *moins de* und *moins que, plus de* und *qlus que* möglich: *La bouteille est plus d'à (plus qu'à) moitié vide. Ce travail est moins d'à (moins qu'à) moitié fait.*

4. Beachte die Wendungen *de plus en plus* immer mehr, *de moins en moins* immer weniger: *Il faisait de plus en plus chaud, de moins en moins froid.*

Die Stellung des Adverbs
(la place de l'adverbe)

I. In den einfachen Zeiten 221

1. Il **parle trop.** **Réfléchis longtemps** avant de parler. Il se **défend courageusement.** Il **viendra sûrement.**	In den einfachen Zeiten steht das Adverb meist **nach dem Verb.**
2. **Partout** on voyait des groupes de curieux. **Demain, dès l'aube, à l'heure** où blanchit la campagne, je partirai (V. Hugo). **Rien** ne l'intéresse. **Jamais** je ne m'ennuie.	**Orts- und Zeitadverbien** stehen oft am Anfang des Satzes. Auch *rien* und *jamais* und die Indefinita *rien* und *tout* können dort stehen.

II. In den zusammengesetzten Zeiten 222

1. Il **a** déjà **trop** parlé. Elle avait **beaucoup** pleuré. Je n'ai **rien** dit. J'ai **peu** travaillé ces jours derniers. J'ai **mal (bien)** compris. As-tu **tout** compris? Je ne l'ai **jamais** vu. J'ai **souvent** cru que tout était perdu.	In den zusammengesetzten Zeiten steht das Adverb meist **zwischen Hilfsverb** und **Partizip.** Das gilt besonders für die Adverbien der **Menge** *(beaucoup, peu, trop, tout),* des **Grades** *(mal, bien),* der **Verneinung** *(pas, rien, jamais)* und die **unbestimmten Zeitadverbien** *(souvent, rarement, quelquefois* etc.).
2. Il est arrivé **hier** (aujourd'hui). Je me suis levé **tard** (tôt). Je l'ai suivi **partout.** On ne l'a vu **nulle part.** Quand est-il venu **ici?**	Die **Ortsadverbien** und die **bestimmten Zeitadverbien** *(aujourd'hui, hier, demain* etc.) sowie *tôt* und *tard* stehen nach dem Partizip.
3. J'ai trouvé **facilement** l'endroit indiqué. Il s'est défendu **courageusement.**	Auch die **längeren Adverbien** stehen oft **nach** dem Partizip.

III. Beim Infinitiv 223

1. J'appelle cela **mal travailler.** Il savait **bien parler.** Il dépense beaucoup, sans **trop penser** à sa famille.	**Kurze** oder **häufige Adverbien** wie *bien, mal, beaucoup, peu, trop* stehen meist **vor** dem Infinitiv.
2. Il le vit **arriver lentement.** Il se sentit **taper légèrement** sur l'épaule.	Sonst stehen beim Infinitiv die Adverbien meist **nach.**

Wendungen mit adverbialem Charakter

I. Adjektiv statt Adverb

224 1. Bei einer Anzahl von Verben wird in bestimmten Verbindungen das Adjektiv als neutrales Objekt *(parler haut* etw. Lautes sprechen) in adverbialem Sinne gebraucht.

L'avion **volait** très **bas.** Ces fleurs **sentent bon (mauvais).** **parler haut** (à haute voix) **parler bas** (à voix basse)	Cela **sonne faux, sonne juste.** Vous **vendez** cet article **trop cher.** Je veux **voir clair** dans cette affaire. Vous avez **deviné juste.**

Merke:

coûter acheter } cher vendre	teuer { sein kaufen verkaufen	peser lourd	schwer wiegen
		parler haut, bas	laut, leise sprechen
		penser juste	richtig denken
chanter } juste, faux sonner	richtig, falsch { singen klingen	refuser net	glatt abschlagen
		sentir bon, mauvais	gut, schlecht riechen
deviner juste	richtig raten	travailler ferme	tüchtig arbeiten
gagner gros	viel verdienen	tenir bon	standhalten
		voir clair	klar sehen

A Ähnlicher Gebrauch liegt vor in *parler français, anglais* etc. und, mit Substantiv, in *parler politique* von Politik reden, *parler affaires, causer théâtre* etc.

225 2. Wenn nicht die Art der Tätigkeit, sondern der **Zustand des Subjekts** ausgedrückt werden soll, wird oft ein **prädikatives Adjektiv** statt eines Adverbs gebraucht.

Art der Tätigkeit	**Zustand des Subjekts**
Les enfants **rentrèrent bruyamment.** (Das Heimkommen war lärmend.)	Les enfants rentrèrent **joyeux.** (Die Kinder waren fröhlich, als sie heimkamen.)
Il m'**écouta attentivement.** (Er hörte mich aufmerksam an.)	**Attentif, il** ne laissa échapper aucune parole. (Aufmerksam wie er war ...)
Il **dormait tranquillement** quand j'arrivai chez lui. (Er schlief seelenruhig.)	Ici **tu** peux dormir **tranquille.** (Hier kannst du ungestört schlafen.)

226 ## II. Substantivische Umschreibungen

1. Il répondit **d'un air content,** **d'un ton fâché,** **d'une manière concise** knapp. Elle écrit **d'une façon précise.**	Bei **Adjektiven,** die kein Adverb haben (wie *content, fâché, concis* u. a.), und bei **Partizipien** benutzt man **Umschreibungen** wie *d'un air, d'un ton, d'une manière* etc. + Adjektiv.
2. On vous attend **avec impatience.** regarder quelqu'un **avec pitié** **avec respect** **avec horreur**	Die Formen auf -*ment* werden auch sonst oft als schwerfällig empfunden. Sie werden gern durch *avec* + Substantiv ersetzt.

III. Verbale Umschreibungen

1. Est-ce que vous **aimez danser?** Tanzen Sie gern? Il ne **tardera pas à venir.** Er wird bald kommen. J'**espère qu'il viendra** encore. Hoffentlich kommt er noch. J'ai **manqué de (failli) tomber.** Ich wäre beinahe gefallen.	Der verbale Charakter des Französischen bringt es mit sich, daß einem deutschen Adverb oft im Französischen ein verbaler Ausdruck entspricht.
2. Il se mit à écrire **en tremblant.** Elle me quitta **en pleurant.** Il m'a dit tout cela **en riant.**	Auch das Gerundium steht oft in adverbialem Sinne.

Der Gebrauch einzelner Adverbien

I. beaucoup, très, bien, fort

A. Beim Verb

Je m'**intéresse beaucoup** à votre travail. Cela m'a **beaucoup plu.** Cela me **déplaît fort.** Nous nous sommes **bien amusés.** Ils se sont **bien ennuyés.**	Beim Verb stehen *beaucoup, fort, bien* in der Bedeutung *sehr.*

B. Beim Adjektiv

1. Elle était **bien triste.** Il est **très content.** Elle était **fort mécontente.**	Beim Adjektiv stehen *bien, très, fort* in der Bedeutung *sehr.*
2. Ce vin est **bien supérieur.** Il est **bien meilleur** que l'autre.	Bei Komparativen ohne *plus* (vgl. § 198) steht *bien* in der Bedeutung *viel, weit.*
3. Cette maison est **bien plus jolie** que l'autre. Ce livre est **beaucoup moins intéressant** que je croyais.	Bei Komparativen mit *plus* und *moins* steht *bien* oder *beaucoup* in der Bedeutung *viel.*

C. Beim Adverb

Il faut marcher **beaucoup** (bien) **plus** vite. J'ai **beaucoup** (bien) **moins** travaillé qu'hier. C'est **beaucoup** (bien) **mieux.** C'est **beaucoup** (bien) **trop.**	Bei den Adverbien *plus, moins, mieux, trop* stehen *beaucoup* und *bien* in der Bedeutung *viel.*

231 Es steht also

beaucoup

sehr bei Verben	Cela m'**intéresse beaucoup.**
viel vor *plus, moins, mieux, trop*	Il travaille **beaucoup plus** (moins).
	Il travaille **beaucoup mieux** (trop).
vor Komparativen mit *plus, moins*	C'est **beaucoup plus** (moins) **joli.**

bien

sehr vor Adjektiven	C'est **bien amusant.**
vor Adverbien	Il marche **bien lentement.**
bei Verben	On a **bien ri.**
viel vor gesteigerten Adjektiven	C'est **bien plus joli.**
vor gesteigerten Adverbien	Il mange **bien moins.**

très

sehr vor Adjektiven	Il est **très paresseux.**
vor Adverbien	Il travaille **très vite.**

fort

sehr vor Adjektiven	C'est **fort joli.**
vor Adverbien	Il travaille **fort lentement.**
bei Verben	Cela me **déplaît fort.**

A Heute darf *très* auch vor abstrakten Substantiven in einigen festen Wendungen gebraucht werden, z. B.: *J'ai très faim (grand-faim), très soif (grand-soif), très peur (grand-peur). J'ai très envie d'allumer une cigarette* (R. Martin du Gard). *Il a raison, très raison* (G. de Maupassant). *Il faut prendre très garde ici aux paroles qu'on prononce* (J. Cocteau).

II. aussi, si und autant, tant

232 A. Zum Ausdruck eines hohen Grades

1. Un homme **si estimé,** qui parle **si bien!** C'est **si beau!** Au fond, tu n'es pas **si à plaindre** (M. Aymé). Les gens ne se sentent jamais **si à leur aise** (fühlen sich nie so wohl) que lorsqu'ils parlent de maladies (J. Romains).	Um einen hohen Grad auszudrücken, steht *si* so bei **Adjektiven, Adverbien** und **adverbialen Ausdrücken;**
2. Il a **tant travaillé** qu'il est tombé malade. Il a perdu sa femme **tant aimée.**	*tant* so sehr beim **Verb** und beim **verbalen Partizip.**

A *J'ai eu si peur! J'ai si faim* etc. (also *si* vor Substantiven) ist familiär, aber sehr häufig: *Elle avait eu si peur* (F. Mauriac). *A-t-il si tort?* (La Varende).

B. Zum Ausdruck eines Vergleiches **233**

1. Marie est **aussi grande** que Louise. Elle travaille **aussi bien** que sa sœur. Elle **travaille autant** que sa sœur. Il est modeste **autant** qu'habile (= autant qu'il est habile).	Um einen Vergleich auszudrücken, steht in **bejahten Sätzen** *aussi* beim Adjektiv und Adverb, *autant* beim Verb. Dem dt. *wie* entspricht *que*.
2. Marie n'est **pas si** (aussi) **grande** que Louise. Elle ne **travaille pas tant** (autant) que sa sœur.	in **verneinten Sätzen** *si, aussi* beim Adjektiv und Adverb, *tant, autant* beim Verb.

A *Ainsi* so bezeichnet die Art und Weise, nicht den Grad: *Ainsi mourut le grand César. Ainsi soit-il* Amen.

III. comment, combien, que, comme **234**

1. **Comment** trouvez-vous ce vin? Savez-vous **comment** il m'a trompé?	*comment* wie wird gebraucht in der **direkten** und **indirekten Frage.**
2. Vous n'imaginez pas **combien** je souffre. Je n'ai pas besoin de vous montrer **combien** cette situation est délicate (J. Romains).	*combien* als Gradadverb (wie sehr) steht vor allem im **indirekten Fragesatz.**
3. Rien n'est **(aus)si** beau **que** le printemps. Le français, **ainsi que** l'italien (comme l'italien), dérive du latin. J'ai pris **la même** route **que** la veille. J'ai retrouvé ma maison **telle que** je l'avais quittée genau so wie. **Qu'**il fait chaud aujourd'hui! Ah! **que** je souffre!	*que* wird gebraucht im **Vergleich nach** den **hinweisenden Wörtern** *ainsi, aussi, si* *autant, tant* *le même, tel;* im **Ausruf** (wie).
4. Vous savez **comme** il m'a trompé. Vous savez **comme** il sait tout (V. Hugo). **Comme** il fait noir dans la vallée! (A. de Musset). Il faisait noir **comme** dans un four (Backofen; **aber:** aussi noir que ...). courir **comme** un lièvre Faites **comme** chez vous. Tun sie ganz so, als ob sie zu Hause wären.	*comme* wird gebraucht in der **indirekten Frage** in der Bedeutung *wie sehr,* im **Ausruf** in der Bedeutung *wie* (in diesem Sinne ist *que* häufiger, vgl. 3), im **Vergleich ohne hinweisendes Wort** (vgl. 3).

IV. plus tôt und plutôt **235**

1. J'arriverai **plus tôt que** vous. Le **plus tôt** sera le mieux. Je eher, desto besser.	*plus tôt*, in zwei Wörtern, bedeutet *eher*, *früher* im rein zeitlichen Sinne.

2. Plutôt souffrir que mourir (La Fontaine). Ne te fâche pas, **ris plutôt.** Il faut vous oublier, ou **plutôt** vous haïr (Racine). Ce roman est **plutôt ennuyeux** (assez ennuyeux). Il s'est exprimé dans des termes **plutôt** (assez) **vulgaires.**	*plutôt* in einem Wort bedeutet *eher* im Sinne von *lieber*. Außerdem bedeutet es *ziemlich* (Synonym: *assez*).

236 V. oui und si

1. Viendrez-vous ce soir? — **Oui,** monsieur. Tu as terminé ta lettre? — **Oui,** papa. Est-ce qu'il viendra? — Je crois **que oui.** Vous êtes libre ce soir?—J'espère **que oui.**	*oui* ja wird gebraucht in der bejahenden Antwort auf eine **positive Frage.** In Abhängigkeit von einem Verb des Sagens und Denkens muß *que* vorausgehen.
2. Vous ne fumez pas? — **Si,** je fume même beaucoup. Vous ne viendrez pas? — **Si,** mais un peu plus tard. Il a dit qu'il ne viendrait pas. Et moi, je vous dis **que si!**	*si* ja muß gebraucht werden, wenn auf eine **verneinende Frage** eine bejahende Antwort erfolgt (dt. *doch*). In Abhängigkeit von einem Verb des Sagens und Denkens muß *que* voraufgehen.

A **1.** Es ist sehr unhöflich, auf eine Entscheidungsfrage nur mit *oui, non, si* zu antworten. Zu diesen Antworten muß eine Anrede hinzutreten: *As-tu fini tes devoirs? — Oui, papa. Non, maman. — N'avez-vous pas fait la vaisselle* gespült? *— Si, madame, je l'ai faite.*

2. In der gesprochenen Sprache hört man oft für *oui* die adverbialen Ausdrücke *certainement, bien sûr* natürlich, selbstverständlich und, etwas familiärer, *pour sûr* und *d'accord. Vous viendrez ce soir? — Bien sûr! — Veux-tu m'aider à réparer ma bicyclette? — D'accord, je t'aiderai.* Vor einem allzu häufigen Gebrauch des Modeausdrucks *d'accord* für *oui* ist zu warnen.

237 Die Adverbien der Verneinung

Das Adverb der Verneinung im Lateinischen war *non (non veniet* er wird nicht kommen). Dieses *non* hat sich im Französischen in derselben Form erhalten, wird aber nur noch absolut in seiner vollen Form gebraucht: *Est-ce qu'il viendra? — Non, monsieur.* Beim Verb hat es sich sehr früh zu *ne* abgeschwächt: *Je ne puis le dire.*

Diese lautschwache Form wurde bald durch Adverbien der kleinsten Menge ergänzt: *ne pas* keinen Schritt, *ne point* keinen Punkt. Nur in wenigen Fällen kann heute *ne* noch ohne eine solche Ergänzung stehen.

Im Laufe der Sprachentwicklung wurden die tonstärkeren Wörter *pas, point, guère* etc. zu den eigentlichen Trägern der Verneinung, so daß sie in der heutigen Volkssprache allein (ohne *ne*) gebraucht werden. Es ergab sich so folgende Abstufung:

Gebildet und literarisch: *je ne sais*
Normale Sprache: *je ne sais pas*
Volkssprache: *j'sais pas* **[ʃepa]**

I. ne . . . pas, ne . . . point, ne . . . guère, ne . . . plus

A. Bedeutung

238

1. Je **ne** le crois **pas**. Je **ne** l'ai **pas** cru. Il **n'a pas** dit qu'il **ne** viendrait **pas**.	Die weitaus häufigste Form der Verneinung ist *ne . . . pas* nicht.
2. Je **ne** le ferai **point**. Je **ne** l'ai **point** aimé (Racine). **Ne** nous flattons donc **point** (La Fontaine).	*ne . . . point* verneint stärker als *ne . . . pas*. Es klingt geziert und wird wenig gebraucht.
3. Il **n'est guère** intelligent. Je **n'ai guère** le temps de vous recevoir. Elle **n'a guère** moins de trente ans. Il **n'a guère** d'argent.	*ne . . . guère* kaum ist eine abschwächende Verneinung und wird deshalb gern als höfliche, nicht schroffe Verneinung gebraucht.
4. Il **n'est plus** très jeune. Tu **ne** t'en souviens **plus**? Fais donc de la lumière; on **n'**y voit **plus**.	*ne . . . plus* bedeutet *nicht mehr*.

Merke außerdem:

Je n'y vois goutte nicht die Hand vor den Augen.

Il n'a dit mot, il n'a soufflé mot de tout cela kein Sterbenswörtchen.

ne . . . mie (eigentlich *kein Krümchen*) ist veraltet: *N'écoutez mie* (La Fontaine).

A 1. *ne . . . pas, ne . . . point, ne . . . plus* können durch *du tout* verstärkt werden: *Je ne le crois pas du tout* ganz und gar nicht, keinesfalls. *Je ne m'en souviens plus du tout* ganz und gar nicht mehr, absolut nicht mehr.

2. Auch *jamais, personne, rien* etc. können bei *ne* die Rolle des Ergänzungswortes spielen: *Je ne le vois jamais. Ne connaissez-vous personne ici? Il ne m'a rien dit.* (Vgl. dazu das indefinite Pronomen, § 296 ff.)

B. Stellung

239

1. Je **ne** viendrai **pas**. Il **ne** m'écrit **plus**. Nous **ne** nous voyons **guère**. Je **ne** te dirai **plus rien**.	In **einfachen Zeiten** steht *ne* vor dem Verb und dem Objektpronomen, *pas* etc. hinter dem Verb. (Zur Stellung der Pronomina vgl. § 249 ff.)
2. Je **n'ai pas** voulu vous offenser. Il **ne** l'a **plus** revu. **Ne** le lui as-tu **pas** dit? **Ne** reviendra-t-il **pas** à Paris?	Bei den **zusammengesetzten Zeiten** steht *ne* vor dem Hilfsverb und den Objektpronomen, *pas* etc. hinter dem Hilfsverb.
3. J'espère **ne plus** entendre de telles paroles. Je **n'**en ai rien dit pour **ne pas** vous inquiéter.	Beim **Infinitiv** steht *ne pas* etc. geschlossen vor dem Infinitiv und den unbetonten Pronomen.
4. Je crains de **ne pas** être compris. Oder: Je crains de **n'être pas** compris. Je regrette de **ne pas** avoir dit la vérité. Oder: Je regrette de **n'avoir pas** dit la vérité.	Bei den **Infinitiven *avoir*** und ***être*** + **Partizip Perfekt** steht *ne pas* etc. entweder vor oder nach *avoir* oder *être*. Bei anderen Verben ist diese Stellung heute nicht mehr möglich.

240 C. Das negative Ergänzungswort ohne ne

Quand veux-tu y aller? — **Pas aujourd'hui.** Vous avez peur? — **Pas du tout.** **Pourquoi pas?** Nous étions tous fatigués; **lui pas.** Les autres étaient surpris; **moi pas.**	*pas, point* etc. stehen ohne *ne* in Sätzen ohne Verb.

241 II. Die betonte Negationsform non, non pas

1. a) Viendrez-vous? — **Non, monsieur.** Est-ce qu'il y aura de la pluie? — J'espère **que non.** b) L'accusé a été déclaré **non coupable** nicht schuldig. c) un compartiment de **non-fumeurs** un pacte de **non-agression**	*non* steht in negativen Antworten ohne Verb; (in Abhängigkeit von einem Verb des Sagens und Denkens muß *que* voraufgehen); in Sätzen, in denen nicht das Verb, sondern ein anderes Wort verneint werden soll; in Zusammensetzungen als negatives Präfix (Bindestrich!).
2. Je parle du passé et **non** (non pas) du présent. Il est sévère, **non** (non pas) injuste. Il a **non** seulement l'estime, mais encore (mais aussi) l'affection de tous.	*non, non pas* steht, wenn in einem Satz zwei Begriffe einander gegenübergestellt werden, von denen einer verneint wird.

242 III. ne . . . que, seul, seulement

1. On **ne** meurt **qu'**une fois (Molière). On meurt une fois **seulement.** L'église **n'**était séparée de la ferme **que** par un jardin. Il **ne** restait plus **qu'**un espoir. Il **n'**est **que** huit heures. Il est **seulement** huit heures.	*ne . . . que* nur ist meist gleichbedeutend mit *seulement.* Bei Zeitangaben bedeutet es *erst.*
2. Il **n'**y a **que Dieu** qui puisse nous aider. **Dieu seul** pourrait nous aider. Il **n'**y a **que les morts** qui ne reviennent pas. **Seuls les morts** ne reviennent pas.	Wird durch *ne . . . que* das Subjekt hervorgehoben *(nur = allein)*, so entspricht ihm das Adjektiv *seul.* (Hier darf nicht *seulement* gebraucht werden!).
3. Tu **ne fais que jouer** (du spielst nur) toute la journée au lieu de travailler. J'ai cru mourir, mais je **n'ai fait que vieillir** (Voltaire). Ce n'est pas sérieux; je **plaisante seulement.**	Soll das Verb eingeschränkt werden, so benutzt man die Umschreibung *ne faire que* nichts anderes tun als oder *seulement* nur.

A *ne pas que* bedeutet in der heutigen Sprache *nicht nur: Ne pensez pas qu'à vous* (A. France) = *ne pensez pas seulement à vous.*

IV. ni

Bejahender Satz	Verneinender Satz
1. L'un et l'autre ont reçu un prix. L'un ou l'autre aura le prix. Je crois qu'il pense à venir et qu'il viendra.	Ni l'un ni l'autre n'a reçu un prix. Ni l'un ni l'autre n'aura le prix. Je **ne** crois **pas** qu'il vienne, **ni** qu'il pense à venir.
2. Il veut, il doit et il peut travailler. Il boit et il mange bien.	Il **ne** veut, **ni ne** doit, **ni ne** peut travailler. Il **ne** boit **ni ne** mange.
3. Il a reçu un prix, et son ami **aussi** ... und sein Freund auch, ebenfalls.	Il n'a pas reçu de prix, **ni** son ami **non plus** (et son ami n'en a pas reçu non plus) ... und sein Freund auch nicht.

Merke:

1. *ni* ist die Verneinung von *et* oder *ou. ni* wird vor jedem verneinten Begriff wiederholt (weder ... noch ... noch ...). Vor dem Verb steht *ne*.

2. Bei der Verneinung mehrerer Verben steht vor dem ersten Verb *ne*, vor den anderen *ni* (wobei das *ne* wiederholt werden kann).

3. *ne... pas non plus* und *ni ... non plus* ist die Verneinung zu *aussi*.

V. ne alleinstehend, ohne Ergänzungswort

Als Rest alter Sprache kann *ne* allein stehen in den folgenden Fällen gehobener Sprache:

1. Je n'ose (pas) accepter votre offre. Il ne cesse (pas) de se plaindre. Je ne puis (ne peux pas) me consoler. Il ne sait (pas) ce qu'il veut. Je ne saurais vous dire si M. Dupont habite encore ici.	bei *oser* wagen, *cesser* aufhören, *pouvoir* können und *savoir* wissen, besonders bei nachfolgendem Infinitiv; immer bei der höflichen Form *je ne saurais = je ne puis*.

A 1. Bei *je ne puis* steht nie *pas*. Bei *je ne peux pas* muß es immer stehen.

2. Bei *savoir* können steht immer *ne ... pas: Il ne sait pas nager.*

2. La mémoire se perd **si on ne l'exerce** (pas). Cette église date du XIIIe siècle, **si je ne me trompe** (pas). **N'était son grand âge,** elle m'accompagnerait dans mon voyage. Je ne l'ai dit à personne, **si ce n'est à mon fils.**	*ne* kann weiterhin allein stehen in **Konditionalsätzen,** besonders nach *si*, vor allem in *si ce n'est, si ce n'était* außer;
3. Il n'est pas de malheur **que le temps ne fasse** (pas) **oublier.** Y a-t-il des hommes qui **ne désirent** (pas) **être heureux?**	in **Relativsätzen,** die sich an einen verneinten oder fragenden Hauptsatz anschließen.

4. **Que n'es-tu** (pas) **venu** plus tôt! **Qui ne court** (pas) après la fortune? **Que ne ferais-je** (pas) pour vous aider?	Nach *que* im Sinne von *pourquoi* und gelegentlich in allgemeinen Fragen mit *qui* oder *que*.
5. **Il y a** longtemps **que je ne vous ai** (pas) **vu.** **Voici** bientôt quinze jours **que je ne l'ai** (pas) **rencontré.** **Aber:** **Voilà** deux ans **que nous ne nous parlons pas.**	Im **Temporalsatz** nach *il y a* seit *voici, voilà* es ist her *depuis que,* aber nur in den **zusammengesezten Zeiten.**

A Die Verneinung mit *pas* bedeutet stets eine entschiedenere Verneinung. In der Umgangssprache wird in allen diesen Fällen *pas* hinzugefügt.

245 VI. Zusätzliches ne

Der Satz *Je crains qu'il ne vienne* bedeutet, trotz des *ne*, Ich fürchte, daß er kommt. Das *ne* des Nebensatzes hat keine eigentlich verneinende Kraft und heißt deshalb *ne explétif* (zusätzliches *ne*). Entstanden ist der Gebrauch dieses *ne* als Latinismus des 16. Jahrhunderts aus der Kreuzung zweier Konstruktionen: *Möge er nicht kommen; ich fürchte es.*

Dieses zusätzliche *ne* braucht nicht zu stehen. Es findet sich im wesentlichen auch nur in gepflegter und literarischer Sprache, während die Umgangssprache es nur in einigen Wendungen kennt. Aus der Sprache moderner Schriftsteller verschwindet es mehr und mehr.

1. Je **crains qu'il** (ne) **soit** trop tard. **J'ai peur qu'il** (ne) **lui soit** arrivé un malheur. **Empêchez, évitez qu'on** (ne) **vous voie.**	Das zusätzliche *ne* kann stehen in Nebensätzen nach den **positiven Ausdrücken** des **Fürchtens** und **Verhinderns**;
2. Je **ne doute pas qu'il ne vienne** (qu'il viendra) bientôt. **Doutez-vous que cela** (ne) **soit** vrai? Je **ne nie pas que je ne sois** infiniment flatté (Voltaire). **Contestez-vous qu'il** (ne) **soit** menteur?	in Nebensätzen nach **negativen** oder **interrogativen Ausdrücken des Zweifels** und des **Leugnens** (*douter, nier, contester* etc.);
3. Il est **plus riche qu'on** (ne) **pense.** Il a **moins d'esprit qu'il** (ne) **croit.** Il agit **autrement qu'il** (ne) **parle.** Le temps est **meilleur qu'il** (n')**était** hier.	nach positiven Hauptsätzen in **Vergleichssätzen**, die eine **Ungleichheit** ausdrücken;
4. Partez **avant qu'il** (ne) **soit** trop tard. Il n'en fera rien, **à moins que vous ne lui parliez.**	nach den **Konjunktionen** *avant que* bevor und *à moins que* wofern. Nach *à moins que* fehlt *ne* selten.

A Unterscheide: *Je crains qu'il ne vienne* ... daß er kommt. *Je crains qu'il ne vienne pas* ... daß er nicht kommt. *Je ne crains pas qu'il vienne* ich fürchte nicht, daß er kommt.

In dem Satz *Charles chante, il est heureux* steht *il* für das Nomen *Charles*. Diese Wortart, die für das Nomen steht, heißt **Pronomen** oder Fürwort.

In den Sätzen *Charles chante* und *J'entends Charles chanter* ist an der Form nicht zu erkennen, ob *Charles* Subjekt oder Objekt ist, denn das Französische hat keine Deklination des Substantivs mehr (vgl. § 167). Dagegen sind in den Sätzen *Il chante* und *Je le vois* die Pronomina *il* und *je* deutlich Nominative, *le* eindeutig Akkusativ, auch in der Form.

Bei einzelnen Pronomen haben sich also im Französischen besondere Formen für Nominativ, Dativ und Akkusativ erhalten. Wir sind daher berechtigt, bei den Pronomen von Kasus zu sprechen.

Man kann **adjektivische** Pronomen *(mon père, cet homme)* und **substantivische** Pronomen *(le mien, celui-ci)* unterscheiden. Die französische Grammatik scheidet scharf zwischen *adjectif pronominal*, das nur in Verbindung mit dem Nomen steht, und *pronom*, das alleinstehend für das Nomen steht. Für die französischen Grammatiker gehören die adjektivischen Pronomen zur Gruppe der Adjektive, während die deutschen Grammatiker adjektivisches und substantivisches Pronomen unter dem Begriff Pronomen zusammenfassen.

Ihrem Sinne nach unterscheidet man:

1. **Personalpronomen**   *(le pronom personnel):* je, il, elle, nous ...; dazu die Pronominaladverbien *en, y*

2. **Possessivpronomen**   *(le pronom possessif):* le mien, le tien etc. *(l'adjectif possessif):* mon, ton, son etc.

3. **Demonstrativpronomen**   *(le pronom démonstratif):* celui, celle etc. *(l'adjectif démonstratif):* ce, cette etc.

4. **Relativpronomen**   *(le pronom relatif):* qui, que, lequel, dont etc.

5. **Interrogativpronomen**   *(le pronom interrogatif):* qui? lequel? *(l'adjectif interrogatif):* quel?

6. **Indefinite Pronomen**   *(le pronom indéfini):* on, personne etc. *(l'adjectif indéfini):* maint, certain etc.

Das Personalpronomen   **247**

(le pronom personnel)

Das Personalpronomen steht stellvertretend für das Nomen und bezeichnet die grammatische Person (1., 2. und 3. Person Singular und Plural). Nur die Pronomen der 3. Person *(il, elle, ils, elles)* bezeichnen außer der Zahl auch das Geschlecht.

Man unterscheidet:

1. das **verbundene** oder **unbetonte Personalpronomen**: *je viens, tu vois, je le regarde, je lui ai parlé;*

2. das **unverbundene** oder **betonte Personalpronomen**: *moi, toi, lui;*

3. die **Pronominaladverbien** *en* und *y*, die man heute zu den Personalpronomen zählt.

I. Das verbundene Personalpronomen (le pronom personnel atone)

248 A. Formen

Subjekt	direktes Objekt		indirektes Objekt		Merke:
J'arrive:	on **me**	présente;	on **me**	donne la main.	Die Pronomen *me,*
Tu arrives:	on **te**	présente;	on **te**	donne la main.	*te, le, la, se* werden
Il arrive:	on **le**	présente;	on **lui**	donne la main.	vor vokalisch anlau-
Elle arrive:	on **la**	présente;	on **lui**	donne la main.	tendem Verb eli-
Nous arrivons:	on **nous**	présente;	on **nous**	donne la main.	diert: *On m'écoute.*
Vous arrivez:	on **vous**	présente;	on **vous**	donne la main.	*Elle s'arrête. Je*
Ils arrivent:	on **les**	présente;	on **leur**	donne la main.	*l'attends* ihn, sie.
Elles arrivent:	on **les**	présente;	on **leur**	donne la main.	
Il arrive:	il **se**	présente.	Il **se** lave les mains.		Das Frz. hat nur
Ils arrivent:	ils **se**	presentent.	Ils **se** lavent les mains.		für die 3. Person
Elle arrive:	elle **se**	présente.	Elle **se** lave les mains.		ein besonderes Re-
Elles arrivent:	elles **se**	présentent.	Elles **se** lavent les mains.		flexivpronomen.
					(Vgl. engl. *myself* etc.)

B. Stellung

249 1. Subjektform und eine Objektform beim Verb

a) Il écrit.
Il a écrit.
A-t-il écrit?
N'écrit-il pas?
N'a-t-il pas écrit?

Als **Subjekt** (Nominativ) steht das Personal-Pronomen in der Aussage vor dem konjugierten Verb. In der Frage tritt es hinter dieses (Inversion des Pronomens) und wird durch Bindestrich angeschlossen.

b) Il me voit.
Il m'a vu.
Il ne me voit pas.
Il ne m'a pas vu.
Me voit-il?
Ne me voit-il pas?
Ne m'a-t-il pas vu?
Il se lève etc.

Je lui écris.
Je lui ai écrit.
Je ne lui écris pas.
Je ne lui ai pas écrit.
Est-ce que je lui écris?
Lui ai-je écrit?
Ne lui ai-je pas écrit?
Ne lui écris pas.

Die **Objektformen** (Akkusativ und Dativ) stehen stets unmittelbar vor dem konjugierten Verb, ebenso das Reflexivpronomen *se.*
(Ausnahme beim bejahten Imperativ, vgl. § 258.)

c) J'en parle souvent.
J'en ai souvent parlé.
J'y vais tous les jours.

Auch en und y stehen stets unmittelbar vor dem konjugierten Verb
(außer beim bejahten Imperativ, vgl. § 258).

250 2. Zwei Objektformen beim Verb

a) Tu veux son adresse? Je te l'ai donnée.
J'ai fait de belles photos; je vous les montrerai.
Me les montreras-tu aussi?
Pourquoi ne nous les as-tu pas montrées?
Ne me les montre pas.

Dativ und die Akkusative le, la, les können gleichzeitig vor das Verb treten.
Im Aussage- und Fragesatz sowie beim verneinten Imperativ steht der **Akkusativ dem Verb am nächsten.**
(Bejahter Imperativ, vgl. § 259.)

b) Je **le lui** ai raconté.
Et les photos; **les leur** as-tu montrées?
Ne **les lui** montre pas.

Nur die Dative *lui* und *leur* stehen nach den Akkusativen *le, la, les* direkt beim Verb. (Ausnahme: bejahter Imperativ, vgl. § 259.)

c) Il s'est adressé **à moi.**
Je **vous** recommanderai **à elle.**
Je **me** joins **à vous.**
Dieu veuille **vous** garder **à nous.**
C'est un homme dangereux, personne ne se fie **à lui.**
Le ciel fut sans pitié de **te** donner **à moi**
(V. Hugo).

Nur *le, la, les* können mit *lui* und *leur* und anderen Dativen verbunden werden. In Verbindung mit den übrigen Akkusativen (*me, te, se, nous, vous*) muß der Dativ durch die Präposition *à* + betontes Pronomen ausgedrückt werden. Er steht dann hinter dem Verb.
(Vgl. betontes Pronomen, § 257.)

d) Je **lui en** parlerai.
Je **vous en** suis reconnaissant.
J'ai lu ce livre; il **s'y** agit de géographie.
Prenez des gâteaux; il **y en** a encore.

en und *y* stehen im Aussage- und Fragesatz immer am nächsten beim Verb. Dabei steht *y* vor *en.*

Merke also:

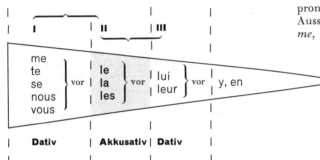

Ist das Verb durch zwei Personalpronomen erweitert, so stehen im Aussage- und Fragesatz die Dative *me, te, se, nous, vous* vor den Akkusativen *le, la, les,* die Akkusative *le, la, les* vor den Dativen *lui, leur.*

3. Pronominalobjekte beim Infinitiv

251

a) Ton frère aurait dû **me le dire.**
Il faut **le faire** tout de suite.
Je vais **te le dire.**
Vous pouvez **me présenter** à elle.

Bei einem **Verb mit nachfolgendem Infinitiv** stehen die Pronomen in der üblichen Reihenfolge vor dem Infinitiv.

b) Je **le vois** venir.
On **les entendait** chanter.   [reden.]
Cet homme **s'écoute** parler   hört sich gern
La porte était fermée à clef; on **la fit** ouvrir.

Nur bei den **Verben der Wahrnehmung** (*voir, entendre, écouter, sentir, regarder*) und des **Veranlassens oder Zulassens** (*laisser, envoyer, faire, mener*) stehen die Pronomen vor dem Hauptverb.

A In klassischer Sprache konnte das Pronomen auch vor *pouvoir, vouloir* etc. mit folgendem Infinitiv treten: *On nous veut attraper* (La Fontaine).
Ähnliche Konstruktionen findet man gelegentlich bei modernen Schriftstellern seit etwa 1900.
Dieser Sprachgebrauch gilt als unnatürlich und geziert und sollte nicht nachgeahmt werden.

C. Gebrauch des Personalpronomens

252 1. Das neutrale Pronomen *le*

Das Objektpronomen *le* kann sich auf ein bestimmtes männliches Subjekt beziehen: *C'est Pierre, je le reconnais à sa démarche.* Es kann sich aber auch als Neutrum auf ein unbestimmtes Substantiv oder einen ganzen Satz beziehen: *C'est une idée stupide, je le sais* ich weiß es.

a) Veux-tu **qu'il soit puni?** — Oui, je le veux. Si **j'ai réussi,** c'est à vous que je le dois. Croyez-vous **qu'il est coupable?** — Oui, je le crois.	Das neutrale *le* es bezieht sich auf einen **Gesamtgedanken,** der im voraufgehenden Satz ausgedrückt wurde, nicht auf ein einzelnes Substantiv.
b) Croyez-vous qu'il est coupable? — **Je ne crois pas.** Il viendra demain, **je crois** (je pense, je suppose, j'espère). Vous ne prétendez pas, **je pense,** aller jusque là! Vous viendrez **quand vous voudrez.** L'affaire est sérieuse, **comme vous savez.**	Dieses *le* fehlt jedoch meist in negativen Antworten und in angehängten oder eingeschobenen Sätzen, ferner nach *quand* und *comme.*
c) Il n'est pas **si** pauvre **qu'on le pense.** Il n'est pas **si** pauvre **qu'on ne pense.** Il n'est pas **si** pauvre **qu'on pense.** Il s'est montré **plus aimable qu'il ne l'est** d'habitude.	In **Vergleichssätzen** kann das neutrale *le* stehen, jedoch vermeidet man nach Möglichkeit (außer bei *être*) das Nebeneinandertreten von *le* und *ne explétif* (vgl. § 245).
d) Ils sont **amis** et ils le seront toujours. Si les autres sont **menteurs,** tu ne l'es pas moins. Etes-vous **heureuse?** — Oui, je le suis.	**Prädikativ** wird das neutrale *le* als Bezug auf ein Prädikatssubstantiv oder Prädikatsadjektiv gebraucht.

A 1. Unterscheide: *Etes-vous mère? Oui monsieur, je le suis.* — *Etes-vous la mère de cet enfant? Oui monsieur, c'est moi* (früher: *je la suis*).

2. *Il a trouvé (jugé) bon de se retirer* Er hat es für gut gehalten, sich zurückzuziehen. Im Gegensatz zum Deutschen wird im Französischen auf Folgendes nicht mit *le* hingewiesen. Dies ist höchstens in stark affektischen Sätzen der Fall: *Si je vous le disais, pourtant, que je vous aime?* (A. de Musset).

253 2. Die Pronominaladverbien *en* und *y*

en und *y* sind ursprünglich Ortsadverbien: *en* von dort, daher, *y* dort, dorthin.

Da auch die Präpositionen *de* von her und *à* bei, zu ursprünglich rein örtlichen Charakter hatten, erklärt es sich, daß *en* und *y* als Pronominaladverbien für Ergänzungen mit *de* und *à* eintreten:

Je viens **de la ville.** — J'en viens. Je vais **à Paris.** — J'y vais.	Je parle **de mon chien.** — J'en parle von ihm. Je pense **à mon chien.** — J'y pense an ihn.

3. Gebrauch von *y*

a) Il est actuellement **en France**. Il **y** restera encore un mois. Il a **un grand jardin**. Il **y** cultive toutes sortes de légumes (dans ce jardin).	*y* wird gebraucht im **örtlichen Sinne** für Ergänzungen mit *à, en, sur, dans* etc. (nicht für *de*);
b) J'aime **les vacances** et j'**y** pense souvent (penser à qc). Puis-je compter **sur ton aide?** — Tu peux **y** compter.	im **übertragenen Sinne** auf Sachen bezogen für eine Ergänzung mit *à, sur, dans* etc. (nicht für *de*).

4. Gebrauch von *en*

a) Est-ce qu'il vient **de la ville?** — Oui, il **en** vient. Une voiture s'arrêta et un homme **en** descendit (descendre de voiture).	*en* wird gebraucht im **örtlichen Sinne** für Ergänzungen mit *de;*
b) Vous avez vu ce film? — Oui, nous **en parlons** justement. Ces beaux jours au bord de la mer! Je **m'en souviens** encore.	im **übertragenen Sinne** auf Sachen bezogen für eine Ergänzung mit *de;*
c) Je connais bien Paris et **j'en admire** les monuments (et j'admire ses monuments). Je connais bien ce mot; l'emploi **en est** très étendu (son emploi est très étendu). J'ai lu ce roman, mais je ne **m'en rappelle** plus les détails.	im Sinne eines **possessiven Verhältnisses;** diese Konstruktion ist eleganter als die mit dem Possessivpronomen und korrekter, wenn nicht ein wirkliches Besitzverhältnis vorliegt;
d) Le gâteau n'est pas à ton goût? Tu n'**en** veux plus keinen mehr? As-tu encore de l'argent? — Non, je n'**en** ai plus keines mehr. Combien de fautes as-tu faites? — J'**en** ai fait trois, dix, beaucoup, très peu. Je n'ai donné qu'un exemple, mais je pourrais **en** citer d'autres.	im Sinne eines **partitiven Genitivs,** wenn ein Substantiv im Satz zu ergänzen ist (besonders bei den Zahlwörtern und Mengenangaben).

A Die strenge Grammatikertradition verlangt, daß *en* nicht auf Personen bezogen werden soll. Also: *Je parle de lui,* nicht *J'en parle.*

Diese Regel ist keineswegs absolut und wird seit der Klassik von den besten Autoren ständig durchbrochen: *Heureux le roi qui aime son peuple, qui en est aimé* (Fénelon). *Etre amoureux d'une jeune fille, en être aimé . . .* (J. Romains). *Jacques ne connaissait pas Philip, mais il en avait . . . entendu parler* (R. Martin du Gard).

Auch in der gesprochenen Sprache ist *en* auf Personen bezogen ganz geläufig. Dagegen wird *y* in korrekter Sprache fast nie auf Personen bezogen, also nur: *Je pense à lui, à elle* etc.

II. Das unverbundene, betonte Personalpronomen (le pronom personnel tonique)

256 A. Formen

	Singular	Plural	Beispiele
1. Person	moi	nous	**Moi,** je n'irai pas.
2. Person	toi	vous	Il ne **t'**a pas vu, **toi.**
3. Person Maskulinum	lui	eux	Il parle avec **nous.**
3. Person Femininum	elle	elles	Je partirai sans **elle.**
3. Person reflexiv	soi	soi	**Lui** n'est pas venu.

Das betonte Pronomen hat keine Kasusunterschiede. Jede Form kann Subjekt oder Objekt sein. Die Beziehungen werden durch die Stellung oder durch Präpositionen ausgedrückt.

257 B. Gebrauch

1. Qui est arrivé? — **Lui.** Qui a dit cela? — **Moi.** **Toi** aussi. **Elle** non plus. Ton frère et **toi.**	Das betonte Personalpronomen wird gebraucht **alleinstehend,** d. h. ohne Verbindung mit einem Verb;
2. **Moi, je** resterai à la maison. **Je** le sais bien, **moi!** C'est ainsi que tu **me** traites, **moi,** ton meilleur ami? **Le** frapper, **lui,** jamais! **Moi, je** sais ce que je dis. **Toi, tu** n'as rien dit. **Lui** n'a rien dit. **Eux** n'ont rien dit.	in **starker Betonung** zur Verstärkung des verbundenen Pronomens; dabei müssen bei der 1. und 2. Person die verbundenen Pronomen beim Verb erscheinen; bei der 3. Person fehlen sie meist;
3. **C'est toi** que j'aime le plus. **C'est eux** (ce sont eux) qui ont tort. **Lui seul** pourrait te le dire. **Eux-mêmes** l'ont promis.	nach *c'est, c'était* etc. und vor *seul* und *même.* Beachte den Bindestrich und die Veränderlichkeit bei *même!*
4. Il partira **sans moi.** C'est **de toi** que je parle. **Avec lui,** c'est différent. M. Duval n'est pas **chez lui** zu Hause.	nach allen **Präpositionen;**
5. C'est **son** chapeau **à lui.** C'est **son** stylo **à elle.**	zur Betonung eines **Besitzverhältnisses** (vgl. § 262);
6. Je **me** présenterai **à elle.** Ne **te** joins pas **à lui.** On **nous** a recommandés **à eux.** Adressez-**vous à elle.** Elles **se** sont jointes **à nous.**	als **Dativ** (mit *à*), wenn beim Verb die Akkusative *me, te, nous, vous, se* stehen (vgl. § 250c).

C. Die Objektformen beim bejahten Imperativ

1. Imperativ mit einem Objektpronomen

258

direktes Objekt	indirektes Objekt	Merke:
regarde-**moi**	pardonne-**moi**	Ein Pronomen beim bejahten
regarde-**toi**	(donne-**toi** de la peine)	Imperativ tritt hinter diesen
regarde-**le**	pardonne-**lui**	und wird durch Bindestrich an
regarde-**la**	pardonne-**lui**	ihn angeschlossen.
regarde-**nous**	pardonne-**nous**	Dabei stehen in der 1. und 2.
regardez-**vous**	(donnez-**vous** de la peine)	Person Singular die betonten
regarde-**les**	pardonne-**leur**	Formen *moi* und *toi*.

A 1. Auch *en* und *y* werden mit Bindestrich an den Imperativ angeschlossen: *prenez-en*; *allez-y*; *vas-y*. Die Verben auf *-er* hängen im Sing. vor *en* und *y* ein *-s* an: *manges-en*; *penses-y*.

2. Beim verneinten Imperativ stehen die unbetonten Pronomen in der Reihenfolge des Aussagesatzes: *ne me regarde pas.* (Vgl. § 249.)

2. Imperativ mit zwei Objektpronomen

259

Verb — direktes — indirektes Objekt	Merke:
Dites-le-moi.	Hat der Imperativ zwei Objektpronomen,
Tu as de si belles photos; **montre-les-leur.**	so stehen sie ebenfalls hinter diesem und
As-tu compris ce problème? Alors, ex-plique-le-moi.	werden durch Bindestrich angeschlossen. Dabei steht das direkte Objekt dem Verb
Rendez-le-nous.	am nächsten.
Allez-vous-en. Va-t'en.	*en* und *y* stehen immer zuletzt.
Rendez-vous-y tout de suite.	

A 1. Bei *nous* (Dativ) sind zwei Stellungen möglich: *Voici les livres; rendez-les-nous* oder *rendez-nous-les demain.*

2. Imperative mit *m'y*, *t'y*, *s'y* werden gemieden; z. B.: *Voilà une chaise; mettez-vous-y*, aber *mets-toi là* (nicht *mets-t'y!*).

3. Auch beim Imperativ können nur die Akkusative *le, la, les* mit den Dativpronomen verbunden werden, also: *Présentez-le-moi*, aber *présentez-moi à lui.* — *Présentez-la-nous*, aber *présentez-nous à elle.* — *Présentez-les-leur*, aber *présente-toi à eux.* (Vgl. § 250.)

4. Unterscheide bejahten und verneinten Imperativ:
Regarde-moi und *ne me regarde pas.* — *Dépêche-toi* und *ne te dépêche pas.*
Explique-le-moi und *ne me l'explique pas.* — *Dis-le-lui* und *ne le lui dis pas.* (Vgl. § 250.)

D. Das Reflexivpronomen soi

260

1. **Chacun** pour **soi** et Dieu pour tous. **On** n'est nulle part si bien que chez **soi**. **Personne** ne veut vivre uniquement pour **soi**.	*soi* bezieht sich im allgemeinen auf ein unbestimmtes Subjekt, z. B.
Cela va de **soi** versteht sich von selbst.	*on, chacun,* *plus d'un, personne,* *tout le monde*
Il faut être juste **soi**-même avant de juger les autres.	und das neutrale *il* oder *cela*.

2. **Cette femme** parle constamment **d'elle** (d'elle-même). **Elle** avait dit cela malgré **elle**. **Le vent** chasse devant **lui** la poussière. **Cet homme** ne pense qu'à **soi** (qu'à lui-même).	Auf bestimmte Subjekte bezogen stehen meist *lui, elle, eux, elles*, die wie *soi* durch *même* verstärkt werden können. Wo Unklarheit entstehen könnte (*à lui* an sich selber und an einen anderen) steht auch auf bestimmte Subjekte bezogen *soi*.

A Auch sonst ist seit der Klassik *soi* auf bestimmte Subjekte bezogen in Umgangs- und Schriftsprache geläufig und korrekt: *Il regrette de n'avoir pas son revolver sur soi* (M. Aymé). *Il était heureux d'avoir trouvé cette occasion de parler un peu de soi* (R. Martin du Gard). *Jean-Pierre jeta autour de soi des regards anxieux* (G. Duhamel).

Das Possessivpronomen

I. Das adjektivische Possessivpronomen (l'adjectif possessif)

261 A. Formen

	le frère,	la sœur,	l'ami(e),	les ami(e)s.
J'aime	**mon** frère,	**ma** sœur,	**mon** ami(e),	**mes** ami(e)s.
Tu aimes	**ton** frère,	**ta** sœur,	**ton** ami(e),	**tes** ami(e)s.
Il aime	**son** frère,	**sa** sœur,	**son** ami(e),	**ses** ami(e)s.
Elle aime	**son** frère,	**sa** sœur,	**son** ami(e),	**ses** ami(e)s.
Nous aimons	**notre** frère,	**notre** sœur,	**notre** ami(e),	**nos** ami(e)s.
Vous aimez	**votre** frère,	**votre** sœur,	**votre** ami(e),	**vos** ami(e)s.
Ils aiment	**leur** frère,	**leur** sœur,	**leur** ami(e),	**leurs** ami(e)s.
Elles aiment	**leur** frère,	**leur** sœur,	**leur** ami(e),	**leurs** ami(e)s.

Merke:

1. Das adjektivische Possessivpronomen richtet sich, wie jedes Adjektiv, in Geschlecht und Zahl nach dem Substantiv, das es näher bestimmt.
   Es richtet sich also, abweichend vom Deutschen und Englischen, stets nach dem Geschlecht des Besitzobjektes:

Claire montre **son cahier,**	**sa règle,**	**ses livres**	ihr Heft, ihr Lineal, ihre Bücher
Paul montre **son cahier,**	**sa règle,**	**ses livres**	sein Heft, sein Lineal, seine Bücher
Ils montrent **leur cahier,**	**leur règle,**	**leurs livres**	ihr Heft, ihr Lineal, ihre Bücher

2. Um in der 3. Person Singular Unklarheiten zu vermeiden, setzt man gelegentlich zu *son* und *sa* noch *à lui* und *à elle* hinzu: *Elle lui montre sa chambre à elle* ihr Zimmer; *elle avait déjà vu sa chambre à lui* sein Zimmer.
3. Anrede: *Est-ce votre* (Ihr) *chapeau, monsieur? — N'oubliez pas vos gants, madame.*
4. Vor weiblichen Substantiven und Adjektiven, die mit Vokal oder stummem *h* anlauten, steht *mon, ton, son* statt *ma, ta, sa: Ma sœur est sortie avec son amie. Il m'a raconté son étrange aventure. C'est mon habitude.*
5. Das Possessivpronomen zu *on, chacun, tout, personne* etc. ist *son, sa, ses: A chacun selon ses œuvres. Il faut laver son linge sale en famille* (proverbe).

B. Gebrauch

1. Rends-moi **mon stylo.** C'est **mon village natal,** j'y ai passé une grande partie de ma vie. Cet auteur connaît bien **son public.** faire **son service** militaire	Das Possessivpronomen wird im allgemeinen wie im Deutschen gebraucht, d. h. nicht nur zur Bezeichnung eines **direkten Besitzverhältnisses,** sondern auch zur Bezeichnung einer **engen Beziehung.**
2. Il ôta **son chapeau** den Hut. Enlevez donc **votre pardessus.** Ziehen Sie doch den Mantel aus. J'ai laissé **mes gants** sur la table. Tu as encore déchiré **ton pantalon!**	Das Possessivpronomen wird gebraucht bei **Kleidungsstücken** (im Deutschen dagegen oft der bestimmte Artikel).
3. Donne-moi **la main** die oder deine Hand. Va te laver **les mains** (wash your hands). J'ai mal à **la tête,** mal à **la gorge.** Il avait reçu un coup sur **l'œil.** **Ma** mère a encore mal à **son bras.** **Ma tête** me fait de nouveau mal. Je vais te mettre un emplâtre (Pflaster) sur **ton doigt blessé.**	Bei **Körperteilen** steht der **bestimmte Artikel,** wenn die Zugehörigkeit klar ist. (Im Englischen steht das Possessivpronomen.) Bei Körperteilen kann das **Possessivpronomen** stehen, wenn (besonders bei Krankheiten) auf etwas Bekanntes angespielt wird oder wenn der Körperteil näher bestimmt ist.
4. **Votre père** est en retard, **mes enfants,** nous allons commencer sans lui. (G. Duhamel). Oui, **mon père;** non, **mon oncle.** **mon lieutenant, mon** colonel, **mon** général, etc. Herr Oberleutnant, etc.	Bei **Verwandtschaftsnamen** (außer *papa* und *maman* in der Anrede) steht oft das Possessivpronomen. Untergebene setzen bei der **Anrede** *mon* vor Offiziersdienstgrade.

A 1. Das Besitzverhältnis wird oft durch *à* + betontes Personalpronomen ausgedrückt (vgl. § 261): *Ce livre est à moi. Est-ce que ce chapeau est à vous ou à M. Beaujeu? C'est un ami à moi* ein Freund von mir.
Zum Gebrauch von *en* statt des Possessivpronomens vgl. § 255.

2. Das Possessivpronomen steht mitunter zum Ausdruck des Interesses, der Sympathie oder der Verachtung, die der Sprecher für etwas hat: *Voilà mon loup* (der Wolf, von dem die Rede ist) *par terre* (La Fontaine). *Voilà notre jeune homme qui s'en va. Voilà de vos chrétiens* (der dummen Christen, zu denen Sie auch gehören) *les ridicules songes* (Corneille).

Merke folgende Gallizismen:

Je suis allé à sa rencontre ihm, ihr entgegen.
Vous aurez bientôt de mes nouvelles
   Nachricht von mir.
Je l'aime de tout mon cœur, de toute mon âme.
Je l'ai vu de mes propres yeux.
C'est mon tour ich bin an der Reihe.
Saluez Madame Muller de ma part von mir.
courir de toutes ses forces aus Leibeskräften
faire son plein d'essence tanken
en son honneur ihm zu Ehren
Je suis son aîné de quatre ans
   vier Jahre älter als er.

Elle est ma cadette de quatre ans
   vier Jahre jünger als ich.
Ma sœur va sur ses quinze ans
   wird bald fünfzehn Jahre alt.
Il se jeta à mes pieds mir zu Füßen.
Voilà une lettre à votre adresse
   ein Brief an Sie.
Il a parlé de son mieux so gut er konnte.
un monsieur de mes amis
   ein mir befreundeter Herr
La fête battait son plein
   war auf dem Höhepunkt.

263 C. Wiederholung des Possessivpronomens

1. Toute méthode a **ses** avantages et **ses** désavantages ihre Vor- und Nachteile. Je connais **vos** succès et **vos** échecs Ihre Erfolge und Mißerfolge. Toute chose a **ses bons** et **ses mauvais côtés** ihre guten und schlechten Seiten. Je connais **ses grands** et **ses petits défauts.**	Das Possessivpronomen wird wiederholt bei jedem Substantiv einer Reihe (vgl. Wiederholung des Artikels, § 185); vor Adjektiven, wenn sie verschiedene Wesen oder gegensätzliche Dinge bezeichnen, die durch **ein** Substantiv ausgedrückt sind.
2. Il s'entend très bien avec **ses frères et sœurs** seinen Geschwistern. Je ferai part de la nouvelle à **mes amis et connaissances.** Je n'oublierai jamais **vos bons et loyaux** services.	Das Possessivpronomen wird nicht wiederholt bei Substantiven, die zusammen eine Einheit bilden oder gleiche oder ähnliche Bedeutung haben; bei sinnverwandten Adjektiven.

Merke folgende Gallizismen:

aimer ses père et mère	Vater und Mutter ehren
en mon âme et conscience	auf Ehre und Gewissen
décliner ses nom et prénoms	Vor- und Familiennamen angeben
à mes, tes, ses etc. risques et périls	auf eigene Gefahr

II. Das substantivische Possessivpronomen (le pronom possessif)

264 A. Formen

	Voici **un dessin,**	une photo.	Voici **des dessins,**	des photos.
1. Pers. Sing.	C'est le mien;	la mienne.	Ce sont les miens,	les miennes.
2. Pers. Sing.	C'est le tien;	la tienne.	Ce sont les tiens,	les tiennes.
3. Pers. Sing.	C'est le sien;	la sienne.	Ce sont les siens,	les siennes.
1. Pers. Plur.	C'est le nôtre;	la nôtre.	Ce sont les nôtres,	les nôtres.
2. Pers. Plur.	C'est le vôtre;	la vôtre.	Ce sont les vôtres,	les vôtres.
3. Pers. Plur.	C'est le leur;	la leur.	Ce sont les leurs,	les leurs.

Das substantivische Possessivpronomen richtet sich in Geschlecht und Zahl nach dem Substantiv, das es vertritt.

265 B. Gebrauch

1. mes livres et **les tiens** mes amis et **les vôtres** les livres de mon frère et **les miens** en **mon** nom et **au sien** in meinem und seinem Namen Je vous félicite au nom de mes collègues et **au mien.**	Beziehen sich mehrere Possessivpronomen auf **ein** Substantiv, z. B. *meine und deine Bücher*, so kann nur eines in adjektivischer Form vor das Substantiv treten. Alle anderen Possessivpronomen müssen in der substantivischen Form dem Substantiv folgen.

2. Cette idée m'a plu, et je l'ai **faite mienne** mir zu eigen. Elle essaye de **faire siennes** les opinions de son mari.	Ein prädikativ gebrauchtes substantivisches Possessivpronomen steht ohne Artikel.
3. Il garde mieux les secrets des autres que **les siens propres** (que ses propres secrets).	Das substantivische Possessivpronomen kann durch folgendes *propre* verstärkt werden.

Das Demonstrativpronomen

(l'adjectif et le pronom démonstratifs)

Das Demonstrativpronomen weist auf etwas Bestimmtes hin: *Prenez ce livre, et non un autre. Connaissez-vous ce monsieur?*

I. Formen

A. Die adjektivische Form ce

266

		Maskulinum		Femininum	
Singular	vor Kons.	ce livre	dieses Buch	cette classe	diese Klasse
	vor Vok.	cet élève	dieser Schüler	cette élève	diese Schülerin
	vor *h muet*	cet homme	dieser Mann	cette habitude	diese Gewohnheit
Plural		ces livres	diese Bücher	ces classes	diese Klassen
		ces élèves	diese Schüler	ces élèves	diese Schülerinnen
		ces hommes	diese Männer	ces habitudes	diese Gewohnheiten

Soll das adjektivische Demonstrativ betont werden, so fügt man *-ci* oder *-là* an: *Je vous recommande ce livre-ci. Méfiez-vous de ces gens-là.*

Merke: *ce matin*   heute morgen   *ce soir*   heute abend

               cet(te) après-midi   heute nachmittag   *cette nuit*   heute nacht

B. Die substantivische Form celui

267

	Singular			Plural		
Maskulinum	celui	derjenige, der	(vgl. lui)	ceux	diejenigen, die	(vgl. eux)
Femininum	celle	diejenige, die	(vgl. elle)	celles	diejenigen, die	(vgl. elles)

II. Gebrauch

A. celui

268

1. Aimez **ceux qui** vous aiment. On est aimé par **ceux qu'**on aime. Il y a deux places libres: prenez **celle que** vous voudrez. Les hommes les plus grands ne sont pas toujours **ceux dont** tout le monde parle.	*celui* etc. wird gebraucht unmittelbar vor *qui, que* oder *dont;*

2. Les droits de la femme sont égaux à **ceux de** l'homme.	vor *de* (selten vor anderen Präpositionen);
3. Je joins à ma lettre **celle écrite** par le prince (Racine). Il n'est pas de plus grands crimes que **ceux commis** contre la foi (A. France). les **maux causés** par la guerre et **ceux causés** par la misère (A. Gide)	vor Partizipien. (Dieser Gebrauch wird noch von manchen französischen Grammatikern bekämpft, ist aber seit der Klassik korrekt.)

269 B. celui-ci, celui-là

1. Voici deux tableaux, préférez-vous **celui-ci** ou **celui-là?** Il y a deux places libres: prenez **celle-ci,** je prendrai **celle-là.**	*celui-ci* dieser weist (oft von einer Geste begleitet) auf Näheres, *celui-là* jener auf Ferneres hin.
2. On est blâmé par **celui-ci,** loué par **celui-là.** Démocrite et Héraclite étaient de nature bien différente; **celui-ci** (Héraclite) pleurait toujours, **celui-là** (Démocrite) riait sans cesse (Dictionnaire de l'Académie).	Dasselbe gilt von Dingen oder Personen, von denen man spricht und die man einander gegenüberstellen will. Dabei weist *celui-là* auf das Fernerliegende oder Erstgemeinte, *celui-ci* auf das Näherliegende oder Zuletztgenannte.
3. **Celui-là** seul est heureux, **qui** a la conscience tranquille. **Celui-là** donne deux fois, **qui** donne vite. Fais le bien à **ceux-là** même **qui** font le mal.	*celui-là* steht immer, wenn *celui qui* durch einen Einschub unterbrochen ist.

270 C. Die neutralen Formen ceci, cela

1. **Ceci** est à moi, **cela** est à vous. **Ceci** est une pomme, **cela** c'est une poire.	*ceci* dies hier weist auf Näherliegendes, *cela* das da auf Fernerliegendes.
2. A **cela,** qui est d'importance secondaire, j'ajouterai **ceci,** qui est essentiel. Que votre ami se tienne tranquille: dites-lui **cela** de ma part. Dites **ceci** de ma part à votre ami: qu'il se tienne tranquille.	*cela* weist auf Vorangehendes, *ceci* auf Kommendes hin. Merke: *ceci* folgendes.
3. Allez au théâtre, **cela vous distraira** un peu. Croyez-vous que **cela porte malheur** de se marier un vendredi? **Cela me fatigue** de lire pendant des heures.	*cela* steht als neutrales Subjekt vor allen transitiven Verben (vgl. unpersönliche Verben, § 107 ff).

4. Ceci est une **pomme.** **C'est** une **pomme.** **Aber: C'est faux; cela** (ceci) est **faux.**	Vor *être* kann *ceci* oder *ce* stehen. *cela* kann vor *être* nur stehen, wenn ein Adjektiv folgt.

A 1. *ceci* ist bedeutend seltener als *cela.* Wo kein besonderer Grund vorliegt, *ceci* zu benutzen, wird immer *cela* gebraucht: *Qui vous a dit cela? Il est fâché contre nous, et cela sans motif sérieux.*

2. In der Umgangssprache wird für *cela* die Kurzform *ça* gebraucht: *Que voulez-vous? C'est comme ça. Les enfants, vous savez, ça casse tout.*

D. Das neutrale ce **271**

1. Ce n'est pas vrai. **C'est** une erreur. **Ce n'est** pas que je sois vraiment malade.	Das tonschwache *ce* kommt praktisch nur noch als Subjekt von *être* vor.
2. Ce doit être une erreur. **Ce** ne **pouvait être** qu'un malentendu. **Aber: Cela doit** vous **faire** de la peine.	*ce* kann vor die modalen Hilfsverben *devoir* und *pouvoir* treten, wenn *être* folgt.

A In den zusammengesetzten Zeiten wird *ce* elidiert: *Ç'a été une grande erreur.* Dagegen wird das volkstümliche *ça* nicht elidiert: *Ça a été très joli.*

Merke: *ce faisant* indem man das tut, *ce disant, ce me semble, sur ce* daraufhin.

E. Der Unterschied zwischen neutralem il und ce **272**

il es kann nur dann als neutrales Subjekt stehen, wenn es nicht als das männliche *il* er aufgefaßt werden kann. Also nur *c'est beau* das ist schön, denn *il est beau* bedeutet *er ist schön.*
Sage ich dagegen *Il est beau d'aimer son prochain,* so ist ein Mißverständnis ausgeschlossen und *il* kann als neutrales Subjekt gebraucht werden.

1. Neutrales Subjekt bei *être*

a) Die prädikative Ergänzung ist ein **Adjektiv** **273**

Il est évident **qu'il a raison.** Il est utile **de savoir** l'histoire. Il est vrai **que je me suis trompé.**	**Il a raison, c'est** évident. **Savoir** l'histoire, **c'est** très utile. **Je me suis trompé, c'est** vrai.
Weist das neutrale Subjekt auf etwas **Folgendes** hin, so lautet es *il.*	Weist das neutrale Subjekt auf etwas schon Gesagtes, **Vorhergehendes** hin, so steht *ce.*

A 1. Neben *c'est vrai* findet sich im Nachsatz auch *il est vrai.* Dabei kann auch ein Bedeutungsunterschied eintreten: *Ta sœur est jolie, c'est vrai* deine Schwester ist wirklich hübsch. *Elle est jolie, il est vrai, mais elle est coquette* sie ist zwar hübsch, aber kokett.

2. Für das bedeutungsschwache *il* tritt *ce* ein, wenn auf einen präzisen Fall, oft in affektischer Weise, hingewiesen wird: *C'est amusant de se promener dans votre petite ville. C'est bien aimable à vous de m'avoir prévenu. C'est gentil d'avoir pensé à moi. C'est vrai que je n'y avais pas pensé.*

274 b) Die prädikative Ergänzung ist ein **Substantiv** oder **Adverb**

C'est dommage que vous n'ayez pu venir. **C'est une honte** de mentir. **Ce n'est pas assez** de vouloir, il faut agir. **C'est aujourd'hui lundi.** **C'est beaucoup** d'avoir six enfants.	Bei einem Substantiv oder Adverb steht als neutrales Subjekt *ce.*

A Gelegentlich steht vor Substantiv *il: il n'est pas besoin de, il est dommage que.*

275 2. **Neutrales Subjekt bei den übrigen Verben**

Il me **semble** que c'est faux. Il va sans dire que c'est moi qui paye. Il me **reste** 800 francs.	**Cela t'étonne** que je le sache? **Cela m'amuse** de jouer aux cartes. **Cela te gêne** qu'il soit venu?

Vor **intransitiven Verben** steht als neutrales Subjekt *il.*

Vor **transitiven Verben** steht als neutrales Subjekt *cela* (vgl. § 270).

Auch bei unpersönlichen Verben und Ausdrücken, z. B. Wetter und Zeitangaben, steht *il* als neutrales Subjekt (vgl. § 108).

Das Relativpronomen (le pronom relatif)

Das Relativpronomen dient dazu, an ein Nomen oder Pronomen (das Beziehungswort) einen Satz anzuschließen (Relativsatz), der Genaueres über das Beziehungswort aussagt: *les gens qui habitent au premier étage.*

276 I. **qui, que**

Die gebräuchlichsten Relativpronomen sind *qui* und *que* (der, die, das usw.). Sie stehen für Personen und Sachen und sind in Geschlecht und Zahl unveränderlich.

1. l'**homme** (la femme) **qui** est entré(e) la **somme qui** me manque les **pommes qui** sont sur la table.	Das Relativpronomen lautet als **Subjekt** *qui;*
2. C'est un monsieur **que je ne connais pas.** le manteau (la robe) **que tu as acheté(e)** les hommes (les femmes) **que j'ai rencontré(e)s**	als **Akkusativobjekt** *que;*
3. l'homme **à qui** je parle un ami **pour qui** j'ai beaucoup d'estime les dames **avec qui** j'ai été au théâtre	als **präpositionales Objekt** in bezug auf Personen *qui;*
4. Le vieillard **que je suis devenu!** (F. Mauriac). Fou **que j'étais!**	als **prädikative Ergänzung** *que.*

II. dont **277**

1. Das Relativ *dont* (vom lat. *de unde* von woher) ist ein Adverb. Es bezieht sich, seiner Herkunft gemäß, ursprünglich auf einen Satzteil mit *de*.

Satzteil mit de	Relativsatz mit dont
Il est mort **de la grippe.**	la maladie **dont il est mort** an der er gestorben ist
Il faut profiter **de cette occasion.**	C'est une occasion **dont il faudrait profiter** von der man profitieren müßte.
On parle **d'un nouveau film.**	le nouveau film **dont on parle** von dem man spricht
Je suis sûr **de cet ami.**	C'est un ami **dont je suis sûr** dessen ich sicher bin.

2. Das Relativ *dont* kann auch unabhängige Sätze in ein relatives Verhältnis bringen.

unabhängige Sätze	Relativsatz mit dont
C'est Mme Dupont. **Son fils est mort.**	C'est Mme Dupont, **dont le fils est mort** deren.
Entendez-vous ces oiseaux? **J'avais sauvé leurs petits.**	Entendez-vous ces oiseaux, **dont j'avais sauvé les petits** deren.
Voilà M. Leblanc. **Je connais sa fille.**	Voilà M. Leblanc, **dont je connais la fille** dessen.

Merke: Nach *dont* steht die regelmäßige Wortstellung Subjekt—Verb—Objekt: *C'est un auteur dont j'ai lu presque tous les livres.* Das ist ein Schriftsteller, dessen Bücher ich fast alle gelesen habe.

A Beachte den Gebrauch von *dont* ohne Verb bei Zahlenangaben: *Il avait huit enfants, dont six filles* darunter, davon.

III. où, que **278**

Das Ortsadverb *où* und die Konjunktion *que* werden oft relativ gebraucht.

1. **la ville où** il habite **le pays d'où** il vient **le chemin par où** il est passé **le temps où** nous vivons **au moment où** je le vis **le jour où** je le rencontrai devant notre maison	*où* kann örtliches und zeitliches Relativ sein. Als örtliches Relativ kann es von Präpositionen begleitet sein.
2. **chaque fois que** je la rencontre **la première fois que** je l'ai vu **maintenant que** je sais tout **l'hiver qu'**il fit si froid **du temps que** j'étais jeune **Du temps que** j'étais écolier, je restais un soir à veiller dans notre salle solitaire (A. de Musset).	*que* kann zeitliches Relativ sein. Es wird in der modernen Sprache immer mehr von *où* verdrängt. Merke als feste Wendungen: *chaque fois que* jedesmal wenn *la première fois que* das erstemal als, wo *maintenant que* jetzt, da... *un jour que* eines Tages als *du temps que* in der Zeit, als...

279 IV. lequel

Mask. Singular	Fem. Singular	Mask. Plural	Fem. Plural
lequel	laquelle	lesquels	lesquelles
duquel	de laquelle	desquels	desquelles
auquel	à laquelle	auxquels	auxquelles
avec lequel	avec laquelle	avec lesquels	avec lesquelles

Neben *qui, que* gibt es das Relativpronomen *lequel*. Es unterscheidet Genus und Numerus und entspricht etwa dem deutschen *welcher, welche, welches*.

Es kann für jedes *qui, que, dont* eintreten, ist aber nur in bestimmten Fällen obligatorisch. Da es oft schwerfällig wirkt, ist es nur dort zu benutzen, wo es gebraucht werden muß.

280 V. Der Gebrauch von qui, que und lequel

1. l'homme **qui** est venu, **que** tu vois là-bas le **couteau qui** est sur la table, **que** tu as pris	Als Subjekt steht *qui*, als Akkusativobjekt *que*, auf Personen wie auf Sachen bezogen (vgl. § 276).
2. l'homme **avec qui** (lequel) tu m'as vu le **couteau avec lequel** je coupe le pain la **maison dans laquelle** (où) j'habite l'hiver **pendant lequel** il fit (qu'il fit) si froid	Nach Präpositionen steht auf Personen bezogen *qui* oder *lequel*, besser: *qui*; auf Sachen bezogen *lequel* (oft durch *où* oder das Adverb *que* ersetzt);
les élèves **parmi lesquels** se trouvent deux étrangers	nach *parmi* und *entre*, auf Personen wie auf Sachen bezogen, nur *lequel*.
3. La nature est un livre précieux **sur les pages duquel** on peut trouver beaucoup de choses délicieuses.	Wenn der Genitiv des Relativs sich auf ein Sachsubstantiv mit Präposition bezieht, muß *duquel, de laquelle* etc. stehen (nicht *dont!*).
C'est un jeune homme **sur l'avenir duquel** (de qui) je ne suis pas en peine.	Auf Personen bezogen ist auch *de qui* statthaft.
4. Voilà **le portail** de la cathédrale, **lequel** a été restauré au XVIIᵉ siècle. J'écris à **la sœur** de M. Labiche, **laquelle** viendra nous voir. C'est le frère de **Mme Labiche, laquelle** a écrit récemment kürzlich.	Nach zwei Substantiven verschiedenen Geschlechts ist *lequel, laquelle* üblich, wenn dadurch die Beziehung auf eines der beiden verdeutlicht wird.

Zusammenfassung:

1. *lequel* kann immer stehen.
2. *lequel* muß stehen:
    a) nach Präpositionen, auf Sachen bezogen;
    b) nach *parmi* und *entre*, auf Personen und Sachen bezogen;
    c) wenn der Genitiv des Relativs sich auf ein Sachsubstantiv mit Präposition bezieht;
    d) nach Substantiven verschiedenen Geschlechts zur Verdeutlichung der Beziehung.

VI. Das neutrale Relativ quoi   **281**

quoi als Relativpronomen ist die neutrale betonte Form zu *que* (wie *moi* zu *me*). Es bezieht sich nur auf Sachen und steht nur nach Präpositionen. *quoi* wird gebraucht

1. **Ce à quoi** (woran) je pense surtout, c'est ton avenir. Il n'est **rien à quoi** je pense plus souvent. J'ai un métier à exercer: c'est **la seule chose à quoi** je tiens (R. Martin du Gard).	als Bezug auf unbestimmte Wörter, wie *ce, rien, chose, quelque chose;*
2. **Il exposa les faits après quoi** (woraufhin) il se retira.	als Bezug auf einen ganzen Satz;
3. Est-ce que vous avez **de quoi** écrire? etwas zum Schreiben. Il a **de quoi** vivre genug zum Leben. Merci bien, monsieur. — Il n'y a pas **de quoi.** Aber bitte!	ohne bestimmten Bezug (absoluter Gebrauch).

VII. Das neutrale Relativ ce qui, ce que   **282**

Zum Ausdruck eines neutralen Relativs, d. h. eines Relativs, das kein persönliches oder sachliches Beziehungswort hat (dt. *was*) genügen *qui* und *que* allein nicht, sondern das Pronomen bedarf des neutralen Beziehungswortes *ce* als Zusatz. *ce qui* und *ce que* bilden eine feste Verbindung, die nicht nur einem deutschen *das, was*, sondern auch einem deutschen *was* entspricht. Der Gebrauch von *ce qui, ce que* entspricht dem von *qui, que.*

1. **Ce qui** (was) me frappa en entrant, ce fut la propreté de la petite chambre.	Es steht als Subjekt *ce qui;*
2. **Ce que** (was) je n'aime pas du tout, c'est ton orgueil.	als Akkusativobjekt *ce que;*
3. Ne soyons pas trop **fiers de ce que** nous sommes aujourd'hui. **Savons-nous ce que** nous serons demain?	als prädikative Ergänzung *ce que.*

A Auch nach *tout* darf das *ce* nicht fehlen: *Tout ce qui* (alles was) *s'était passé, tout ce que j'avais vu, était comme ôté de ma mémoire.*

4. C'est tout **ce qu'il me reste.** Racontez-nous **ce qu'il est arrivé.**	Vor Verben mit neutralem *il* steht nur *ce que.*
5. Il m'a menti, **ce qui** (was) me rend triste, **ce que** je ne pourrai jamais lui pardonner.	Auch in Beziehung auf den Inhalt eines ganzen Satzes steht *ce qui, ce que.*

A Neben *C'est tout ce qu'il me reste* und *Racontez-nous ce qu'il est arrivé* gibt es auch die häufigere Konstruktion *C'est tout ce qui me reste — Racontez-nous ce qui est arrivé. ce que* steht also nur, wenn die Verben unpersönlich (mit *il*) gebraucht werden.

283 VIII. Das beziehungslose Relativ qui

Es gibt im Französischen auch ein beziehungsloses Relativ (wie das deutsche *wer*). Dieses hat für Nominativ und Akkusativ die Form *qui*. Es wird in viel weiterem Umfang gebraucht als das deutsche *wer*. Einige Beispiele:

1. **Qui** (wer) **est bon** est heureux. **Qui vivra** verra. **Voilà qui** est fait. Das wäre geschafft. **Voilà qui** s'appelle parler. Das läßt sich hören.	als **Subjekt** des Relativsatzes, besonders auch nach *voilà;*
2. Epouse **qui** (wen) **tu voudras.** Aimez **qui** (den, der) **vous aime.** Je vous répète que j'inviterai **qui me plaît** pour mon anniversaire.	als **direktes Objekt** des Relativsatzes;
3. Je ne connais personne **à qui** (mit dem) parler de cette affaire. Je le raconterai **à qui** (jedem, der) veut l'entendre. La tâche est facile **pour qui** (für jeden, der) se donne un peu de peine. Ne m'empêchez pas de sortir **avec qui** je veux.	als **präpositionales Objekt** des Relativsatzes.

A Das wiederholte beziehungslose Relativ *qui* kann auch distributive Bedeutung haben: *L'auditoire gémit, en voyant, dans l'enfer tout ouvert, qui son père et qui sa mère, qui sa grand-mère et qui sa sœur . . .* der eine . . . der andere (A. Daudet). *Bêtes et gens s'en allaient pacifiquement, qui à l'étable, qui au foyer* (O. Mirbeau). *Ils coururent aux armes et se saisirent qui d'une épée, qui d'une lance, qui d'une hache* (Dictionnaire de l'Académie).

Merke: *Courir à qui mieux mieux, à qui arriverait le premier* um die Wette.

Das Interrogativpronomen (le pronom interrogatif)

284 I. Die Arten der Fragepronomen

Man unterscheidet substantivische Fragepronomen *(qui? que? quoi?)* und das adjektivische Fragepronomen *quel?*, aus dem wiederum ein substantivisches Fragepronomen, *lequel?*, entstanden ist.

Das substantivische Interrogativpronomen hat für die Frage nach Personen und für die Frage nach Sachen

1. eine **einfache Form:**

a)	Personen	Formen
Subjekt	Qui est là?	*qui?* wer?
Direktes Objekt	Qui cherchez-vous?	*qui?* wen?
Präpositionalobjekt	A qui avez-vous parlé?	Präposition + *qui?*
b)	Sachen	
Direktes Objekt	Que cherchez-vous?	*que?* was?
Präpositionalobjekt	A quoi pensez-vous?	Präposition + *quoi?*

2. eine **umschriebene Form**

a) **Personen**	**Qui est-ce qui** est là? **Qui est-ce qui** vous a dit cela?	*qui est-ce qui?* wer?
b) **Sachen**	**Qu'est-ce qui** vous manque?	*qu'est-ce qui?* was?

II. Gebrauch

A. Frage nach Personen

1. Direkte Frage

285

Satzteil	Direkter Fragesatz	Fragepronomen
Subjekt	**Qui** vous appelle? **Qui est-ce qui** vous appelle?	*qui?* wer? *qui est-ce qui?*
Direktes Objekt	**Qui** regardez-vous?	*qui?* wen?
Präpositionalobjekt	**De qui** parlez-vous? **A qui** pensez-vous? **Avec qui** travaillez-vous?	Präposition + *qui?*

Merke:

1. Für die Frage nach dem Subjekt heißt das Fragepronomen *qui* oder *qui est-ce qui.*
2. Für die Frage nach allen anderen Satzteilen heißt es *qui.*
   Das Verb folgt dem *qui* entweder in einfacher Frageform (Inversion) oder in der durch *est-ce que* umschriebenen Frageform. Also:

Qui **regardez-vous?** De qui **parlez-vous?** A qui **pensez-vous?** Avec qui **travaillez-vous?**	Qui **est-ce que vous regardez?** De qui **est-ce que vous parlez?** A qui **est-ce que vous pensez?** Avec qui **est-ce que vous travaillez?**

A 1. In dem Satz *De qui est-ce que vous parlez?* wörtlich *Von wem ist es, daß Sie sprechen?* ist *que* Konjunktion. — In dem Satz *Qui est-ce que vous regardez?*, wörtlich *Wer ist es, den Sie ansehen?*, ist *que* Relativpronomen im Akkusativ.

2. Die Umschreibung ist heute in der Umgangssprache sehr üblich, aber auch in der Schriftsprache gebräuchlich.

2. Indirekte Frage

286

Satzteil	Indirekter Fragesatz	Fragepronomen
Subjekt	Dites-moi **qui** vous appelle.	*qui* wer?
Direktes Objekt	Dites-moi **qui** vous regardez.	*qui* wen?
Präpositionalobjekt	Dites-moi { **de qui** vous parlez. **à qui** vous pensez. **avec qui** vous travaillez.	Präp. + *qui*

A In der indirekten Frage werden nur die einfachen Fragepronomen gebraucht. Das Verb steht immer in der Aussageform.

B. Frage nach Sachen

287 1. Direkte Frage

Satzteil	Direkter Fragesatz	Fragepronomen
Subjekt	Qu'est-ce qui vous plaît? Qu'est-ce qui se passe? Que se passe-t-il?	*qu'est-ce qui?* *que?* (unpers. Verben)
Direktes Objekt	Que regardez-vous?	*que?*
Präd. Ergänzung	Que deviendrons-nous?	*que?*
Präpositionalobjekt	De quoi parlez-vous? A quoi pensez-vous? Avec quoi travaillez-vous?	Präposition + *quoi?*

Merke:

1. In der Frage nach dem Sinnsubjekt gibt es für unpersönliche Verben neben *qu'est-ce qui* das Fragepronomen *que*, dem das Verb in absoluter Fragestellung folgt.

2. In der Frage nach allen anderen Satzteilen steht das Verb entweder in einfacher Fragestellung (Inversion) oder in der mit *est-ce que* umschriebenen Frage. Also:

Que **regardez-vous?**	Qu'est-ce que vous regardez?
Que **deviendrons-nous?**	Qu'est-ce que nous deviendrons?
De quoi **parlez-vous?**	De quoi est-ce que vous parlez?
A quoi **pensez-vous?**	A quoi est-ce que vous pensez?
Avec quoi **travaillez-vous?**	Avec quoi est-ce que vous travaillez?

288 2. Indirekte Frage

Satzteil	Indirekter Fragesatz	Fragepronomen
Subjekt	Dites-moi **ce qui** vous plaît. Dites-moi **ce qui** se passe.	Das neutrale Fragepronomen *ce qui*
Direktes Objekt	Dites-moi **ce que** vous regardez.	Das neutrale Fragepronomen *ce que*
Präd. Ergänzung	Dites-moi **ce que** nous deviendrons.	*ce que*
Präpositionalobjekt	Dites-moi { de quoi vous parlez. à quoi vous pensez. avec quoi vous travaillez.	Präp. + *quoi*

A 1. Auch vor einem Infinitiv stehen *qui* und *que* als direktes Objekt: *Qui interroger?* Wen soll man fragen? — *Que faire?* Was tun? — *Je ne sais que faire. — Je ne savais que répondre.* Als prädikative Ergänzung steht *que: Que devenir?* Was soll aus uns werden?

Neben der tonschwachen Form *que* setzt sich vor Infinitiv das stärkere *quoi* immer mehr durch, besonders nach *pas* und *plus: Je ne sais pas quoi faire. Elle ne sait plus quoi inventer* (A. Gide).

2. *quoi* muß stehen in Sätzen ohne Verb: *Quoi? Vous ne comprenez pas? — Quoi de plus beau?*

III. Das adjektivische quel und das substantivische lequel **289**

1. **Quel jour** sommes-nous? **Quelle heure** est-il? **Quels** sont tes **projets?** **Quelles** sont tes **fleurs** préférées?	Das adjektivische *quel* welcher richtet sich attributiv und prädikativ nach dem zugehörigen Substantiv.
Quel âge a-t-il? Wie alt ist er? **Quelle** est sa taille? Wie groß ist er? Dans **quel** volume trouve-t-on cette pièce? im wievielten Band?	Da das Französische kein Frageadverb vor Adjektiven besitzt *(wie alt, wie groß etc.),* treten dafür Konstruktionen mit *quel* ein; ebenso für dt. *der wievielte?*
2. Dans **laquelle** de ces deux maisons habite-t-il? Dans cette phrase il y a une faute. **Laquelle?** Il y a deux écrivains qui s'appellent Dumas. **Auquel** pensez-vous?	Das substantivische *lequel, laquelle* etc. fragt nach einer bestimmten Person oder Sache aus einer Gruppe (wie engl. *which*). Die Objektformen mit Präposition lauten: *duquel, de laquelle; auquel, à laquelle; desquels, desquelles; auxquels, auxquelles.*

Im Gegensatz zu *qui?*, das ganz allgemein fragt, fragt *quel?* und *lequel?* nach etwas Bestimmtem aus einer Gruppe (vgl. englisch *who? what?* und *which?*).

Unbestimmte Pronomen oder Indefinita

(pronoms, adjectifs, adverbes indéfinis)

I. Positive Indefinita

A. on **290**

on war ursprünglich Nominativ zu *homme*. Es kommt daher nur als Subjekt vor und hat, unter bestimmten Bedingungen, in der Literatursprache oft noch den bestimmten Artikel vor sich *(l'on)*. Stets fehlt der Artikel, wenn auf *on* ein Wort folgt, das mit einem *l* beginnt. In der Umgangssprache wird *l'on* kaum gebraucht.

1. si (l')on savait ce que c'est **Aber:** si on le savait **Si l'on** arrive au bout de la rue, il faudra s'arranger pour revenir (J. Romains). On cherche **et l'on** ne trouve rien. Donc, une partie de la nuit, on but **et l'on** dansa (G. Chevallier). On cherche souvent là **où l'on** ne peut rien trouver. Il faut **que l'on** continue, **que l'on** consente, **que l'on** comprenne, **que l'on** commence.	*on* hat den Artikel besonders oft nach *si* wenn, außer wenn ein Wort mit *l* folgt; zuweilen nach *et* und *où;* fast stets nach *que*, wenn auf das *on* ein Verb folgt, das mit *con-, com-* [kɔ̃] beginnt.

A Wie sehr der Gebrauch von *l'on* zurückgeht, zeigen folgende Beispiele mit *on* nach *si*, *et* und *que: A la longue, on ne sait plus qui on est, on ne sait même plus bien si on existe* (R. Martin du Gard). *Cette carte représentait 96 départements, et on ne sait combien de villes* (J. Romains). *Je sais qu'il y a des choses qu'on ne devine pas* (G. Duhamel).

| 2. Quand **on** l'interroge, il ne **vous** (einem) ré-
pond pas.
On aime ceux qui **nous** aiment. | *on* hat wie das deutsche *man* keine Dativ-
und Akkusativform. Die fehlenden For-
men ersetzt man durch *vous* oder *nous*. |

A 1. *Si on allait au cinéma?* Wollen wir ins Kino gehen? — *On rentrera* (statt: *nous rentrerons*) *vers trois heures.* — *Nous, on ira à pied.* — *On ne restera pas dans la rue! On va au cinéma ... — Qui cela «on»? Elle répondit, l'air buté* (bockig): *«des amis»* (F. Mauriac). In der Umgangssprache verdrängt *on* immer mehr *nous* als Subjekt.

2. In der Umgangssprache gebraucht man auch oft scherzend oder geringschätzig *on* auf be-stimmte Personen bezüglich: *Père, tu n'es pas malade?* — *Non, petite, mais on se fait* (= *je me fais*) *vieux* (H. Béraud). Dieses *on* kann in dem Satz auch feminine oder pluralische Formen des Adjektivs oder Partizips bewirken, nicht aber den Plural des Verbs: *On n'est pas toujours jeune et belle, ma chère.* — *Eh bien! petite, est-on toujours fâchée?* (A. France). *Sept longues années qu'on ne s'était vus* (R. Rolland).

3. Zu *on* als Ersatz des deutschen Passivs vgl. § 110 und 122.

B. tout, chaque, chacun

291 1. *tout,* **substantivisch und adjektivisch, zum Ausdruck einer Gesamtheit**

a) Venez **tous, toutes** ici. Ils ne mouraient pas **tous**, mais **tous** étaient frappés (La Fontaine). **Toutes celles qui** (alle, die) étaient venues, avaient envie de danser.	Das substantivische Pronomen zum Aus-druck der Gesamtheit lautet *tous* **[tus]**, *toutes* alle, alles. Vor einem Relativsatz muß dem *tous, toutes* ein *ceux, celles* folgen.
b) Il oublie **tout**. Il a **tout** oublié. **Tout** ce qui (alles, was) brille, n'est pas or. Il oublie **tout** ce que je lui dis.	Die neutrale Form lautet *tout* alles. (Zur Stellung von *tout* vgl. § 222.)
c) **tout le** village das ganze Dorf **toute la** ville **tous les** villages alle Dörfer **toutes les** villes **toute ma** famille, **tous ses** livres, **toutes ces** robes **tout le** monde jedermann, alle **aber:** le monde entier die ganze Welt	Das adjektivische Pronomen zum Aus-druck der Gesamtheit ist *tout, toute, tous* **[tu]**, *toutes* mit folgendem Artikel, Pos-sessiv- oder Demonstrativpronomen.
d) Il me reçut en disant: «Je **suis tout** à vous» ganz der Ihre. Elle **demeurait** sérieuse et **toute** à son travail (H. Bordeaux).	Das adjektivische *tout* kommt auch sehr oft prädikativ vor.

A *tout* als Verstärkung eines Prädikatsnomens kann Adjektiv (veränderlich) oder Adverb (unver-änderlich) sein. So hat man nebeneinander: *Cet homme était toute sagesse* (H. de Montherlant) und *La vie n'est pas tout roses* (A. France).

Immer unveränderlich ist *tout* in folgenden, festen Wendungen: *Elles étaient tout yeux et tout oreilles. Etre tout feu, tout flamme* Feuer und Flamme sein.

2. Adjektivisches *tout* mit kollektivem und distributivem Sinn **292**

a) On accourut de **tous côtés** von allen Seiten. Il connaît **toutes sortes** de gens alle möglichen Leute. Le train arriva à **toute vapeur** mit Volldampf. Il partit à **toute vitesse, en toute hâte.**	Im **kollektiven Sinne** drückt *tout* + Substantiv im Singular oder Plural die Gesamtheit oder eine hohe Zahl oder einen hohen Grad aus. Besonders in Redewendungen fehlt dabei meist der Artikel.
b) Dans ce restaurant, on peut manger à **toute heure** zu jeder Tageszeit. Des visiteurs arrivaient à **tout moment.** Il parle de ses voyages en **toute occasion.**	Im **distributiven Sinne** bedeutet *tout*, besonders mit Substantiv ohne Artikel, im Singular *jeder, jeder beliebige.* (Zu *tout — chaque* vgl. § 294.)

A *Tout Paris, tout La Rochelle* ganz Paris, ganz La Rochelle. *tout* vor Städtenamen bleibt unverändert. *Le Tout-Paris* die oberen Zehntausend von Paris.

3. *tout* in adverbialem Sinne **293**

Il est **tout** petit ganz klein. Ils sont **tout** petits. Elle est **toute** petite. Elle est **toute** honteuse. Ma mère était **tout** alarmée. Mes sœurs sont **tout** étonnées.	*tout* vor Adjektiven wird auch adverbial zur Angabe eines hohen Grades gebraucht *(völlig, ganz und gar, sehr).* Dabei wird *tout* vor konsonantisch oder mit *h aspiré* anlautenden femininen Adjektiven in Geschlecht und Zahl verändert, sonst bleibt es unverändert.

4. *tout, chaque, chacun* **294**

En **toute chose** (in, bei allen Dingen), il faut considérer la fin. Il vient nous voir **tous les dimanches** jeden Sonntag. Ils ont **tous** dix-huit ans.	Il faut mettre **chaque chose** (jedes einzelne Ding) à sa place. **Chaque dimanche qu'il fait beau,** je sors en voiture. Vous aurez **chacun** un gâteau.

tout bezeichnet die Gesamtheit *jeder ohne Ausnahme* (vgl. englisch *every*).

chaque, chacun bezeichnet jeden einzelnen im besonderen (vgl. englisch *each*). *chaque* ist Adjektiv; *chacun, chacune* ist Substantiv.

C. Andere Indefinita **295**

1. *autre*

Donnez-moi **un autre livre, d'autres livres.** **L'un et l'autre** auront un prix. Il faut s'aider **l'un l'autre.** Ils se sont nui **l'un à l'autre.** **nous autres** Français	*autre* anderer, e *l'un et l'autre* beide *l'un l'autre* einander, gegenseitig *l'un à l'autre* einer dem anderen *autre* bleibt unübersetzt

2. *certain*

un certain monsieur Martin Certains prétendent que la planète Mars est habitée.	*certain* *certains*	ein gewisser manche Leute

3. *même*

Les **mêmes causes** produisent toujours les **mêmes effets.** Ce n'est pas la **même chose** nicht dasselbe.	*même* als vorangestelltes Adjektiv bedeutet *derselbe, der gleiche;*
Elle est la **vertu même.** Il l'a dit **lui-même.**	*même* als nachgestelltes Adjektiv bedeutet *selbst;*
Même les dieux l'ont voulu.	*même* als Adverb heißt *sogar.*

A 1. Unterscheide: *On trouve encore aujourd'hui* (noch heute) *des temples grecs en Italie* und *Il faut que je parte aujourd'hui même* noch heute.

2. Merke: *Il n'est plus le même* derselbe. *Ce n'est pas la même chose* dasselbe. *Cela revient au même* das kommt auf dasselbe heraus.

4. *tel*

Il ne faut pas manquer une **telle occasion.** J'ai lu dans **tel auteur** que ... M. **Untel**, Mme **Une telle** Herr, Frau Soundso	*tel* attributiv heißt *solch, irgendeiner, mancher;*
Les faits **sont tels que** je les ai exposés.	*tel* prädikativ heißt *so, wie;*
J'accepte votre plan **tel quel** (tel qu'il est).	*tel quel* so wie es ist, war (ohne Verb);
J'accepte vos conditions **telles quelles** (telles qu'elles sont). Les hommes passaient **telle (tels) une troupe** en désordre	*tel* wie, gleichweise ist literarisch.

5. *quelque*

Il doit lui être arrivé **quelque malheur.** Il fit encore **quelques pas.**	*quelque* *quelques*	irgendein (literarisch) einige

6. *quelconque*

Dites-lui le nom d'un **auteur quelconque.**	*quelconque*	irgendein beliebiger

Merke: *C'était quelconque* es war nichts Besonderes, Außergewöhnliches.

7. *quiconque*

Quiconque a lu ce livre en admire la clarté.	*quiconque*	jeder, der; wer auch immer

8. *qui, quoi, quel que*

Qui que ce soit qui l'ait dit, il a tort. **Quoi qu'**elle dise, ne le crois pas. **Quelles que** soient les difficultés, nous les vaincrons.	*qui que* wer auch (immer) *quoi que* was auch *quel que* welcher auch (**Vgl.** § 65, b.)

A Unterscheide: *Quoi qu'il fasse, on le critique toujours* was auch immer er tut. *Quoiqu'il fasse mauvais temps, je sortirai* obwohl.

II. Positive und negative Indefinita

Wie die Ergänzungspartikeln der Negation *pas* und *point* ursprünglich positiven Sinn hatten, so hatten auch *personne* (lat. *personam* die Person), *rien* (lat. *rem* die Sache) und *aucun* (lat. *aliquis* + *unus* jemand) zunächst bejahende Bedeutung.
Ihre negative Bedeutung erhielten sie erst in Sätzen wie *Je ne vois personne* keine Person = niemand usw. Ihre ursprünglich positive Bedeutung ist oft noch sichtbar.

A. quelqu'un — personne
296

1. **Quelqu'un** est venu. Je vois **quelqu'un** arriver. Connais-tu **quelqu'un** ici? **Quelques-uns** affirment que ce roman est un chef-d'œuvre. **Quelques-unes** de ces lettres sont illisibles.	*quelqu'un* jemand steht in **positiven Sätzen** oder in fragenden und verneinten Sätzen mit positivem Sinn. Der Plural von *quelqu'un* heißt *quelques-uns, quelques-unes* und bedeutet *einige (auch Sachen), gewisse Leute.*
2. Heureusement, **personne** n'est blessé. Il n'y a **personne** de blessé. Je n'ai vu **personne**. **Ne** le dis à **personne**. Qui l'a vu? — **Personne.**	*personne* niemand steht in **negativen Sätzen**; beim Verb steht *ne*. Fehlt das Verb, so fällt auch *ne* fort, aber die negative Bedeutung von *personne* bleibt.
3. **Y a-t-il personne** qui le sache? **Aber:** Y a-t-il ici quelqu'un qui le sait? **Je doute** que **personne** le sache. Il est venu **sans personne** avec lui. Il est parti **sans que personne** le sache. Il est parti **avant que personne** l'ait vu.	Seinem Ursprung nach hat *personne* oft noch **Reste eines positiven Sinnes** und entspricht dann dem deutschen *jemand*, vor allem in fragenden und zweifelnden Sätzen und nach *sans, sans que, avant que.*

B. quelque chose — rien
297

1. **Quelque chose** me dit que tu as tort. S'il vous manque **quelque chose**, dites-le-moi. Tu ne peux pas partir sans manger **quelque chose**. Savez-vous **quelque chose de nouveau**? C'est **quelque chose de beau**.	*quelque chose* etwas steht in **positiven Sätzen** oder verneinten Sätzen mit positivem Sinn. Adjektive werden an *quelque chose* mit *de* angeschlossen.

2. **Rien n'est arrivé.** Je n'en sais **rien.** Je n'ai **rien** vu. As-tu vu quelque chose? — Non, **rien.** **rien de grave; rien d'autre.**	*rien* nichts steht in **negativen Sätzen.** Fehlt das Verb, fehlt auch *ne*, aber der negative Sinn bleibt. Adjektive werden mit *de* angeschlossen.
3. **Y a-t-il rien** de plus beau (etwas Schöneres) que les vacances? **Je ne veux pas** qu'on en dise **rien** etwas. Il est parti **sans rien** dire. Tu ne peux pas vivre **sans rien** faire (= sans faire quelque chose).	Unter den gleichen Bedingungen wie *personne* hat auch *rien* zum Teil einen **positiven Sinn** bewahrt und entspricht dann dem deutschen *etwas*.

A Auch *jamais* hatte ursprünglich positiven Sinn: *Si jamais* (jemals) *tu viens dans notre ville, tu seras le bienvenu.*

Mit *ne* und ohne Verb hat es negativen Sinn: *Je ne vais jamais* (niemals) *au cinéma.* — *Tu viendras?* — *Jamais.*

298 C. quelque — aucun

1. **Quelque malheur** doit être arrivé. Je consulterai **quelque avocat.** N'as-tu pas **quelque ami** pour t'aider? Il me reste **quelque argent.** Je le verrai dans **quelques jours.**	*quelque* ist adjektivisches Indefinitum und bedeutet *irgendein* oder *etwas.* Es steht in Sätzen mit positivem Sinn. *quelques* bedeutet *einige.*
2. **Aucun arbre n'est** encore en fleurs. Je **ne** le veux en **aucune manière.** Vous **n'avez** fait **aucune faute.** Combien de fautes avez-vous faites? — **Aucune.**	Das adjektivische *aucun* bedeutet *kein einziger.* In Sätzen mit Verb steht es mit *ne.* Es kommt selten im Plural vor.
3. **Je ne crois pas** qu'**aucun** homme soit pleinement heureux. **Croyez-vous** qu'**aucun** d'eux le sache? **sans aucun** succès; **sans aucun** doute.	Wie *personne* und *rien* hat *aucun* Reste eines positiven Sinnes bewahrt. Es hat dann die Bedeutung *irgendein.*

A 1. *Vous savez sans doute* (doch wohl, wahrscheinlich) *que Charles est en ce moment à Paris.* — *J'en suis certain: c'est sans aucun doute* (ohne jeden Zweifel) *l'écriture de M. Lepic.* Unterscheide also: *sans doute* wahrscheinlich — *sans aucun doute* ohne (jeden) Zweifel.

2. *nul, nulle* ist gleichbedeutend mit *aucun,* jedoch literarischer und in der gesprochenen Sprache selten. Es lebt nur in festen Wendungen wie: *nulle part* nirgendwo, *je n'en ai nulle envie* keine Lust, *nul doute* kein Zweifel, und kommt nur im Sing. vor.

Als nachgestelltes Adjektiv ist *nul* sehr lebendig, z. B. *faire match nul* unentschieden spielen; *ce mariage est nul* nichtig, ungültig; *cet élève est nul en mathématiques* eine Null in Mathematik.

3. Dem deutschen *kein* entspricht im allgemeinen das französische *(ne) pas de, (ne) plus de*: *Pourquoi n'as-tu pas de livres? Plus d'espoir!*

172

Die Präposition (la préposition)

In dem Satz *J'habite dans une ferme* gibt *dans* die örtliche Beziehung, in *Je le connais depuis deux ans* gibt *depuis* die zeitliche Beziehung, in *Je travaille pour vivre* gibt *pour* die finale Beziehung an.

Es handelt sich bei diesen Wörtern um Präpositionen. Diese sind unveränderlich und geben an, in welcher Beziehung Wörter zueinander stehen.

Die Grundbedeutung fast aller Präpositionen ist örtlich oder zeitlich, jedoch haben sich im Laufe der Sprachentwicklung die Grenzen verwischt, so daß ein und dieselbe Präposition dem örtlichen, zeitlichen und modalen Bereich angehören kann: *Elle est allée en ville* (örtlich); *il reviendra en novembre* (zeitlich); *construire une maison en brique* (Materialangabe); *appeler en hâte* (Angabe der Art und Weise) etc.

Viele, und zwar gerade die häufigsten Präpositionen, sind auf diese Weise zu an sich fast bedeutungslosen Verknüpfungspartikeln geworden, zu einem Gelenk *(mot cheville)*, dessen einzige Aufgabe es ist, Wörter zueinander in Beziehung zu halten.

Die genaue Beherrschung der Präpositionen einer Sprache ist sehr schwierig: die Einzelheiten des Gebrauchs sind eher eine Frage des Wörterbuches als der Grammatik. Im folgenden werden daher nur die wichtigsten Grundbedeutungen der häufigsten Präpositionen und ihre syntaktische Funktion behandelt.

I. Die wichtigsten Präpositionen und präpositionalen Ausdrücke und ihre Grundbedeutung

à	zu, in, nach	en face de	gegenüber
à cause de	wegen	entre	zwischen
à côté de	neben	envers	gegen (moralische Haltung)
à défaut de	in Ermangelung von	excepté	außer (ausschließend)
à partir de	von . . . an	faute de	aus Mangel an, mangels
après	nach (örtl. u. zeitl.)	grâce à	dank, vermöge
à travers	quer durch	hormis	außer (ausschließend)
au delà de	jenseits von	hors	außer (ausschließend)
au-dessous de	unterhalb, unter	hors de	außerhalb
au-dessus de	oberhalb, über	jusque	bis
au lieu de	anstatt	le long de	entlang, längs
au milieu de	inmitten	malgré	trotz
auprès de	bei (Sachen, Personen)	outre	jenseits, außer (einschlie-
autour de	um . . . herum	par	durch ßend)
avant	vor (zeitl., Reihenfolge)	par-dessus	über etwas weg
avec	mit	parmi	unter, zwischen
chez	bei, zu (Personen)	pendant	während
contre	gegen	pour	für
dans	in	près de	nahe bei
d'après	gemäß, nach	quant à	was anbetrifft
de	von, aus	sans	ohne
depuis	seit	sauf	außer (ausschließend)
derrière	hinter	selon	gemäß, entsprechend
dès	schon, seit, von . . . an	sous	unter
devant	vor (örtlich)	suivant	gemäß, nach
durant	während	sur	auf
en	in	vers	gegen (annähernd)
en deça de	diesseits von	vis-à-vis	gegenüber (örtl. u. über-
en dépit de	trotz		tragen)

Die Präposition

II. Die örtlichen Beziehungen

301 A. Die Lage in einem Ort und das Eintreten in einen Ort (à, en, dans)

1. Mettez-vous **à l'ombre; au soleil,** vous auriez bientôt mal **à la tête.** Il a toujours la cigarette **aux lèvres** ou la pipe **aux dents.** Il arriva, un bâton **à la main.** être, aller **à l'école, à l'église, à la campagne** se mettre **à table, au lit** s'asseoir **à la terrasse** d'un café Il est monté **au premier étage,** descendu **à la cave.** Napoléon fut battu **à Waterloo** bei W.	Die Präposition *à* bezeichnet in ganz allgemeiner Weise Lage oder Richtung jeder Art, ohne genauere Angabe, ob *an, in, bei, auf, nach* gemeint ist. Das Französische, das keine Kasus hat, unterscheidet also nicht zwischen *in der Kirche* und *in die Kirche:* beides heißt *à l'église;* (vgl. auch § 302,1).
2. aller, voyager **en France, en Italie, en Grande-Bretagne** Nous irons **en voiture** (**aber:** dans la voiture de mon père). Madame est sortie **en ville.** vivre **en province** se mettre **en route** On l'a mis **en prison.**	Auch *en* (früher bedeutend häufiger als heute) gibt die örtliche Lage oder die Richtung sehr allgemein an. Es steht fast nur vor artikellosem, also unbestimmtem Substantiv.
3. Il est entré **dans sa chambre.** Elle cachait une pièce de monnaie **dans la main.** J'ai laissé mes gants **dans la voiture.** voyager **dans l'Italie du Nord, dans les Balkans**	*dans* betont sehr genau die Vorstellung von *darinnen* oder *in etwas hinein.*

A 1. *Il fut battu à Waterloo.* Aber: *la bataille de Waterloo.*

2. Einige Ausnahmen für *en* mit Artikel: *en l'honneur de* zu Ehren von, *en l'air* in die Luft, *en l'absence de* in Abwesenheit von.

3. Unterscheide: *Il avait une valise à la main. Cacher une pièce de monnaie dans la main. L'affaire est en bonnes mains.*

302 B. Die Richtung auf einen Ort zu — Erreichen, Berührung
(à, pour, vers, jusque, contre)

1. aller **à Londres, à une réunion, au théâtre, à l'église** Regardez les mots que j'ai écrits **au tableau.** Il est si grand qu'il peut presque toucher **au plafond.** s'appuyer **au (contre le) mur**	Die Richtung auf einen Ort zu und das Erreichen eines Ortes werden im allgemeinen durch die Präposition *à* ausgedrückt (vgl. § 301,1).

2. Il est **parti pour** Bordeaux. Elle s'est **embarquée pour** l'Afrique. prendre un billet de seconde **pour Marseille** Les voyageurs **pour Paris** montent ici. partir **en vacances, en voyage** (pour un voyage), **en guerre**	Bei *partir* abreisen und ähnlichen Ausdrücken des Aufbrechens wie *s'embarquer* sich einschiffen wird die Zielangabe durch *pour* ausgedrückt. Wird kein genauer Ort angegeben, so kann auch *en* stehen.
3. La façade de l'édifice est tournée **vers le nord.** Je fis deux pas **vers lui.** Elle tourna les yeux **vers moi.**	*vers* drückt nur die Richtung ohne Erreichen des Zieles aus (deutsch: *nach, gegen, auf . . . zu*).
4. **Jusqu'où** irons-nous? Je t'accompagnerai **jusqu'à la gare.** Il faut lire le livre **jusqu'au bout** avant de le juger.	*jusque* bis wird meist mit einer anderen Präposition verbunden und bezeichnet das genaue Erreichen des Zieles.
5. Il appuya l'échelle **contre le mur.** Sa maison est **contre** (dicht neben) **la mienne.** Le bateau s'est brisé **contre les rochers.** nager **contre le courant** Strömung	*contre* gegen, an drückt die enge oder heftige Berührung oder die heftige Bewegung gegen etwas aus.

A 1. *partir* in der allgemeineren Bedeutung *aufbrechen, weggehen* steht heute normalerweise mit der Präposition, die das zielangebende Substantiv auch sonst hat: *Il est parti chez soi, au bureau, dans sa famille, à la campagne, au front, à la chasse, dans le Midi.*

2. *Protéger qn contre une attaque. Un remède contre la fièvre. Je suis contre ce projet. Es-tu toujours fâché contre moi* böse auf mich? *Echanger une chose contre une autre.* Im übertragenen Sinne drückt *contre* einen Widerstand oder scharfen Gegensatz, gelegentlich auch den Tausch aus.

3. *Soyez respectueux envers vos professeurs. Etre ingrat envers ses bienfaiteurs. Ne sois pas si injuste envers tes parents. envers* gegen wird nur im übertragenen Sinne gebraucht und drückt die moralische Haltung aus, einerlei ob diese freundlich oder feindlich ist.

C. Die Nähe (près de, auprès de, chez) **303**

1. Il y a toujours des taxis **près de la gare.** M. Beaujeu habite **près du Panthéon.**	*près de* nahe bei, in der Nähe von gibt die Nähe an.
2. Ma tante habite **auprès de** (= tout près de) **la mairie.** être ambassadeur **auprès d'un souverain** Il a passé toute sa vie **auprès de ses parents.** Il cherche à me nuire **auprès de vous.** Où trouverais-je du secours si ce n'est **auprès de toi?**	*auprès de* dicht bei gibt, rein örtlich gebraucht, die nächste Nähe an. Es wird jedoch meist in Beziehung auf Personen gebraucht (bei), und zwar da, wo diese Personen selbst gemeint sind, nicht ihre Wohnung (vgl. dagegen *chez*).

3. J'ai passé la nuit **chez des amis.** Je serai **chez moi** toute la journée. Quand iras-tu **chez le dentiste?** **Chez les anciens Romains** les esclaves étaient en général bien traités. Vous ne trouverez pas ce mot **chez (dans) Racine.**	*chez* wird gebraucht in der Bedeutung *bei* = *bei jemandem zu Hause* oder *zu (nach jemandes Haus);* im übertragenen Sinne bei Völkern und Personengruppen, zuweilen auch in bezug auf die Werke eines Schriftstellers.

D. Das Herkommen von oder aus einem Ort

304 1. **Ausgangspunkt und Trennung** *(de)*

J'arrive justement **de Paris.** Un homme sortit **de la maison.** Il tira un couteau **de sa poche.** Le bateau s'éloignait **de la côte.**	Die Grundbedeutung von *de* ist die des Ausgangspunktes oder der Trennung *(von, von ... weg, aus).*

A 1. Von dieser Grundbedeutung aus erklären sich alle anderen Verwendungen von *de,* z. B. *protéger du (contre le) froid; protéger qn de ses (contre ses) ennemis; trembler de froid, de peur, d'épouvante; pleurer de joie* usw.

2. *Des curieux accoururent de tous (les) côtés* von allen Seiten. *Allons de l'autre côté de la rue* auf die andere Straßenseite. *Le tort est rarement d'un côté seul* nur auf einer Seite. In Verbindung mit *côté* hat *de* völlig seine Grundbedeutung verloren. Hier gibt nur das Verb die Bewegungsrichtung an.

3. *de* kann mit einer Reihe von Präpositionen verbunden werden: *Je viens de chez le dentiste. Un homme sortit de derrière la haie* Hecke. *Le chien sortit de sous la table.*

305 2. *dans* und *sur* bei einigen Verben des Entnehmens

Il prit un livre **dans sa bibliothèque.** J'ai pris ce livre **sur votre bureau.** boire **dans une tasse, dans un verre** J'ai découpé cet article **dans un journal.** **Dans quel livre** as-tu copié ces vers? **Sur quel rayon** (Regal) as-tu pris ce livre?	Bei einigen Verben des Entnehmens *(prendre, puiser* schöpfen, *boire* usw.*)* wird im Gegensatz zum Deutschen die Präposition genommen, die die Lage des Gegenstandes **vor der Entnahme** angibt, z. B. *sur, dans.*

A Dagegen sagt man: *tirer qc de sa poche; boire à une source; boire à même la bouteille* direkt aus der Flasche trinken.

E. Die verschiedenen Richtungslagen zu einem Ort

306 1. **Die waagerechte Lage** *(devant — derrière, avant — après, à côté de)*

a) Un arbre se dressait **devant la maison.** **Derrière la maison** était une grande cour. Il se promenait, les mains croisées **derrière le dos.**	*devant* vor und *derrière* hinter geben an, daß sich etwas auf der Vorderseite oder der Rückseite von etwas befindet.

b) Vous trouverez facilement. C'est la dernière maison **avant l'église** (= avant d'arriver à l'église). L'adjectif «petit» se place **avant le nom.** **Après le vestibule,** on entre dans un salon.	*avant* vor und *après* nach, hinter bezeichnen die **Reihenfolge,** in der man von einem Gegenstand zum anderen gelangt.
c) Qui est cette dame **à côté de votre mari?** Mettez-vous **l'un à côté de l'autre.**	*à côté de* neben (Übertragener Gebrauch vgl. § 317.)

2. Die senkrechte Lage *(sur — sous, au-dessus de — au-dessous de)* **307**

a) Mettez le livre **sur mon bureau.** Le corbeau était perché **sur un arbre.** jeter un pont **sur une rivière** Il y avait **sur la cheminée** une vieille pendule en argent, **sous un globe** de verre. Le chien s'était caché **sous le lit.**	*sur* auf, über *sous* unter
b) Le soleil était déjà **au-dessus de l'horizon.** Le thermomètre est descendu **au-dessous de zéro.** Les Duval habitent **au-dessous de nous.**	*au-dessus de* über = oberhalb und *au-dessous de* unter = unterhalb bezeichnen nur ganz allgemein den höheren oder tieferen Lagepunkt.

A 1. *sur* und *sous* kommen vielfach in übertragenem Sinne vor: *La fenêtre donne sur la rue* geht auf die Straße hinaus. *Je n'ai pas d'argent sur moi* bei mir. *Compter sur qn. Copier sur son voisin* von seinem Nachbarn abschreiben. *S'entretenir sur qc. Il marcha sur Metz* er marschierte auf Metz zu. *Sur sa réponse* auf seine Antwort hin. *Sous le règne de Louis XIV.*

2. In einigen Fällen entspricht einem deutschen *auf* im Französischen *dans* oder *en*, weil hier die Vorstellung *in, innerhalb* vorliegt. Merke: *dans la rue, dans la cour. Je l'ai rencontré dans l'escalier* auf der Treppe. *Dans les champs* (oder *aux champs*). *J'ai fait sa connaissance dans un voyage, dans un bal* auf der Reise, auf einem Ball. *Se mettre en route* auf den Weg.

F. Das Durchqueren eines Ortes (par, à travers) **308**

1. Si vous passez **par Dijon,** n'oubliez pas de visiter Beaune. aller à Paris **par (via) Strasbourg** sauter, regarder **par la fenêtre**	*par* durch, über bezeichnet allgemein ein Durchqueren. In Fahrplänen findet man für *par* häufig *via* über.
2. Nous marchions **à travers une épaisse forêt** de sapins. marcher **à travers champs** querfeldein Il lui passa son épée **à travers le corps.** **Au travers de son masque** on voit à plein le traître (Molière).	*à travers* durch, quer durch, mitten durch drückt das Durchdringen aus und setzt oft einen Widerstand voraus. *au travers de* (rein literarisch) hat die gleiche Bedeutung, ist aber selten.

309 G. Die Lage zwischen mehreren Orten (entre, parmi)

1. L'école se trouve **entre la mairie et l'église.** [mern. Mettez ce mot **entre parenthèses** in Klam- Parlez franchement, nous sommes **entre amis.**	*entre* zwischen, unter bezieht sich auf **zwei oder mehrere.**
2. **Parmi ces livres,** vous trouverez le diction- naire que vous cherchez. Y a-t-il **parmi vous** quelqu'un qui s'inté- resse à cette question?	*parmi* unter, zwischen, inmitten bezieht sich stets auf **mehr als zwei,** steht also nur vor Substantiven im Plural.

III. Die zeitlichen Beziehungen

310 A. Zeitpunkt und Zeitdauer (à, en, dans, pendant, durant)

1. Nous sommes arrivés **à la tombée de la nuit.** Nous rentrerons **à huit heures.** J'apprends **à l'instant** (gerade) que la réu- nion n'aura pas lieu.	*à* bezeichnet den genauen **Zeitpunkt.**
2. **en été, en automne** J'ai lu ce livre **en deux jours.** Je ne peux pas faire ce travail **en si peu de temps.**	*en* in bezeichnet die **Zeitdauer** von An- fang bis Ende, vor allem die Zeit, die man zur Erreichung eines Zieles benötigt.

A Unterscheide: *à ce moment*   genau in diesem Augenblick (Zeitpunkt)
en ce moment   jetzt, gegenwärtig (Zeitdauer)
A ce moment, quelqu'un frappa à la porte. Mon frère ne voyage pas beaucoup en ce moment.

3. Il arrivera **dans l'après-midi, dans le courant** de la semaine. Cela arriva **dans son enfance** (= à un moment de son enfance). Il mourut **dans l'année** qui suivit sa nais- sance (Dictionnaire Général). Il est **dans sa quinzième année.** Je reviendrai **dans** (au bout de) **huit jours.** Je lirai le livre **dans deux jours.**	*dans* bedeutet einen **Zeitpunkt innerhalb eines Zeit- ablaufes:** *in = innerhalb von;* den **Endpunkt des Zeitablaufes** von der Gegenwart aus gesehen: *in = nach Ab- lauf von.*
4. Il a été malade **pendant très longtemps.** Nous avons beaucoup souffert **pendant la guerre.** Que ferez-vous **pendant les vacances?** Elle a été pauvre **durant** (pendant) **toute sa vie.** Elle a été pauvre toute **sa vie durant.**	*pendant* während bezeichnet die **Dauer,** jedoch nicht unbedingt den gesamten Zeitraum. Das seltene *durant* betont stärker die **gesamte Dauer** von Anfang bis Ende. Es kann nachgestellt werden.

A 1. Soll nicht besonders angegeben werden, ob es sich um eine Zeitdauer oder um einen Zeitpunkt handelt, so steht der adverbiale Akkusativ ohne jede Präposition: *J'ai dormi toute la nuit. Il viendra la semaine prochaine. Il partit le lendemain.*

2. In bestimmten Wendungen dienen auch andere Präpositionen zur Zeitangabe: *Du temps de mon grand-père* zu Zeiten. *Je n'ai pas fermé l'œil de toute la nuit* die ganze Nacht. *Par une belle journée de printemps* an einem ... *J'espère le revoir sous peu* in kurzem, bald. *Il ne viendra que sur le tard* erst spät.

B. Anfang und Ende (de, à, depuis, jusque, dès, à partir de)   **311**

1. Racine vécut **de** 1639 **à** 1699. Cette lettre date **de deux mois.** Je travaille **du matin au soir** (jusqu'au soir). Au revoir, **à demain.**	Anfang und Ende werden allgemein durch *de* von und *à* bis wiedergegeben.
2. J'attends ici **depuis une heure.** Je suis levé **depuis six heures** du matin. J'attendrai encore **jusqu'à demain.** **Jusqu'ici** (bisher) je n'ai pas à me plaindre. Il travaille **jusque tard dans la nuit.**	*depuis* seit und *jusque* bis geben Anfang und Ende genau an.
3. **Dès demain** je me mettrai à l'ouvrage. Il a été malade **dès son plus jeune âge.**	*dès* schon seit, gleich bei betont die **Frühzeitigkeit** des Anfangs.
4. **A partir d'aujourd'hui,** tout changera. **A partir de ce jour-là,** il se sentit mieux.	*à partir de* von ... an, von ... ab hebt den **Ausgangspunkt** hervor.

A *depuis* kann auch örtlich gebraucht werden: *Ce fleuve est navigable depuis sa source. L'avenue des Champs-Elysées s'étend depuis la place de la Concorde jusqu'à l'Etoile. Nous avons eu la pluie depuis Lyon.* Auch *dès* kann örtlich gebraucht werden: *Il cria dès la porte: Bonjour!* (A. de Châteaubriant).

C. Der zeitliche Abstand (avant — après, il y a — au bout de)   **312**

1. Venez **avant dix heures,** si vous voulez me trouver à la maison. L'an cinquante **avant Jésus-Christ, après Jésus-Christ.** Je ne le reverrai pas **avant huit jours** vor Ablauf von 8 Tagen. Je prends toujours un café **après le déjeuner.** **Après la pluie** le beau temps (proverbe).	*avant* und *après* bezeichnen die zeitliche **Reihenfolge:** *avant* vor, was vor einem bestimmten Zeitpunkt liegt, *après* nach, was danach liegt.
2. Mon père nous a (avait) quittés **il y a** (il y avait) **huit jours.** Il était encore pauvre **il y a trois ans.**	*il y a, il y avait* vor bezeichnen einen **verflossenen Zeitpunkt** vom Standpunkt des Sprechenden aus.

3. Il reviendra **au bout d'un an** (dans un an). Il revint **au bout de quelques jours.** Vous verrez qu'**au bout d**'une semaine le médicament produira son effet.	*au bout de* nach = nach Ablauf von bezeichnet das **Ende eines Zeitraumes,** von der Vergangenheit oder Gegenwart aus gesehen (vgl. dans, § 310).

A *d'après, selon, suivant* bedeuten *nach* im Sinne von *entsprechend, gemäß : Peindre d'après nature. Traiter les gens selon leur mérite. Parler suivant sa conscience.*

IV. Die modalen Beziehungen

313 A. Art und Weise (à, en, de, avec)

Die Art und Weise wird meist durch *à, en* und *de* ausgedrückt.

de steht meist vor dem unbestimmten Artikel, *à* meist vor artikellosem Substantiv (vor allem im Plural).

Wann die einzelnen Präpositionen gebraucht werden, entscheidet im übrigen der Sprachgebrauch. Feste Wendungen sind einzuprägen.

Merke:

aller au pas, au galop avancer à pas de géant mit Riesenschritten marcher à pas lents, à pas fermes parler à haute voix, à voix basse un auteur qui écrit à la manière de Voltaire pleurer à chaudes larmes rire aux éclats schallend lachen Ce travail a été fait à la hâte. manger de bon appétit regarder qn d'un œil jaloux Il le salua d'un geste de la main Il vida son verre d'un trait in einem Zug Il me l'a dit en secret.	**aber:** d'un pas lent, d'un pas ferme d'une voix suppliante Il ne faut pas le faire de cette manière Il se sauva en toute hâte. supporter un malheur avec courage parler avec passion parler par gestes

314 B. Mittel und Werkzeug (avec, par, à, de)

1. enfoncer un clou **avec un marteau** On allume le feu **avec du bois sec.** Nous voyons **avec les yeux.** On arrive à de bons résultats **avec cette méthode.**	*avec* mit gibt das verwendete Mittel oder Werkzeug genau an.
2. Il chercha à la gagner **par des flatteries.** J'irai à Berlin **par le train.** J'ai reçu les deux lettres **par le même courrier** mit gleicher Post.	*par* mit, durch gibt das Mittel (auch Verkehrsmittel) an, durch das etwas zustande kommt.

A *Mit Hilfe von* heißt *à l'aide de* bei Dingen, *avec l'aide de* bei Personen: *J'ai traduit ce passage à l'aide d'un dictionnaire. J'ai traduit ce passage avec l'aide de mon père.*

Außerdem dienen die Präpositionen *à* und *de* zur Angabe des Mittels und Werkzeuges. Über ihre Verwendung hat der Sprachgebrauch entschieden. Merke besonders:

une lettre écrite au crayon	Il la chercha des yeux.
J'ai marqué les fautes à l'encre rouge rot angestrichen.	D'un geste, elle m'invita à la suivre.
	faire signe de la main
On le chassa à coups de bâton mit Stockschlägen.	Il ne faut pas montrer les gens du doigt.

A 1. *à* steht nur in Wendungen mit Substantiven mit bestimmtem Artikel. Es betont weniger das Mittel *(avec)*, sondern eher die Art und Weise, wie etwas zustande kommt.

2. *de* steht oft bei Handlungen, die mit Körperteilen ausgeführt werden.

C. Grund (à cause de, pour, de) **315**

1. Je n'entends rien **à cause du bruit.** J'ai retardé mon départ **à cause de la maladie** de ma mère.	*à cause de* wegen gibt den Grund in der allgemeinsten Form an.
2. **Pour quelle faute** a-t-il été puni? **Pour quelle raison** ne veux-tu pas venir? Je l'aime **pour sa franchise.** Je la connais **pour l'avoir rencontrée** dans un bal.	*pour* wegen steht vor allem bei Werturteilen und subjektiven Begründungen. Vor Infinitiv entspricht dem *pour* ein deutsches *weil*.
3. Je suis **fier (heureux) de** ton succès. Elle **tremblait de** peur. **pleurer de** joie, **se plaindre de** son sort	*de* über, vor, wegen steht nach Adjektiven und Verben, besonders solchen, die eine Gemütsbewegung ausdrücken.

D. Zweck und Bestimmung (pour, à) **316**

1. C'est un livre **pour enfants.** J'ai une surprise **pour toi.**	*pour* für betont den Zweck, die Bestimmung.
2. la salle **à manger** la machine **à coudre** inviter qn **à dîner** C'est facile **à faire.**	*à* zu, für steht in festen Wendungen und nach den meisten Verben, die eine Zweckbestimmung verlangen. (Vgl. § 80 ff.)

E. Einschränkung und Hinzufügung (excepté, sauf — outre, en dehors de, à côté de) **317**

1. Toutes ses filles sont mariées, **excepté la plus jeune** (à l'exception de la plus jeune). Tous étaient venus à la gare, **excepté ma mère**, qui était souffrante. Il a tout vendu, **sauf sa maison.**	*excepté* und *sauf* außer, ausgenommen werden in **ausschließendem** Sinne gebraucht. *excepté* ist häufiger als *sauf*. Vor dem Substantiv ist *excepté* Präposition und daher unveränderlich (vgl. § 105).

2. Il entretient, **outre** (à côté de, en dehors de) **ses enfants**, ses vieux parents. **En dehors de** (outre, à côté de) **ses quatre romans**, Diderot a composé quelques contes.	*outre* außer = neben fügt hinzu. Es ist jedoch vorwiegend schriftsprachlich und wird meist durch *en dehors de* oder *à côté de* ersetzt.

A Die Präposition *hors (de)* außer = außerhalb wird örtlich und übertragen gebraucht: *hors de la ville, être hors de danger.* Zuweilen auch ohne *de: hors concours* außer Konkurrenz, *mettre qn hors la loi* für vogelfrei erklären etc. Im Sinne von *excepté* ist *hors* selten: *Tous les genres sont bons, hors le genre ennuyeux* (Voltaire).

hormis ausgenommen findet sich zuweilen in literarischer Sprache: *Hormis le notaire, la bourgeoisie n'était guère représentée dans le bourg* (G. Chevallier). *Voici mon aventure dont je ne déguiserai rien, hormis des noms que je dois taire* (Marmontel).

318 Die Konjunktion (la conjonction)

In dem Satz *Rentrez avant la nuit* verbindet die Präposition *avant* zwei Wörter (hier Verb und Substantiv); sage ich jedoch *Rentrez avant que la nuit tombe*, so verbindet *avant que*, eine Konjunktion, zwei Sätze.

Die Konjunktion ist, wie die Präposition, unveränderlich und hat eine nur beschränkte Eigenbedeutung. Sie dient vor allem dazu, Sätze (vereinzelt auch Wörter) einander beizuordnen oder unterzuordnen.

Man unterscheidet demgemäß:

1. Beiordnende Konjunktionen *(conjonctions de coordination)*, die zwei gleichartige Wörter, Satzteile oder Sätze verbinden: *Il est riche et avare* (die Konjunktion *et* verbindet zwei Wörter). *Il est riche et donne souvent aux pauvres (et* verbindet zwei Sätze*).*

2. Unterordnende Konjunktionen *(conjonctions de subordination)*, die einen Nebensatz einem Hauptsatz unterordnen: *Je ne sors pas parce qu'il pleut.*

I. Beiordnende Konjunktionen (les conjonctions de coordination)

319 A. Als einfaches Bindeglied

1. Le chien est **vigilant et fidèle.** **D'une part** il faut respecter la tradition, **d'autre part** il faut suivre le progrès. **Et les riches et les pauvres** mourront.	*et* und und *d'une part* . . . *d'autre part* einerseits . . . andererseits verbinden bejahende Sätze oder zwei gleichartige Satzteile. *et* . . . *et* sowohl als auch.
2. Il n'est **ni grand ni petit.** Je **ne** veux, **ni ne** peux, **ni ne** dois obéir.	*ni* . . . *ni* weder . . . noch verbindet negative Sätze (vgl. § 243).
3. Il viendra **lundi ou** (ou bien) **mardi.** Il faut **vaincre ou mourir.** **Soit faiblesse, soit raison,** il a cédé. Il est **tantôt triste, tantôt gai. Tantôt** il pleure, **tantôt** il rit.	*ou* oder, oft durch *bien* verstärkt, und *soit* . . . *soit* sei es . . . sei es deuten zwei Möglichkeiten an. *tantôt* . . . *tantôt* bald . . . bald deutet einen Wechsel an.

B. Als logische Verbindung

1. Il est **riche, mais avare.** S'il est **laid, par contre** il est **intelligent.** Il est **fier, mais en revanche généreux.** En latin il est faible, **en revanche** il est fort en mathématiques.	**Adversativ.** Den Gegensatz drücken aus: *mais* aber *par contre* hingegen, andererseits *en revanche* dafür, hinwiederum.
2. Le soleil **semble tourner** autour de la terre; **c'est cependant le contraire** qui a lieu. Vous **ne l'aimez pas,** je sais. Il faut **néanmoins le saluer.** **Son travail est mal fait,** j'en conviens; **il ne faut toutefois pas oublier** qu'il a été malade.	**Konzessiv.** Die Einräumung drücken aus: *cependant* indes, dennoch *pourtant* dennoch, trotzdem *néanmoins* nichtsdestoweniger (literarisch) *toutefois* immerhin.
3. Vous ne le trouverez pas chez lui, **car je viens de le voir** dans la rue. Je vous laisse, **car j'ai beaucoup de travail.**	**Kausal.** Den Grund gibt an: *car* denn.

A *car* ist vorwiegend literarisch. In normaler Sprache sagt man *parce que* (vgl. § 326).

4. Je pense, **donc** je suis (Descartes). Nous avons eu une panne en cours de route; **par conséquent,** j'arriverai un peu plus tard. Il est méchant, **aussi** chacun le fuit. Il n'a pas reçu votre lettre. **C'est pourquoi** (voilà pourquoi) il n'y a pas répondu.	**Konsekutiv** und **kausal.** Folge und Grund werden gleichzeitig angegeben durch: *donc* also *par conséquent* infolgedessen [fang) *aussi* daher, deshalb (am Satzan- *c'est pourquoi (voilà pourquoi), pour cela, pour cette raison* deshalb.
5. **Or,** voici ce qui s'était passé. Tous les hommes sont mortels; **or** Caton est un homme; **donc** Caton est mortel.	*or* nun, nun aber dient zur **gedanklichen Verknüpfung zweier Aussagen,** besonders wenn ein Schluß gezogen wird.

II. Unterordnende Konjunktionen (les conjonctions de subordination)

A. Temporale Konjunktionen

1. *quand, lorsque, comme*

a) **Quand nous voulons voir,** il faut ouvrir les yeux (Bossuet). **Quand il faisait beau,** nous nous promenions. Nous commencerons **quand vous voudrez.** Il faisait nuit **quand elle arriva.**	*quand* bedeutet *wenn = jedesmal wenn* oder *wenn = dann wenn, wann* (Präsens, Imperfekt, Futur). Beim *passé simple* und *passé composé* bezeichnet *quand* einen Zeitpunkt der Vergangenheit und entspricht deutsch *als.*

b) Tous se turent **lorsqu'il entra.** Tout semblait calme, **lorsque soudain un coup de feu retentit** als plötzlich ein Schuß fiel.	*lorsque* als ist genauer als *quand* und bezieht sich meist auf einen fest umrissenen Zeitpunkt oder ein historisches Ereignis (daher *Passé simple, Passé composé*).
c) Il arriva **comme** (au moment où) **nous étions** sur le point de sortir. **Comme nous déjeunions,** le facteur entra.	*comme* als = gerade als betont die Gleichzeitigkeit zweier Handlungen (daher Imperfekt).

322   2. *dès que, aussitôt que, depuis que*

a) J'irai me coucher **dès que j'aurai dîné.** Prévenez-moi **aussitôt qu'il sera arrivé.**	*dès que, aussitôt que* sobald als (Zum Tempus in der Vergangenheit vgl. § 52.)
b) **Depuis que vous êtes là,** je suis rassuré. Il a beaucoup changé **depuis qu'il a perdu sa femme.**	*depuis que* seit, seitdem.

323   3. *pendant que, tandis que, alors que*

a) Il faut battre le fer **pendant qu'il est chaud** (proverbe). **Pendant que** (tandis que) **mon père travaille,** personne n'ose le déranger.	*pendant que* während drückt nur die Gleichzeitigkeit aus.
b) Travaillons **tandis que nous sommes jeunes.** Il fréquente les cafés **tandis que** (alors que) **sa famille s'épuise** au travail.	*tandis que* während drückt neben der Gleichzeitigkeit oft auch den Gegensatz aus.
c) Il parle **alors qu'il devrait agir.** Il croit être guéri, **alors qu'en réalité il est plus malade que jamais.**	*alors que* während, ursprünglich eine temporale Konjunktion, wird heute meist zur Betonung des Gegensatzes gebraucht.

324   4. *tant que, après que, avant que*

a) **Tant qu'il y a de la vie,** il y a de l'espoir. Je ferai mon devoir **tant que je vivrai.**	*tant que* solange wie, solange als.
b) **Après qu'ils eurent dîné,** ils se retirèrent dans le salon.	*après que* nachdem (vgl. § 52).
c) Rentrons **avant qu'il (ne) pleuve.** L'alouette chante **avant qu'il (ne) fasse jour.**	*avant que* bevor steht mit dem Konjunktiv. (Zu *ne* vgl. § 245.)

A Bei gleichem Subjekt in Haupt- und Nebensatz werden die schwerfälligen Konjunktionen *après que* und *avant que* gemieden.

Statt *après que* steht *après* mit dem Infinitiv Perfekt: *Après avoir diné, ils se retirèrent.*

Statt *avant que* steht *avant de* mit dem Infinitiv: *Réfléchissez avant d'agir.*

5. *jusqu'à ce que, en attendant que, jusqu'au moment où*   **325**

a) Je resterai ici **jusqu'à ce qu'il revienne** (en attendant qu'il revienne).	*jusqu'à ce que, en attendant que* bis stehen heute immer mit dem Konjunktiv (vgl. § 62).
b) Il dormit **jusqu'au moment où le téléphone le réveilla.**	*jusqu'au moment où* bis steht mit dem Indikativ.

B. Kausale Konjunktionen   **326**

1. **Comme il pleuvait** à torrents, on décida de rester à la maison.	*comme* da gibt den Grund an und geht dem Hauptsatz voraus.
2. Pourquoi n'êtes-vous pas sortis? (Nous ne sommes pas sortis) **parce qu'il pleuvait.**	*parce que* weil antwortet auf die wirkliche oder gedachte Frage *warum?* Es steht im Nachsatz.
3. Ce doit être vrai, **puisque vous le dites. Etant donné** (vu, du moment) **que les faits sont tels,** je ne peux pas satisfaire votre demande Antrag.	*puisque* da ja gibt einen als bekannt vorausgesetzten Grund an. Im gleichen Sinne werden *étant donné que, du moment que* und *vu que* gebraucht.

A 1. Beachte: *Comme* (da) *il pleut, je ne peux pas sortir. — Je ne peux pas sortir, parce qu'il pleut* (weil).

2. Für *c'est parce que* steht gewöhnlich die Kurzform *c'est que*: *Si je suis venu, c'est que vous me l'aviez demandé.*

C. Finale Konjunktionen   **327**

1. Dépêchez-vous, **pour que** (afin que) **tout soit prêt** à temps. Cachez-vous, **afin que les autres ne vous voient pas** ici.	*pour que* und *afin que* damit werden ohne Sinnunterschied zur Angabe des Zwecks gebraucht. Beide stehen mit dem Konjunktiv.
2. Elle soutenait son père malade, **de peur qu'il (ne) tombât.**	*de peur que (ne)* damit nicht = aus Furcht daß steht mit dem Konjunktiv.

A 1. In den obenstehenden Sätzen haben Haupt- und Nebensatz verschiedenes Subjekt. Bleibt das Subjekt das gleiche, so nimmt der Nebensatz Infinitivform an. Es steht dann statt *pour que, afin que, de peur que* der Infinitiv mit *pour, afin de, de peur de*:
Il se pressa afin d'arriver (pour arriver) à temps. Elle marchait lentement, de peur de tomber.

2. Nach dem Imperativ genügt bloßes *que*, um den Zweck auszudrücken: *Approchez, que je vous voie mieux.*

328 D. Konsekutive Konjunktionen

1. Il vit **de telle façon qu'il est très estimé.** Tout s'est passé **de telle manière que tout le monde est content.** Ecrivez **de façon qu'on puisse lire** votre lettre. Faites les choses **de manière que chacun soit content.** Faites **en sorte que personne ne vous voie.**	*de façon que, de manière que, de sorte que* so daß und *faire en sorte que* es so einrichten, daß leiten einen Konsekutivsatz ein. Es steht der **Indikativ,** wenn die **tatsächliche Folge** ausgedrückt wird. Es steht der **Konjunktiv,** wenn eine **gewünschte** oder **beabsichtigte Folge** ausgedrückt wird. (Vgl. § 62, 2.)
2. Votre ami semble **assez sérieux pour qu'on puisse** avoir confiance en lui. Il est **trop menteur pour qu'on le croie.**	Nach *assez, trop* und *trop peu* deutet *pour que* als daß die Folge an. Es steht der Konjunktiv.

A 1. Nach Ausdrücken, die einen Hinweis mit *si, tel, tant* usw. enthalten, steht einfaches *que* zur Einleitung des Konsekutivsatzes: *Le vent soufflait si fort que son chapeau s'envola. La situation s'est aggravée au point (à tel point, tellement) qu'on n'y voit plus d'issue* Ausweg.

2. Bei gleichem Subjekt steht kürzer und eleganter eine entsprechende Präposition (häufig *à*) mit dem Infinitiv, um die Folge auszudrücken: *Il semble assez sérieux pour mériter notre confiance. Travaillez de manière à satisfaire vos parents. Il n'est pas homme à vous mentir.*

329 E. Die modale Konjunktion sans que

Il est sorti **sans que les autres s'en soient aperçus.** Je ne puis lui parler **sans qu'il m'interroge.** Il l'a fait **sans qu'on le lui ait demandé** expressément.	*sans que* ohne daß steht immer mit dem Konjunktiv.

A Bei gleichem Subjekt steht statt *sans que* nur *sans* mit dem Infinitiv: *Il est sorti sans être aperçu des autres.*

330 F. Konditionale Konjunktionen

1. **Si tu m'écris,** je te répondrai. **Si tu prenais le train,** ce serait moins cher qu'en voiture. **Si tu avais couru,** tu aurais encore attrapé le train.	*si* wenn = falls ist die allgemeinste konditionale Konjunktion (Zu Tempus und Modus bei *si* vgl. § 74.)
2. **Au cas où vous en auriez besoin,** je pourrais vous donner les renseignements nécessaires. **Au cas où il m'arriverait quelque chose,** j'ai laissé à un camarade une petite clef (J. Romains). **En cas qu'il vienne,** dites que je suis sorti.	*au cas où* (mit Konditional) } falls, im *en cas que* (mit Konjunktiv) } Falle daß *au cas où* ist häufiger.

3. Il arrivera dans une heure, **pourvu qu'on l'ait prévenu** à temps. Nous partirons demain, **pourvu que le temps ne change pas.**	*pourvu que* vorausgesetzt daß, wofern steht mit dem Konjunktiv.
4. Je vous donne cet argent, **à condition que vous partiez** (partirez) demain. Nous partirons demain, **à condition que le temps le permette.**	*à condition que* unter der Bedingung, daß steht meist mit dem Konjunktiv, gelegentlich auch mit dem Indikativ (Futur).
5. Je serai exact au rendez-vous, **à moins que le train ne soit en retard.** Je viendrai ce soir, **à moins que je ne sois trop fatigué.**	*à moins que ne* wofern nicht steht mit dem Konjunktiv.

A Das bedingende *si* wenn darf nicht mit der fragenden Konjunktion *si* ob verwechselt werden: *Si* (wenn) *c'est vrai, cela m'étonne. Je me demande si* (ob) *c'est vrai.*

Nach fragendem *si* ob kann das Konditional stehen: *Je lui ai demandé s'il viendrait,* nach bedingendem *si* wenn niemals: *Je le ferais, si j'étais sûr du succès.*

G. Konzessive Konjunktionen **331**

1. Il était généreux, **quoiqu'il fût économe** (V. Hugo). **Bien qu'il ne soit plus très jeune,** il semble encore robuste.	*quoique, bien que* obwohl, obgleich stehen mit dem Konjunktiv.
2. Il ne saurait vous le dire, **quand même il le voudrait** (même s'il voulait).	*quand même* selbst wenn steht mit dem Konditional.

A In der gesprochenen Sprache ist *quoique* verhältnismäßig selten; *bien que* ist vorwiegend literarisch. Statt *Quoiqu'il fasse mauvais temps, il est parti* sagt man natürlicher *Il faisait mauvais temps; il est parti quand même* trotzdem. Außerdem hört man: *Il est parti malgré le mauvais temps.*

H. Vergleichende Konjunktionen **332**

1. Faites **comme vous voudrez.** Le voleur fut arrêté **comme** (de la même façon que) **ses complices.**	*comme* genau so wie, auf dieselbe Weise.
2. Le voleur fut arrêté **de même que ses complices** (ainsi que ses complices).	*de même que* ⎫ *ainsi que* ⎭ wie = wie auch, ebenfalls.
3. **Selon que vous serez puissant ou misérable,** les jugements de cour vous rendront blanc ou noir (La Fontaine). Je le récompenserai **suivant qu'il m'aura servi.**	*selon que* ⎫ *suivant que* ⎭ in dem Maße wie, je nachdem. *selon que* ist häufiger.

333 J. Die Konjunktion que

Die Konjunktion *que* hat sehr vielfältige Verwendung. Zum Teil gehen die verschiedenen Funktionen auf verschiedene lateinische Grundwörter zurück *(quid, quod, quam);* die Grundbedeutungen werden aber nicht mehr empfunden; *que* ist nur noch Beziehungsmittel.

Ein Satz mit *que* vertritt:

1. Il est possible **qu'il soit arrivé.** Je crois **qu'il reviendra.**	einen **Subjekt-** oder **Objektsatz** (daß);
2. Il vit de telle façon **qu'il est très estimé.** Agissez de telle façon **que tout le monde soit content.**	einen **Konsekutivsatz** (daß) (vgl. § 328);
3. Il est plus riche **qu'on ne croit.** Ce livre n'est pas **si beau que je l'avais espéré.**	einen **Vergleichsatz** nach Komparativ (als) (vgl. § 197), nach hinweisendem *si, tel* usw. (wie) (vgl. § 233);
4. **Un jour que je me promenais** dans cette rue, je vis un pauvre vieillard venir vers moi.	einen **Relativsatz** (wo, als) (vgl. § 278);
5. **A peine** mon père fut-il entré, **qu'il m'appela** d'une voix sévère. Je parlais **encore qu'il était déjà parti.** Il n'eut pas fait vingt pas **qu'il fut arrêté.**	einen **Temporalsatz** nach *à peine* (als, so) (vgl. § 144), nach *encore* usw. (als, so, da);
6. **Approchez que l'on vous voie.**	einen **Finalsatz** nach Imperativ (damit, daß) (Beachte den Konjunktiv! Vgl. § 327 A 2);
7. Je ne puis sortir **qu'il ne pleuve.** Il ne dit rien **que les autres ne le critiquent.**	einen **Modalsatz** mit *ne* (ohne daß) (literarisch);
8. **Qu'on lui ferme la porte** au nez, il reviendra par la fenêtre (La Fontaine).	einen **Konditionalsatz** (wenn);
9. **Qu'elle veuille ou qu'elle ne veuille pas,** elle acceptera mes conditions. Elle acceptera mes conditions, **qu'elle le veuille ou non.**	einen **Konzessivsatz** (ob . . . oder ob).

que dient ferner dazu, andere Konjunktionen zu wiederholen.

Dabei steht im Satz mit *que* der Modus, der nach der wiederholten Konjunktion stehen müßte: *Bien qu'il fût malade, et que le médecin lui eût défendu de sortir, il ne resta pas à la maison. Quand j'entrai dans la chambre et que je vis ce spectacle, je restai stupéfait.*

Bei der Wiederaufnahme von *si* wenn durch *que* steht der Konjuktiv: *S'il vient et que je ne sois pas là, prie-le de m'attendre.* Aber: *S'il vient et si je ne suis pas là, . . .*

Die Zeichensetzung (la ponctuation)

Die französischen Satzzeichen *(signes de ponctuation)* stimmen im wesentlichen mit den deutschen überein. Die heute gebräuchlichen sind:

le point (.)	*la virgule* (,)
les deux points (:)	*le point-virgule* (;)
le point d'exclamation (!)	*le point d'interrogation* (?)
le tiret (—)	*le trait d'union* (-)
les parenthèses ( )	*les crochets* [ ]
les guillemets (« »)	*les points de suspension* (. . .)

Aufgabe der französischen Satzzeichen ist es, in der Schrift anzudeuten, wann beim Lesen oder Sprechen **Pausen** zu machen sind, oder wann bei gewissen Zeichen (z. B. Frage- und Ausrufungszeichen) der Satz eine bestimmte **Intonation** erhalten soll. Sie dienen also zur lautlich-sinngemäßen Gliederung eines Abschnittes oder Satzes.

Die französischen Satzzeichen werden, abgesehen vom Komma, das nicht Satz-, sondern **Tonzeichen** ist, durchweg wie die deutschen verwendet. Wir bringen daher im folgenden nur die Fälle, in denen die französische Zeichensetzung Besonderheiten aufweist.

I. Das Komma (la virgule)

Das Komma ist im Französischen immer Zeichen einer kurzen Sprechpause innerhalb des Satzes. Seine Verwendung weicht daher von der des deutschen Kommas ab. Folgende Besonderheiten sind besonders zu beachten:

1. a) Les enfants qui avaient fini de déjeuner quittèrent la salle. (Nur diejenigen Kinder, die schon gegessen hatten, . . .) J'ai enfin trouvé le livre que je cherchais depuis longtemps. b) Les enfants, qui avaient fini de déjeuner, quittèrent la salle. (Alle Kinder hatten gegessen und . . .) Ce petit livre, que j'ai acheté d'occasion (antiquarisch), est très rare.	In **Relativsätzen** steht **kein Komma**, wenn sie **bestimmend**, d. h. zum Verständnis des Satzes unbedingt erforderlich sind. Diese Nebensätze können nicht fehlen, weil sie dem Satz seinen vollen Sinn geben; **ein Komma**, wenn sie nur **erläuternd**, nur ergänzend sind. Diese Nebensätze können fehlen, ohne daß der Sinn des Satzes sich ändert. Sie könnten auch in Klammern stehen.
2. J'espère que nous nous reverrons bientôt. Je me demande à quoi il pense tout le temps. Je crois qu'il faut partir. J'espère te revoir bientôt. Je suis curieux de savoir s'il viendra.	**Objektsätze** werden nicht durch Komma abgetrennt. **Merke:** kein Komma vor *que* daß. Das gleiche gilt für **Infinitivsätze** und **indirekte Fragesätze.**
3. Dans les champs, c'était une terrible fusillade (Gewehrfeuer). A chaque coup, je fermais les yeux (A. Daudet). Par la fenêtre, entrait un rayon de soleil (H. Troyat).	**Längere adverbiale Bestimmungen,** die einen Satz einleiten, werden durch Komma abgetrennt (Sprechpause! vgl. Anmerkung).

4. Il est tombé parce que le chemin était glissant. J'irai le voir avant qu'il ne parte. Je ne puis parler sans qu'il m'interrompe.	**Nachgestellte Adverbialsätze** werden nicht durch Komma abgetrennt. Diese Sätze sind ohne Pause zu sprechen.
5. Les élèves d'une école primaire sont appelés écoliers, ceux d'un collège, collégiens, ceux d'un lycée, lycéens. Le cheval s'approchant lui donne un coup de pied; le loup, un coup de dent; le bœuf, un coup de corne (La Fontaine).	Man setzt ein Komma anstelle eines nicht wiederholten Verbs (Ellipse des Verbs).

A Der ausgesprochene Charakter des französischen Kommas als Zeichen einer kurzen Sprechpause wird in folgenden Sätzen besonders deutlich: *Au bruit de la porte, une femme, Sophie, la servante, venait de sortir de la cuisine* (E. Zola). *Demain, à l'aube, à l'heure où blanchit la campagne, je partirai* (V. Hugo).

336 II. Besonderheiten bei anderen Satzzeichen

1. a) Me parler avec cette impudence! (Molière). Que vous êtes joli! que vous me semblez beau! (La Fontaine). Je répare des tableaux anciens. Oh! les vieux maîtres! quelle âme! quel génie! (A. France). Aïe! tu me fais mal!	Das **Ausrufungszeichen** *(le point d'exclamation)* steht nur nach wirklichen Ausrufesätzen und unmittelbar nach Interjektionen wie: *ah! — hélas! — oh! — bravo! — enfin! — aïe! — halte! — tiens! — allons! — stop!* etc. (Beachte die Kleinschreibung nach dem Ausrufungszeichen.)
b) Donnez-moi, dit ce peuple, un roi qui se remue (La Fontaine). Va, cours, vole et me venge (Corneille). Asseyez-vous. Ne pleure pas. Ecoutemoi.	Der normale **Imperativ** hat (im Gegensatz zum Deutschen) **kein Ausrufungszeichen.** Nur in wirklichen Ausrufen findet man Ausrufezeichen, z. B. *Sortez d'ici! N'entrez pas!*
2. Messieurs et chers administrés … Messieurs et chers admi … Messieurs et chers … (A. Daudet). Que faire? … Où aller? … Je suis désespéré.	**Auslassungspunkte** *(les points de suspension)* zeigen an (wie etwa der deutsche Gedankenstrich), daß ein Satz oder Satzteil nicht vollendet wird, in der Schwebe bleibt.
3. Quand venez-vous? — Demain. — Bien! je vous attendrai. Reste-t-il du pain d'hier? dit-il à Nanon. — Pas une miette, monsieur (H. de Balzac). Je voudrais — excusez-moi — vous dire un mot.	Der **Gedankenstrich** *(le tiret)* zeigt in der Wiedergabe einer Unterhaltung den Wechsel des Gesprächspartners an. Zuweilen vertritt er eine Klammer.

4. le chou-fleur, l'arc-en-ciel, ce livre-ci, là-bas, par-ici, par-là dis-je, fais-le, parle-lui, pensez-y, viendra-t-elle?, rends-le-moi	Der **Bindestrich** *(le trait d'union)* dient zur Verbindung von Wörtern untereinander und von Verbformen mit nachgestellten Pronomen.
5. «As-tu envie d'aller au cinéma avec moi?» me demanda-t-il gentiment. Il ne faut pas oublier que « le cœur a des raisons que la raison ne connaît point » (Pascal).	**Anführungszeichen** *(les guillemets)* stehen am Anfang und Ende einer direkten Rede oder eines Zitates.
L'accusé déclara qu'il « travaillait » dans le cambriolage.	Sie dienen auch zur Hervorhebung eines Wortes.
« Je serais très heureux, dit-il, si tu te mettais enfin au travail. »	Bei kleinen Einschiebungen in die direkte Rede *(dit-il)* stehen sie oft nur am Anfang und Ende des ganzen Satzes.

Die Verwendung der großen Anfangsbuchstaben
(emploi des majuscules)

Mit großem Anfangsbuchstaben schreibt man   **337**

1. Un vent violent se lève. Louis XIV, dit-on, déclara un jour: L'Etat, c'est moi.	das **erste Wort** eines Satzes, einer direkten Rede und eines Zitats;
2. Jean, Marie, Joseph Jupiter, Vénus, Hercule Anatole France, Emile Zola le Rhin, la Seine, les Alpes	**Eigennamen** und
l'océan Atlantique, le mont Blanc, le golfe Persique, la mer Baltique Ostsee	**geographische Namen**; **Merke:** bei geographischen Namen mit charakteristischem Adjektiv wird nur dieses groß geschrieben.
3. les Français, les Anglais, un Allemand, un Belge Notre professeur est Français.	**substantivisch gebrauchte Völkernamen**;
aber: la langue française, l'Académie française, le drapeau allemand	(Adjektivisch gebrauchte Völkernamen werden klein geschrieben.)
4. Dieu, le Christ, le Créateur, le Messie, la Providence, le Seigneur, le Saint-Esprit, l'Eternel **aber:** les dieux de l'antiquité, une déesse	die Namen, die die **christliche Gottheit** bezeichnen;

5. Il viendra à Pâques, à Noël, à la Toussaint Allerheiligen.	die **kirchlichen Feste**;
6. l'Etat, l'Eglise protestante l'Institut de France, l'Académie française la Chambre des députés, l'Assemblée nationale l'ordre de la Légion d'honneur, l'Empire romain, le second Empire, la troisième (IIIe) République	**kirchliche** und **öffentliche Einrichtungen**;
7. Le tableau le plus connu du peintre Millet est «L'Angélus». L'éclatant succès de la Farce des Précieuses Ridicules valut à Molière l'amitié de Louis XIV (G. Lanson). Les Femmes savantes, le Malade imagi- naire, le Médecin malgré lui sont des œuvres de Molière. la Divine Comédie de Dante la satire du Pauvre Diable	**Titel von Kunstwerken**; Bei längeren Titeln wird meist nur das erste bedeutende Wort groß geschrieben. Adjektive werden in Titeln groß geschrieben, wenn sie dem Substantiv vorangehen.
8. Monsieur, J'ai l'honneur de ... (Briefanfang) Veuillez agréer, Monsieur, l'expression de mes sentiments distingués (Brief- schluss). **aber:** un monsieur âgé Monsieur le Préfet, Monsieur le Président, Monsieur le Maire	eine Reihe von **Titeln in der höflichen Anrede**;
9. la France du Nord, les provinces de l'Est, le Midi, le pôle Sud **aber:** Strasbourg est à l'est de Paris. Le vent souffle du nord.	die **Himmelsrichtungen,** wenn sie ein **Gebiet** bezeichnen.

A 1. Das Adjektiv *saint* gilt nicht als Titel: *saint Pierre, la sainte Bible, l'Ecriture sainte, la sainte Famille.* Wenn *saint* jedoch mit dem Namen durch Bindestrich verbunden ist, wird es groß geschrieben: *le Saint-Père, le Saint-Empire, le Saint-Siège.*

2. Man beachte ferner folgende Kleinschreibungen:

a) Wochentage: *Il viendra dimanche. Le lundi de la semaine prochaine.*

b) In der Anrede *tu* und *vous: J'espère que vous avez reçu ma lettre.*

c) *rue, place, avenue etc.* in Straßenangaben: *rue d'Ulm, place de la Concorde, avenue des Champs-Elysées, quai d'Anjou, square Arago, boulevard Haussmann.*

d) Titel (außer den unter 8 genannten): *Napoléon, empereur des Français; le roi Henri; le prince Igor; le duc de Nemours; la marquise de Rambouillet; le comte Mosca; le pape Pie XII.*

e) Namen religiöser und politischer Gemeinschaften oder Parteien: *les catholiques, les protestants, les mahométans, les jésuites — les républicains, les socialistes, les libéraux etc.*

Die Silbentrennung
(la division syllabique des mots)

Im Französischen trennt man nach **Sprechsilben** (also *in-té-res-sant*). Die Trennung *(séparation, coupure)* von Silben am Zeilenende wird durch *tiret* (-) angezeigt. Im einzelnen gelten folgende Regeln:

1. ca-ma-ra-de, pro-me-na-de, lu-xe, cha-ri-té, jeu-di, ki-lo, me-su-rer, ré-pa-rer	Ein einfacher Konsonant zwischen zwei Vokalen geht zur folgenden Silbe.
2. ar-gent, mas-sif, en-nuyer, don-ner, res-ter, obs-cur, lors-que	Von zwei oder drei intervokalischen Konsonanten tritt der letzte zur folgenden Silbe.
3. a) ta-ble, spec-ta-cle, en-fler, é-tran-gler, rem-plir, sa-bre, en-cre, crain-dre, af-freux, Hon-grie, â-pre, en-trer, vi-vre	**Nicht getrennt werden:** die Konsonantengruppen, bei denen *l* oder *r* auf einen anderen Konsonanten folgt *(bl, cl, fl, gl, pl, br, cr, dr, fr, gr, pr, tr, vr);*
b) a-che-ter, or-tho-gra-phe, cam-pa-gne, ryth-me	die Gruppen *ch, ph, gn, th* (die nur einen Laut darstellen);
c) tuer, lion, cu-rio-si-té, poè-me, théâ-tre, ou-vriè-re, voyant	aufeinanderfolgende Vokale.

A **1.** Neben der normalen Trennung nach Sprechsilben gibt es gelegentlich auch die sogenannte etymologische Trennung. So findet man *hémis-phère* neben *hémi-sphère*, *cons-tant* neben *con-stant*, *trans-pirer* neben *tran-spirer*.
Im Zweifelsfalle richte man sich jedoch immer nach der oben gegebenen Regel 2 und 3a, also *catas-trophe*, *ins-crire*, *manus-crit*, *téles-cope* etc.

2. Man vermeidet es, beim Schreiben eine tonlose Endsilbe abzutrennen. Also nur: *pu-blique*, *rouge*, *blanche*, *ven-dange* etc.

3. Man trennt keine abgekürzten Vornamen oder Titel vom Namen, schreibt also ohne Trennung: *E. Zola*, *A. France*, *M. Dupont*, *Mme Lepic*.

4. Man trennt nicht den elidierten Artikel *(l')* oder elidiertes *que (qu')* vom folgenden Wort: *l'ar-gent*, *pres-qu'île*, *lors-qu'il*, *lors-qu'un* etc.

Alphabetisches Sachregister

Nicht aufgenommen wurden die Paragraphenüberschriften, die ohnehin aus dem Inhaltsverzeichnis ersichtlich sind. So findet man im alphabetischen Register *Konjunktiv 56—70*. Im Inhaltsverzeichnis findet man dann Unterteilungen wie *Konjunktiv der Unwahrscheinlichkeit 68*.

Die unregelmäßigen Verben sind bereits in den §§ 26—29 nach Konjugationen alphabetisch geordnet.

Einzelheiten findet man bei dem Wort selbst, also *qui* unter *qui*, nicht unter *Pronomen*.

Die Zahlen verweisen auf Paragraphen

A

à, Präp.
    Lage in einem Ort 301
    Unterschied zu *dans* und *en* 301
    Richtung nach einem Ort 302
    Erreichen eines Orts 302
    Zeitpunkt 310
    zeitliches Ende 311
    Art und Weise 313
    Mittel und Werkzeug 314
    Ziel, Zweck, Bestimmung 316
    ~ *le voir*, ~ *l'entendre* 82 A 3
Abstrakta 145
    Plural 166 A
    mit best. Artikel 176
    ohne Artikel 187
accord, d'~ 236 A 2
acquérir – conquérir – prendre 27 A 3
adjectif verbal 92—96
Adjektiv 188—204
    ~ und Adverb 215
    ~ in adv. Sinn 224—225
admettre (Modus) 64
Adverb 215—245
    Adjektiv für ~ 224—225
    subst. Umschreibungen 226
    verb. Umschreibungen 227
Adverbialsatz 4
afin de faire 90; 327
afin que 62; 327
agir en ami 121
aide, à l'~ de, avec l'~ de 314 A
aider, ~ qn 114
    ~ *à qc* 118
    ~ *qn* oder *à qn à faire qc* 118 A
aïeul 161
aimer, ~ faire, ~ à f., ~ de f. 77 d A
    ~ *mieux . . . que de* 77 d A
    ~ *faire* gern tun 227
ainsi 233 A
    ~ *que* 332

Aktionsart 8
aller – marcher 26 A 1
    ~ *faire* 35
amour (Genus) 157
applaudir qn, ~ à qc 114 A
Apposition und Artikel 186
apprendre qc, ~ qc à qn, ~ qc avec qn 119 A
après 306; 312
    ~ *avoir fait* 90; 325
    ~ *que* 52; 324—325
    d'~ 312
après-midi (Genus) 157
    (Plural) 163
arrêter (Modus) 60 A 3
arriver, ~ à faire 80 A 1; 89; 110
    il m'arrive de faire 89
Artikel 167—187
    bestimmter ~ 168—177
    unbest. ~ 178
    Teilungs~ 179—184
assister, ~ qn, ~ à qc 114 A
attendre que, ~ jusqu'à ce que 60 A 2
Attributsatz 4
aucun (ne) 298
au-dessous de 307
au-dessus de 307
auprès de 303
Ausrufungszeichen 336
aussi, Inversion nach ~ 144
    ~ beim Vergleich 232—233
    ~ Konjunktion 320
aussitôt que 52; 322
autant 232—233
auto (Genus) 157
autoresse 150 A
autre 295
avant 306; 312
    ~ *de faire* 90; 325 A
    ~ *que . . . (ne)* 68; 245; 324
    avec 313—314
    ~ *patience* für *patiemment* 226
avoir 10
    il y a s. *il*

B

banal 196
bas, parler ~ 224

beau, bel, belle 195
    Stellung 201
    avoir ~ faire qc 65 A 2; 77 a
beaucoup 228—231
    Steigerung 219
bien, Adv. zu *bon* 217
    Steigerung 219
    Gebrauch 228—231
    in adjekt. Funktion 219 A
    ~ *de la peine* 182 A 2
    ~ *des vieilles maisons* 182 A 3
    ~ *d'autres* 182 A 2
    ~ *que* 65; 331
    ~ *sûr* 236 A 2
boire dans, à qc 305
bon, Steigerung 198
    sentir ~ 224
    trouver ~ 252 A 2
bouillir – faire ~ – faire la cuisine 27 A 4
bout, au ~ de 312
Bruchzahlen 210

C

ça 270 A 2
car 320; 320 A
cas, au ~ où, en ~ que 64 A; 330
cause, à ~ de 315
ce (cet) 266; 271—274
    als neutrales Subjekt 112; 271
    ~ *sont eux* 112
    ~ *faisant, ~ me semble* 271
ceci 270
cela 270
celui, celle 268
celui-ci, celui-là 269
ce que, als Objekt 282
    als präd. Ergänzung 282
    bei indir. Frage 288
ce qui, als Subjekt 282
    bei indir. Frage 288
cependant 320
certain 295
certains, de ~ 184 A 3
cesser de faire qc 85
    il ne cesse de pleuvoir 244
c'est – il est 178; 272—274

194

~ moi qui ai . . . 111
~ eux, ce sont eux 112
~ . . . qui (que) (Hervorhe-
    bung) 133
~ que für ~ parce que 326 A 2
~ une honte (que) de 88 b;
    133 A
chacun 294
changer (Hilfsverben) 34
~ qc, ~ de qc, ~ en 198
    se ~ 118
chaque 291; 294
cher, acheter ~, vendre ~ 224
chercher à faire 80
chez 303
choisir qn pour chef 121
combien 234
ci-inclus, ci-joint 105
comme, in Vgl. u. Ausruf 234
    temp. Konjunktion 321
    kausale Konj. 326
    vergl. Konj. 332
commencer, ~ à oder de faire 89
~ par faire 90,3
comment 234
comprendre (Modus) 66
compris, y ~ 105
compter faire qc 77 e
condition, à ~ que 330
considérer qn comme . . . 121
content, être ~ que 69
continuer à oder de faire 89
contraindre à oder de faire 89
contre 302
    par ~ 320
convenir (Modus) 64
côté, de ce ~ etc. 304 A 2
    à ~ de 306; 317
courir (Hilfsverb) 32
    (Veränderlichkeit des Part.
    Perf.) 105
couronner qn roi 121
coûter (Veränderlichkeit des
    Part. Perf.) 105
craindre que (ne) 245
croire (Modus) 68
~ qn 114
~ qc, ~ à qn, ~ à qc, ~ en 118
~ qn son ami 121
croître – pousser – grandir
    28 A 34

D

dans, örtlich 301
    zeitlich 310,3
~ la rue 307 A 2
    prendre ~ 305
Dativ der Hinsicht 119 A 2
davantage 220 A
de, örtlich, Herkommen 304
    zeitlich 311

Art u. Weise 313
Mittel, Werkzeug 314
    nach plus u. moins 220
    beim Passiv 123—124
~ chez, ~ dessous etc. 304 A 3
décider (Modus) 60 A 3
~ de oder à faire 89
décréter (Modus) 60 A 3
defektive Verben 30
dehors, en ~ de 317
demander, ~ de oder à faire 89
~ à qn 126
~ qn, qc 118
demeurer (Hilfsverben) 34
demi-heure 190
Demonstrativpronomen
    266—274
depuis, zeitlich 311
    örtlich 311 A
~ que 322
dernier, le ~ qui (Modus) 67
    le ~ à faire 82
derrière 306
des bons fruits 184 A 1
dès, zeitlich 311
    örtlich 311 A
~ que 52; 322
descendre (Hilfsverben) 34;
    115
désirer (Modus) 60
~ faire 77 d
devant 306
devoir faire qc 77 a
différent 184 A 3
difficile, ~ à faire 82
    il est ~ de faire 88
dire (Modus) 60 A 1
~ avoir fait 77 f
~ de faire 77 f
disparaître (Hilfsverben) 34 c
divers 184 A 3
doctoresse 150 A
dommage, c'est ~ que 69
donc 320
dont 277
~ six filles 277 A
doute, sans ~, sans aucun ~
    298 A 1
douter (Modus) 66
    ne pas ~ que (ne) 245
~ de, se ~ de 118
douteux, il est ~ que 66
durant 310

E

Eigennamen 145
    Sing. u. Plur. bei ~ 164—
    165
    best. Artikel bei ~ 170
élire qn député 121
empêcher (Modus) 60

~ que (ne) 245
en, Präp.
    örtlich 301
    zeitlich 310
    Art u. Weise 313
    mit Artikel 301 A 2
    beim Gerundium 97
en, Pronominaladv. 253; 255
    Stellung 249—250
    auf Personen bezogen
    255 A
    statt Possessiv 255 c
encore aujourd'hui 295 A 2
entendre qc à qn 120 A
entre 309
envers 302 A 3
espérer, ~ faire 77 d; 227
    Tempus nach ~ 54
est-ce que (Umschreibung) 136;
    138—141
et . . . et 319
étonner (Modus) 69 A
être 10
excepté 105; 317

F

fâché, être ~ que (Modus) 69
facile, ~ à faire 82
    il est ~ de faire 88
façon, de ~ à faire 90
    de ~ que 328
faillir – manquer 30,7; 35;
    77 A
faire, ~~ 37
~ taire (asseoir etc.) qn 37
~~ qc à qn 120
    ne ~ que 242
falloir, il faut que 61; 108
    il faut, il me faut 108
fatal (Plural) 196
faux, chanter ~ 224
féliciter qn de oder pour 84 A;
    117 A
Finalsatz 4; 62
finir par faire 90,3
finite Formen 8
forcer à oder de faire 89
fort, Adv. 228—231
fou, fol, folle 161; 195
foule, une ~ de 111
Frageform 22; 137 A
Fragesatz 136—143
Futur 53—55
    Umschreibung mit aller
    35
    als Imperativ 71

G

Gallizismen, mit best. Ar-
    tikel 177
    mit Possessivpron. 262 A

Gattungsnamen 145
  mit Artikel 176
gens (Genus) 157
Gérondif s. Gerundium
Gerundium 92; 97—98
Geschlecht 146—157;
  189—195
grand-mère etc. 190
gravement – grièvement 216 A
Großschreibung 337
Grundzahlen 206—207
  ~ bei Datum u. Regenten-
  namen 209,3

H

haïr – détester 27 A 10
haut, parler ~ 224
hériter de qn, de qc 117
hésiter à faire 80
Hilfsverben 10; 31—35
historisches Perfekt 44—49
hormis 317 A
hors (de) 317 A

I

ignorer (Modus) 66; 68
il, gramm. Subjekt 109;
  131 A; 272
  ~ *est – c'est* 273—275
  ~ *est vrai* 273 A 1
  ~ *y a*, Zeitangabe 312
  ~ *n'y a que* nur 242
    tout ce qu' ~ *me reste* 282 A
Imperativ 71
Imperfekt 44—49
importer, il importe que 61
impossible, il est ~ *que* 66
indefinite Pronomen 290—
  298
Indikativ 57
infinite Formen 8
Infinitiv 75—91
  historischer ~ 88 A
Interrogativpronomen
  284—289
Intonation 1
intransitive Verben 6; 39;
  115
Inversion s. Fragesatz u.
  Wortstellung

J

jamais (ne) 297 A
jouer à qc, de qc etc. 118
juger bon 252 A 2
jurer (Tempus) 54
  ~ *avoir fait,* ~ *de faire* 77 f
jusque 302; 311
jusqu'à ce que (Modus) 62; 325
jusqu'au moment où 62 A 2;
  325
juste, penser ~, *deviner* ~ 224

K

Kausalsatz 4
Komma 335
Komparativ 197; 218
Konditional, als Tempus 55
  als Modus 72—73
Konditionalsatz 4
  Tempus u. Modus 74
Konjugation, Formen 9—30
  lebende ~ 9; 11—17
  tote ~ 9; 26—30
Konjunktionen 318—333
Konjunktiv 56—70
Konkreta 145
Konsekutivsatz 5
  mit finalem Sinn 62
Konzessivsatz 4
  Modus im ~ 65

L

laisser, ~ *faire* 77 a
  ~ *faire qc à qn* 120 A
le, neutrales Pronomen 252
  je ~ *suis, je la suis* 252 A 1
lequel, Relativpronomen
  279—280
  Interrogativpronomen
  289
lieu, au ~ *de faire* 90
lorsque 321
lui, à ~ 250 c; 257
luire – briller 28 A 41

M

maintenant que 278
mais 320
mal, Adv. zu *mauvais* 217
  Steigerung 219
malgré que 65; 65 A 1
manière, de ~ *à faire* 90;
  328 A 2
  de ~ *que* 62; 328
manquer, je manque de qc 110
  ~ *qc,* ~ *à qc,* ~ *de qc* 118
  ~ *de faire* 35; 77 A; 227
marcher (Veränderlichkeit des
  Part. Perf.) 105
mauvais 198
méfier, se ~ *de* 39
mêler, se ~ *de* oder *à* 118
même 295
  de ~ *que* 332
  quand ~ 331
  aujourd'hui ~ 295 A 2
mieux 198; 219
  als Adjektiv 219 A
  à qui ~ ~ 283 A
Modus 8; 56—74
moindre 198
moins, bei Adj. 197
  à ~ *que ne* 65; 330

~ *que* oder ~ *de* 220
~ *d'à* oder ~ *qu'à moitié*
  220 A 3
~ . . . ~ 220 A 1
  de ~ *en* ~ 220 A 4
moment, du ~ *que* 326
  en ce ~, *à ce* ~ 310 A
monter (Hilfsverben) 34
  ~ trans. oder intrans. 115
mouvoir – agiter – remuer –
  bouger 29 A 57

N

naval (Plural) 196
ne 237
  Wegfall des ~ 240
  ~ bei *ni* 243
  ~ ohne Ergänzungswort 244
  zusätzliches ~ 245
néanmoins 320
Nebensätze 4
Negation 237—245
ne . . . goutte 238
ne . . . guère 238
ne . . . mie 238 A
ne . . . mot 238
ne . . . pas 238—239
ne . . . pas du tout 238 A 1
ne pas être, n'être pas 239
ne . . . pas que nicht nur 242 A
ne . . . plus 238
ne . . . point 238
ne . . . que 242
ni 243; 319
  ~ *non plus* 243 A 3
nier (Modus) 66
nommer qn général 121
non, ~ *pas* 241
  ~ *plus* 243
nouveau, nouvel, nouvelle 195
  ~ *– né* 189 A 4
nu-tête, tête nue 190
nul (ne) 298 A 2
Numerus 8

O

obéir (pers. Passiv) 123
Objekt, direktes u. prä-
  position. ~ 113
  Verb u. ~ 114—118
  Verben mit zwei ~en 119
Objektsatz 4
obliger à oder *de faire* 89
œil 161
œuf 161
œuvre (Genus) 157
on, l' ~ 290; 290 A
  ~ *a* statt *nous avons* 290 A 1
  ~ *est contente* 290 A 2
  vous als Ersatz für ~ 290
  ~ für unpers. Passiv 110;
  122

196

or nun 320
Ordnungszahlen 208—209
ordonner (Modus) 60 A 3
oser, ~ *faire qc* 77 a
  je n'ose le faire 244
où, relatives Adverb 278
  nach Zeitbestimmungen 278
~ *que* (verallgemeinernd) 65
oui und *si* 236
outre 317

P

par, Präp., örtl. 308
  zeitlich 310 A 2
  Mittel u. Werkzeug 314
  modal 313
  beim Passiv 123—124
  commencer, finir ~ *faire* 90
paraître (Hilfsverben) 34
~ *faire* 77 a
parce que 326
pardonner (pers. Passiv) 123
parler, ~ *à, avec, de, sur* 116 A
~ *affaires, politique* 224 A
~ *haut, bas* 224
parmi 309
~ *lesquels* 280
part, d'une ~*, d'autre* ~ 319
partir, ~ *pour, à, chez* etc. 302; 302 A 1
  à ~ *de* 311
Partizip 92—106
~ Präsens 93—96
~ Perfekt 99—105
  Veränderlichkeit des ~s 100—105
parvenir à faire 80 A 1; 110
pas, Ergänzungswort 237 – 238
~ ohne *ne* 240
~ *de* oder ~ *un* kein 178 A
passé composé 50—51
passé simple 44—49
passer (Hilfsverben) 34
~ *pour* 121
Passiv 24; 122—124
  refl. Verb. statt ~ 41
  Ersatz des ~s durch *on* 110; 122
  par oder *de* beim ~ 124
peine, à ~ *que* 144
peintresse 150 A
pendant 310
~ *que* 323
penser, ~ *faire*, ~ *à faire* 89
Perfekt 50—51
Person 8
Personalpronomen 246—260
personne (ne) 296

peser (Veränderlichkeit des Part. Perf.) 105
petit, Steigerung 198
peu, Steigerung 219
peur, de ~ *que (ne)* 327
  de ~ *de faire* 327 A 1
peut-être 144
pire 198
pis 198; 219
plaindre, se ~ *que, de ce que* 69 A
plupart, la ~ 111; 182 A 2
Plural, des Subst. 158—166
  des Adjekt. 196
plus, bei Komp. und Superl. 197; 218
~ *que* oder ~ *de* 220
  le ~ oder *la* ~ *malade* 197
~ *d'à* oder ~ *qu'à moitié* 220 A 3
~ . . . ~ *je* . . . desto 220 A
  de ~ *en* ~ 220 A 4
Plusquamperfekt 52
plutôt – plus tôt 235
point, ne ~ *(du tout)* 238
  sur le ~ *de faire* 35
Possessivpronomen 261—265
  ma maison à moi 261; 262 A 1
  voilà mon loup par terre 262 A 2
possible, il est ~ *que* 66
pour, Präp., örtl. 302
  Grund 315
  Ziel, Zweck 316
~ *faire* 90; 327
~ *que* final 62; 327
~ *que* konzessiv 65
pourquoi, c'est ~ 320
pourtant 320
pourvu que 65; 330
pouvoir, je peux – je puis 29 A 61
  je ne,puis le faire 244
  il se peut que 66
Prädikat 4
prädikative Ergänzung 121
Prädikativsatz 4
Präposition 299—317
  Liste der wichtigsten ~en 300
Präsens 43
préférer, ~ *faire* 77 d
~ *que* 60
premier, le ~ *qui* 67
  le ~ *à faire* 82
prendre, ~ *qn pour qn* 121
~ *dans*, ~ *sur* 305
près de 303
prétendre (Modus) 66
proclamer qn roi 121

promettre (Tempus) 54
~ *de faire* 85
prompt à 82
Pronomen 246—298
puisque 326

Q

quand, Tempus nach ~ 54
~ temp. Konjunktion 321
~ *même* 331
que, Konjunktion 333
  nach Komparativ 197
  plus ~*, moins* ~ 220
  im Vergleich 233—234
  Relativpronomen 276; 280
  prädikative Ergänzung 276
  rel. Adverb 278
  Interrogativpronomen 284; 287—288
  im Ausruf 234
  ce ~ 282; 288
  ne . . . ~ 242
  je crois ~ *oui* 236
~ *n'es tu venu?* 244
quel, Interrogativpron. 289
~ *que* 65; 295
quelconque 295
quelque 295; 298
~ . . . *que* (einräumend) 65
quelque chose 297
quelqu'un 296
qui, Relativpron. 276; 280
  de ~ für *duquel* 280,3
~ beziehungsloses Relativ 283
  ce ~ 282
~ Interrogativpronomen 142; 284—286
~ *que ce soit* 65; 295
~ . . . ~ dieser . . . jener 283 A
  à ~ *mieux mieux* 283 A
quiconque 295
quoi, neutrales Relativ 281
  Interrogativpronomen 287—288
~ *faire, que faire* 287 A
~ *que ce soit* 65; 295
quoique (Modus) 65; 295; 331

R

rappeler, ~ *qc à qn* 118
  se ~ *qc* 118
reflexive Verben 36—41
  Umschreibung mit *être* 33; 37
  Veränderlichkeit des Partizips bei ~ 102—104
Reflexivpronomen, verbunden 248
  unverbunden, *soi* 260

regarder qn comme ... 121
Rektion der Verben 114—
119
Relativpronomen 276—283
Relativsatz, Konjunktiv im
~ 63
Zeichensetzung beim ~
335
remercier qn de oder pour
117 A
rendre qn heureux 121
résoudre de oder à faire 89
rester (Hilfsverben) 33
retourner (Hilfsverben) 33
réussir à faire 80; 110
réussir – arriver – parvenir
80 A 1
revanche, en ~ 320
reziproke Verben 36
rien, indef. Pronomen 297
Stellung von ~ als Ob-
jekt 222
als Subjekt 222; 297

S
Sammelnamen 145
Sammelzahlen 212
sans faire 90; 329
Satz 1—4
Satzgefüge 4
Satzteile 3
sauf 317
savoir faire 77 a
je ne saurais le dire 244
il ne sait pas nager 244 A 2
je ne sache pas (que) 59 A
selon 312 A
~ que 332
sembler faire 77 a
il semble que (Modus) 66 A
sentir, mit Dativ der Hinsicht 119 A 2
~ bon, mauvais 224
servir qn, à qc, de qc etc. 118
seul allein, nur 242
le ~ qui (Modus) 67
le ~ à faire 82
seulement 242
si 232—233
als Bejahungsadv. 236
Tempus u. Modus nach ~
74; 330
~ grand qu'il soit 65
~ peur, ~ faim 232 A
~ ce n'est 244
~ ob 330 A
Silbentrennung 338
soi 260
soit ... soit 65; 319
sorte, de ~ que 62; 328
faire en ~ que 62; 328

sortir (Hilfsverben) 34
trans. oder intrans. 115
souhaiter (de) faire 77 d A 2
sourd-muet 189 A 3
sous 307
souvenir, se ~ de qc 118
il m'en souvient 118 A
Stamm als Bedeutungsele-
ment 7
Stammerweiterung 17
Stammformen des Verbs 7;
25
Steigerung, des Adjektivs
197—198
des Adverbs 218—219
Stoffnamen 176
Subjekt, gramm. u. logi-
sches ~ 109—110
unpersönl. il mit folgen-
dem ~ 109
Stellung des ~s 126; 131;
141; 280
Übereinstimmung von
Verb u. ~ 111
Subjektsatz 4
subjonctif 56—70
Substantiv 145—166
suivant 312 A
~ que 332
Superlativ, des Adjektivs
197—198
des Adverbs 218—219
Modus im Relativs. nach
~ 67
supposer (Modus) 64
sur, örtlich 307
bei Verben des Entneh-
mens 305
sûr, pour ~ 236 A 2

T
tandis que 323
tant 232—233
~ que 324
tantôt – tantôt 319
tarder, ~ à faire 80 A 1; 227
il me tarde de faire 88 A 1
Teilungsartikel 179—184
tel 295
Temporalsatz 4
Tempus 8; 42 (vgl. Zeit)
tenir, ~ qn pour ... 121
tout ganz, alle 291
~ oreilles 291 A
~ vor Adjektiv 293
~ jeder 294
~ en faisant qc 97
~ grand qu'il est (soit) 65
~ ce qu'il y a de plus beau 197
toutefois 320
train, en ~ de faire 35

traiter, ~ en, de 121
transitive Verben 6
travers, à ~, au ~ de 308
trouver bon 252 A 2
très 228—231
~ faim 231 A

U
Uhrzeit 211
Umschreibung, mit avoir
und être 32—34
mit aller, venir etc. 35
user, ~ de 118

V
vain, en ~ (Inversion) 144A
vaincre (defektiv) 28 A 53
valoir (Veränderlichkeit des
Part. Perf.) 105
il vaut mieux faire 77 b
il vaut mieux que 61
venir, ~ faire, ~ de f., ~ à f.
35; 89
Verbaladjektiv 92—96
vers 302
Vervielfältigungszahlen 213
vêtir – habiller 27 A 22
via 308
vieux, vieil, vieille 195
vite 217
vivre (Veränderlichkeit des Part.
Perf.) 105
voir clair 224
vouloir, veux – veuille 29 A 66
vu que 326

W
Wortstellung 1; 125—144
nach dont 277

Y
y, Pronominaladverb 253;
254
Stellung 249—250
nicht auf Personen bezo-
gen 255 A
m'~, t'~, s'~ gemieden
259 A 2

Z
Zahladverbien 214
Zahlwort 205—214
Zeichensetzung 334—336
Zeit, beim Verb 5; 8 c;
42—55
Präpositionen der ~ 310
—312
Zeitdauer und Zeitpunkt 310
Zeitenfolge in konjunkt.
Sätzen 70
Zustandsform 8

Grammatische Ausdrücke

(deutsch — französisch)

abgeleitet *dérivé*
Ableitung *dérivé* m
Abstrakta *mots abstraits*
Adjektiv *adjectif* m *(qualificatif)*
   attributives ~ *adjectif épithète*
   prädikatives ~ *adjectif attribut*
Adverb *adverbe* m
adverbial *adverbial*
Akkusativ *accusatif* m
Akkusativobjekt *complément* m *(d'objet) direct*
Aktionsart *aspect* m *du verbe*
Aktiv *voix active, actif* m
Akzent *accent* m
alleinstehend *isolé, employé seul*
apostrophieren *mettre une apostrophe*
Apposition *apposition* f
Art und Weise *manière* f
Artikel *article* m
Attribut *épithète* f, *adjectif épithète,*
   complément du nom
Ausdruck *expression* f
ausdrücken durch *exprimer par*
auslassen *omettre*
Auslassung *omission* f
Ausrufungszeichen *point* m *d'exclamation*
Aussage *énoncé* m
Aussagesatz *proposition affirmative*

bedeuten *signifier*
Bedeutung *signification* f
Bedingung *condition* f
Befehlsform *impératif* m
bejahend *affirmatif*
Bejahung *affirmation* f
Besonderheit *particularité* f
bezeichnen *désigner*
sich beziehen auf *se rapporter à*
Beziehung *relation* f, *rapport* m
Beziehungswort *antécédent* m
Bildung *formation* f
Bindestrich *trait* m *d'union*
Bindung *liaison* f
Bruchzahl *nombre* m *fractionnaire*

Dativ *datif* m
Dativobjekt *complément* m *(d'objet) indirect*
Deklination *déclinaison* f
Demonstrativpronomen *pronom (adjectif)* m
   démonstratif
Determinativpronomen *pronom (adjectif)* m
   déterminatif
Doppelpunkt *deux points* m pl

Eigenname *nom* m *propre*
einräumend *concessif*
Einräumung *concession* f
Einzelbezeichnung *nom individuel*
Endstellung *position finale, en fin de phrase*
Endung *terminaison* f, *désinence* f
Ergänzung *complément* m

Finalsatz *proposition finale*
Formenlehre *morphologie* f
Frage(form) *interrogation* f
Fragepronomen *pronom interrogatif*
Fragesatz *proposition interrogative*
Fragezeichen *point* m *d'interrogation*
Futur *futur* m
   2. Futur *futur antérieur*

Gallizismus *gallicisme* m
Gattungsname *nom commun*
Gebrauch *emploi* m
gebrauchen *employer*
gebräuchlich *usuel, usité*
Genitiv *génitif* m
Genitivobjekt *complément* m *(d'objet) indirect*
Genus *genre* m
Gerundium *gérondif* m
gleichzeitig *simultané*
Gleichzeitigkeit *simultanéité* f
Grammatik *grammaire* f
grammatisch *grammatical*
Großbuchstabe *majuscule* f
Grund *cause* f
Grundbedeutung *sens* m *primitif*
Grundzahl *adjectif numéral cardinal*

Handlung *action* f
Hauptsatz *proposition principale*
Hilfsverb *verbe* m *auxiliaire, auxiliaire* m
hinweisend *démonstratif*

Imperativ *impératif* m
Imperfekt *imparfait* m
Indefinita *pronoms (adjectifs) indéfinis*
Indikativ *indicatif* m
(in)direkt *(in)direct*
(in)finite Formen *modes (im)personnels du verbe*
Infinitiv *infinitif* m
   historischer ~ *infinitif de narration*
Infinitivsatz *proposition infinitive*
Interjektion *interjection* f
Interrogativpronomen *pronom (adjectif)*
   interrogatif
Intonation *intonation, mélodie de la phrase*
intransitiv *intransitif, neutre*
Inversion *inversion* f *(du sujet)*

Kausalsatz *proposition causale*
Kleinbuchstabe *minuscule* f
Komma *virgule* f
Komparativ *comparatif* m
Konditional *conditionnel* m
   2. Konditional *conditionnel passé*
Konditionalsatz *proposition conditionnelle*
Konjugation *conjugaison* f
konjugieren *conjuguer*
Konjunktion *conjonction* f
Konjunktiv *subjonctif* m

199

Konkreta *mots concrets*
Konsekutivsatz *proposition consécutive*
Konsonant *consonne* f
Konzessivsatz *proposition concessive*

männlich *masculin*
modal *modal*
Modus *mode* m

Nebensatz *proposition subordonnée, subordonnée* f
Negation *négation* f
Neutrum *neutre* m
Nominativ *nominatif* m, *sujet* m
Numerus *nombre* m

Objekt *objet* m, *complément* m *d'objet*
   präpositionales ~ *complément (d'objet) indirect*
Objektsatz *proposition* f *complément d'objet*
Ordnungszahl *adjectif numéral ordinal*

Partizip *participe* m
   ~ Präsens *participe présent*
   ~ Perfekt *participe passé*
Partizipialsatz *proposition* f *participe*
Passiv *voix passive, passif* m
Perfekt *passé composé*
   historisches ~ *passé* m *simple*
Person *personne* f
Personalpronomen *pronom personnel*
Personenname *nom* m *de personne*
Pluralbildung *formation* f *du pluriel*
Plusquamperfekt *plus-que-parfait* m
   2. Plusquamperfekt *passé antérieur*
Possessivpronomen *pronom (adjectif) possessif*
Prädikat *verbe* m
prädikative Ergänzung *attribut* m
Prädikatsnomen *attribut* m
Präfix *préfixe* m
Präposition *préposition* f
Präsens *présent* m
Pronomen *pronom* m
pronominal *pronominal*
Punkt *point* m

Rede *discours* m
Redewendung *locution* f, *tournure* f
reflexiv *réfléchi*
reflexive Verben *verbes pronominaux*
Reflexivpronomen *pronom réfléchi*
Relativpronomen *pronom relatif*
Relativsatz *proposition relative, relative* f
s. richten nach *s'accorder avec*

sächlich *neutre*
Sammelname *nom collectif*
Sammelzahl *nombre collectif*
Satz *phrase* f, *proposition* f
Satzgefüge *phrase composée, phrase complexe*
Satzlehre *syntaxe* f
Satzteil *partie* f *du discours,* ~ *de la phrase*
Schriftsprache *langue écrite*
Silbe *syllabe* f

Silbentrennung *division* f *syllabique des mots*
Singular *singulier* m
Sinn *sens* m
Sprache *langue* f, *langage* m
Sprachentwicklung *évolution* f *de la langue*
Sprachgebrauch *usage* m
sprichwörtlich *proverbial*
Stamm *radical* m
Stammerweiterung *intercalation* f *de la syllabe* - iss -
Stammform *forme primitive*
Steigerung *degrés* m pl *de signification*
stimmhaft *sonore*
stimmlos *sourd*
Strichpunkt *point-virgule* m
Subjekt *sujet* m
Substantiv *substantif* m, *nom* m
Suffix *suffixe* m
Superlativ *superlatif* m

Teilungsartikel *article partitif*
Temporalsatz *proposition temporelle*
Tempus *temps* m *(du verbe)*
Tempusgebrauch *emploi* m *des temps*
transitiv *transitif direct*
Trema *tréma* m
Trennungsstrich *tiret* m

übereinstimmen mit *s'accorder avec*
Übereinstimmung *accord* m
Umgangssprache *langue parlée*
Umschreibung *périphrase* f, *circonlocution* f
Umstandsbestimmung *complément circons-
(un)bestimmt *(in)défini*   [*tanciel*
ungebräuchlich *inusité*
(un)persönlich *(im)personnel*
(un)regelmäßig *(ir)régulier*
(un)veränderlich *(in)variable*

veraltet *vieilli, archaïque* [-kaik]
Veränderlichkeit *accord* m *(avec)*
verändern *faire accorder (avec)*
Verb *verbe* m
verbal *verbal*
Verbaladjektiv *adjectif verbal*
Vergangenheit *passé* m
verneinend *négatif*
Verneinung *négation* f
Vokal *voyelle* f
voranstehen, vorausgehen *précéder (un mot)*

weiblich *féminin*
Wiederholung *répétition* f
Wohlklang *harmonie* f
Wortstellung *ordre* m *des mots (dans la phrase)*
   (Stellung eines Wortes) *place du mot*

Zahl *nombre* m
Zahlwort *adjectif numéral*
Zeichensetzung *ponctuation* f
Zeitenfolge *concordance* f *des temps*
zusammengesetzt *composé*
zusätzliches « ne » *le « ne » explétif*